スッキリわかる

証券外務員

一種

SAKU株式会社 監修
TAC出版編集部 編

JN005637

TAC出版

TAC PUBLISHING Group

はじめに

　本書は、日本証券業協会が実施する一種外務員資格試験に合格するための試験対策書です。一種外務員資格は、二種外務員資格及び特別会員外務員資格を網羅できるため、将来的に活躍の可能性がひろがります。

　テキストと問題集を1冊にまとめ、最短の学習時間で効率的に合格できるよう、工夫しました。したがって、皆様は学習のために何冊もの書籍を購入する必要はありません。本書1冊で、試験に十分に対応することができます。まずは本書のテキスト（解説）部分を読み、その後の問題演習で学習効果の確認をしてください。

　また、本書の特徴のひとつとして、試験で出題の頻度が高い事項や関連箇所を重点的に掲載しています。さらに、重要度を1〜3（最重要は3）で評価し、学習の参考になるように章内のセクションごとに明示しました。

　一種外務員資格試験の範囲は、二種外務員資格試験の範囲に加え、一種特有の分野である「デリバティブ取引」までとなっています。本書は、2024年6月時点の法令等を基準として作成しています。

　本書の1章〜5章では、金融商品取引業基礎試験に必要な知識を学習することができます。証券外務員試験への腕試しとして、金融商品取引業基礎試験の受験に活用してください。

＊　＊　＊

　いまや金融機関では必須ともいえる証券外務員資格をぜひとも取得し、あなたの活躍の場をさらに広げてください。

　あなたが毎日の隙間時間をフルに活用し、短期間の学習で合格を手にしていただけますよう、心よりお祈り申し上げます。

2024年8月
監修　SAKU株式会社

本書の構成と学習の進め方

まずは章扉に注目

章扉には、これから学ぶ内容について書かれています。章全体の概要と学習の取り組み方を確認しましょう。●数字は関連するセクションを表示しています。

1~3の重要度をチェック

章内のセクションごとに重要度を1~3（3が最重要）で示しました。重要度の高いものから重点的に学習をすすめていきましょう。

側注で理解を深める

用語解説や参考を記していますので、理解を深めるため、活用してください。

問題演習で理解度を確認

テキストを読んだら、問題を解いて、その時点での理解度を確認しましょう。弱点箇所はテキストを読んでおさらいしましょう。なお、知っている論点については問題から解き、解けなかったらテキストを確認するのも一つの使い方です。

もくじ

動画を使って、
スッキリ理解しよう！

本書は、資格の概要や重要論点
の問題演習に対する補足解説を
動画で用意しています。
動画を併用して効率よく勉強し、
合格を勝ち取りましょう！

このQRコードから
アクセス！

受験生のあらゆる疑問に答えます！

証券外務員 を 徹底解剖！

資格を取ると何ができるの？
どんな試験なの？
学習方法が知りたい！

1 証券外務員とは？

金融商品の勧誘や販売に必要な証券外務員

証券会社
・株式
・債券
・投資信託

銀行
・債券
・投資信託
など

金融商品取引業者に所属

証券外務員とは、証券会社や銀行など「金融商品取引業者等」に所属し、お客さんに有価証券などの「金融商品」の勧誘や販売をするために持っていなければならない資格です。

証券外務員の資格を取得したあと、日本証券業協会の「外務員登録原簿」へ登録すると、外務員として活動することができます。

①証券外務員の資格取得

合格

②証券会社、銀行などに勤務し、「外務員登録原簿」に登録

ヨロシク〜！
証券会社 → 登録 → あいよ〜！
日本証券業協会

③証券外務員として金融商品の勧誘や販売をする！

債券
株式

証券外務員が所属する「金融商品取引業者等」には、主に、日本証券業協会の正会員である証券会社「金融商品取引業者」と、特別会員である銀行や生命保険会社などの「登録金融機関」があります。

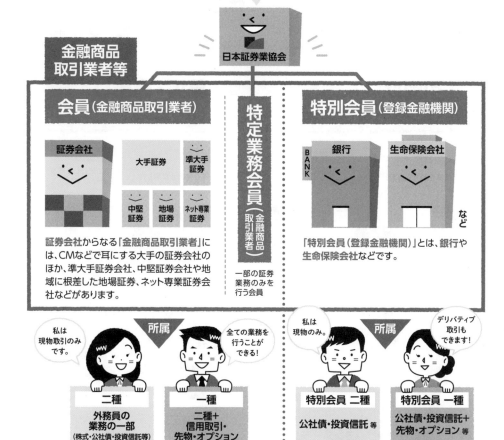

金融商品取引業者等

会員（金融商品取引業者）

証券会社

大手証券 　準大手証券

中堅証券　地場証券　ネット専業証券

証券会社からなる「金融商品取引業者」には、CMなどで耳にする大手の証券会社のほか、準大手証券会社、中堅証券会社や地域に根差した地場証券、ネット専業証券会社などがあります。

特定業務会員（金融商品取引業者）

一部の証券業務のみを行う会員

特別会員（登録金融機関）

BANK 銀行　生命保険会社

など

「特別会員（登録金融機関）」とは、銀行や生命保険会社などです。

所属

私は現物取引のみです。

二種
外務員の業務の一部
（株式・公社債・投資信託等）

全ての業務を行うことができる！

一種
二種＋信用取引・先物・オプション

所属

私は現物のみ。

特別会員 二種
公社債・投資信託 等

デリバティブ取引もできます！

特別会員 一種
公社債・投資信託＋先物・オプション 等

証券外務員資格は、全ての金融機関で有効です。証券外務員の資格には一種と二種があります。一種と二種では扱える商品に違いがあり、一種では、二種外務員で扱う商品に加え、信用取引、デリバティブ取引、などを取り扱うことができます。

銀行などで商品を扱うときに「特別会員外務員」資格が必要になります。特別会員の従業員が受験できます。

2 証券外務員の業務

証券外務員の業務には、4つあります。
「新規発行証券を取り扱うか」「既発行証券を取り扱うか」「証券会社が責任を取るか」「仲介するだけか」「お客さんが誰か」によって、様々な業務を行っているのです。

業務その1 引受け（アンダーライター）

1つ目は、「引受け（アンダーライター）」で、募集や売出しにより発行された株式等の投資家への販売を、証券会社が引受けることです。

業務その2 募集・売出し（セリング）

2つ目の「募集（セリング）」は、企業が新しく株式を発行するときに、委託されてその株式の売却をする業務です。
「売出し」は、すでに発行された株式につき、企業から委託され株式の売却を行う業務です。

「ホールセール」と「リテール」とは？

証券会社には、「ホールセール部門」「リテール部門」があり、ホールセール部門では、プロ（適格機関投資家）向けの大口の取引を行い、リテール部門では、個人投資家などとの取引を行います。

業務 その3 委託売買（ブローキング）

3つ目は、「委託売買（ブローキング）」、いわゆるブローカーです。株式を売買したい投資家に対して**仲介**し、その取引にかかる**手数料をもらう**業務です。

業務 その4 自己売買（ディーリング）

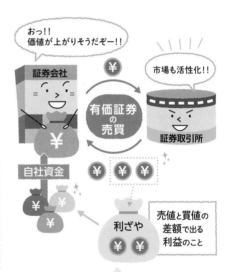

最後は、「自己売買（ディーリング）」です。
証券会社が自社の資金を使って、**株式を運用することで利益（利ざや）を得る**業務です。

証券アナリスト

株や債券などにつき、証券アナリストが分析し、レポートを提供するというイメージです。証券アナリストは、情報の分析と投資価値の評価を行い、投資助言や投資管理サービスを提供します。

A社の株が上がりそうですね！

FP（ファイナンシャル・プランナー）

お客さんのライフプランやニーズに合わせ、お金に関する生涯の計画（貯蓄、投資、保険、税務、不動産、相続・事業承継等）を立てて、アドバイスを行います。

お客様の家族構成にあわせてキャッシュ・フロー表を作成してみますね！

おぉー！

DCプランナー（企業年金総合プランナー）

「DC」とは、確定拠出年金（＝Defined Contribution）のこと。年金制度の専門的な知識だけでなく、投資やライフプランについての知識ももち、年金制度を支えるプロフェッショナルです。

確定拠出年金セミナー

65才からもらえる年金額は…

現在の年金制度は…

なるほど

そうかー

3 証券外務員試験の概要

日本証券業協会の協会員の役職員等の人は、所属する会社をとおして受験します。

ここでは、証券会社など日本証券業協会の協会員の役職員等以外の一般の人が受験する試験の概要をみていきましょう。

●一種外務員資格試験

受験資格	なし（年齢等の制限なし）
試験方式	PC試験
受験料	13,860円（税込み）
試験時間	2時間40分
試験会場	全国の主要都市に設置されている試験会場（テストセンター）
申込期間と試験日	試験日の60日前から試験日の5営業日前まで予約可能。
合格発表	試験終了後（試験当日） 不合格だったら30日後から再チャレンジできます！

試験問題	出題形式	出題数	配点
	〇×方式	70問	各2点
	5肢選択方式	30問	1択は各10点 2択は各5点
合格点	440点満点の70％（308点）以上		

まず、受験資格がないため、誰でも受けられます。また、PCで受験するため、平日であれば（土日、祝日、年末年始を除く）いつでも受験できます。

合否は試験終了後、試験会場にて。不合格となった場合には、受験日の翌日から30日間は受験できません。

出題数は、合計100問で、440点満点です。そして、**70%以上の得点（308点以上）で合格**となります。

申し込みはプロメトリックへネット経由で申し込みます。

申込先 **PROMETRIC（プロメトリック）**
https://www.prometric-jp.com/examinee/test_list/archives/17

持ち物とか、試験の詳細もここで確認してね！

4 証券外務員試験の出題範囲

証券外務員の学習分野は3つに分けられます。一番配点が多いのが、「商品業務」（予想配点：242点）です。次いで、「関連科目」（予想配点：102点）、「法令・諸規則」（予想配点：96点）の順になっています。

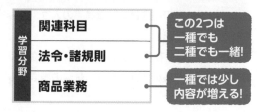

学習分野	関連科目	この2つは 一種でも 二種でも一緒!
	法令・諸規則	
	商品業務	一種では少し 内容が増える!

▼ 関連科目

予想配点：**102点**

ここでは、証券外務員として金融の知識を理解するための「証券市場の基礎知識」と、関連科目「株式会社法概論」「経済・金融・財政の常識」「財務諸表と企業分析」「証券税制」「セールス業務」を学びます。また、金融市場の全体像や、証券市場の役割なども含まれます。

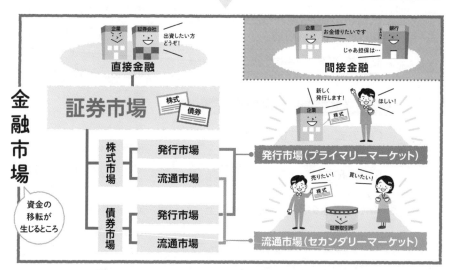

GDP（国内総生産）や景気動向指数、日銀短観など、ニュースでもよく耳にする「経済・金融・財政の常識」もここで学びます。

▼ 法令・諸規則

法 令　法令のなかには、「金融商品取引法及び関係法令」と、「金融商品の勧誘・販売に関係する法律」などがあります。

有価証券取引に幅広く関わる法律

金融商品の勧誘・販売に関する法律

守ってください！

金融商品取引法

企業　証券会社　証券取引所　生命保険会社　銀行

金融商品に関わる者たち

商品を販売したり契約したりする際に関わる法律

ダメッ！ゼッタイ！！

金融サービス提供法

消費者を守ります！

消費者契約法

不当な勧誘

「金融商品取引法」は、有価証券取引に幅広く関わる法律です。ほとんどの有価証券や、一定のデリバティブ取引が対象です。株式を売り出す企業や、金融商品取引業者、取引所などが守らねばならないことが定められています。

「金融商品の勧誘・販売に関係する法律」には、「金融サービス提供法」「消費者契約法」があり、商品を販売したり、契約したりする際に関わってくる法律です。「個人情報保護法」と「犯罪収益移転防止法」についても学びます。

諸規則 そして、諸規則には日本証券業協会の「協会定款・諸規則」と、金融商品取引所の「取引所定款・諸規則」があります。

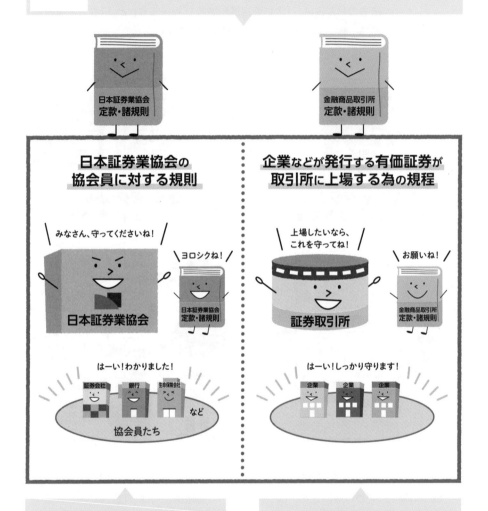

「日本証券業協会」の定款・諸規則では、日本証券業協会の協会員に対する規則が定められています。主に自主規制規則を中心に学びます。

そして、「金融商品取引所」の定款・諸規則では、企業等の発行する有価証券が取引所に上場するための有価証券上場規程などが定められています。

▼ 商品業務

予想配点：**242点**

株式・債券・投資信託	ここでは、「株式業務」と「債券業務」、「投資信託及び投資法人に関する業務」に関わる業務を学びます。株式や債券、または、投資信託を売買するための取引の方法などを学びます。

種類は何があるの?
どうやって注文するの?

株式業務

債券業務

投資信託及び投資法人に関する業務

付随業務	それに関連する業務として「付随業務」というのもあります。これも証券会社が、金融商品取引業を営むために欠かせない業務です。例えば、顧客に有価証券に関連する情報の提供または助言することも付随業務にあたります。

A社は近年、画期的なロボットの開発により利益を伸ばしているんですよ!

それはすごい!株価が上がるね!

証券外務員　　　投資家

| デリバティブ取引 | そして、一種は、二種で学ぶ内容に加えて、**信用取引やデリバティブ取引**も加わります。これらの取引には原則、期限が設けられていたり、証拠金が必要であったりなどの特徴があります。 |

ちょっと**複雑な業務**も
行えます!

法令や諸規則等の制度変更があった場合、試験問題は新制度に基づいて出題されます。TAC出版でも変更があれば、そのつど、法改正情報として公開しますが（ TAC出版 検索 ）、より詳しい情報は、下記のWEBサイトでも入手できますので、参照してみてください。

日経225先物など、金融商品について調べるときにはここ!
日本取引所グループ
https://www.jpx.co.jp/

ここでは証券会社をめぐる状況についてわかるよ!
日本証券業協会
https://www.jsda.or.jp/

投資信託についてはここ!
投資信託協会
https://www.toushin.or.jp/

5 金融商品取引業基礎試験

近年の金融業は、暗号等資産関連店頭デリバティブ取引や電子記録移転有価証券表示権利等に関する業務など、第一種金融商品取引業の多元化が進んでいます。

金融商品取引業基礎試験は、こうした新たな業務や、第一種金融商品取引業に関する基礎的な知識を習得することを目的とした試験です。

なお、本試験に合格しても外務員として活動することはできません。外務員として金融機関で職務を行うためには、一種及び二種外務員資格試験に合格する必要があります。

●金融商品取引業基礎試験

受験資格	なし(年齢等の制限なし)
受験料	5,500円(税込み)
出題科目	・証券市場の基礎知識 ・金融商品取引法及び関係法令 ・金融商品の勧誘・販売に関係する法律 ・経済・金融・財政の常識 ・セールス業務
出題形式	○×方式及び五肢選択方式 解答の方法はPCへの入力方式
問題数	合計50問
試験時間	70分
試験会場	全国の主要都市に設置されている試験会場(テストセンター)
申込期間と試験日	試験日の60日前から試験日の5営業日前まで予約可能。
合否判定基準	140点満点の7割(98点)以上
申し込み	プロメトリック　https://www.prometric-jp.com/examinee/test_list/archives/18

本書の1〜5章を学習すると、出題科目が網羅できます!

第 1 章

特別会員
論点

証券市場の基礎知識

予想配点　12点／440点
出題形式
○×方式…1問
五肢選択方式…1問
（配点と出題形式はTACの予想です）

証券外務員の"キホンのキ"である「金融市場」や「証券市場」の
しくみや流れについて見ていきましょう。金融商品取引業の概要と
関係機関から整理して覚えるのが、イメージを掴む近道です。

関連章　　第2章

まずは、証券外務員が関わる「金融市場」**1**や「証券市場」**2**の世界を見ていきましょう。

関係する機関**4**それぞれの業務、業界の目指すべき在り方**3 5**などの要素をしっかりと把握することも必要です。

全体の流れを把握して、証券外務員が行う公正な取引のイメージを掴みましょう。

1.

直接金融と
間接金融

直接金融と間接金融のしくみや相違点についておさえよう。

重要度
★★☆

1 金融市場の機能と分類

　政府や企業、病院や学校などから家計 (個人) に至るまで、社会で活動する様々な経済主体は、経済活動を営むに当たり資金の調達・供給・運用を行っている。

　これにより、資金の供給者 (出し手) と需要者 (取り手) との間で資金が取引され、資金の移転が生じる。この資金取引が行われる場が金融市場である。

・資金供給者(出し手)＝家計(個人)、企業
・資金需要者(取り手)＝政府・公共部門、企業

　金融市場は、取引の参加者、取引の契約期間、取引される対象資産、取引形態などによりいくつかに分類される。

● 金融市場の分類

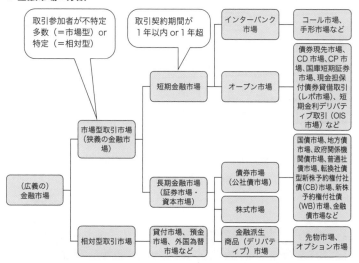

2 直接金融と間接金融

　金融は、直接金融（証券市場を通じるもの）と間接金融（銀行など資金を仲介する機関を通じるもの）との2つに大別される。直接金融と間接金融の違いは、資金供給者（出し手）と資金需要者（取り手）との間に、銀行などの資金を仲介する機関が介在するかどうかによって区分される。

(1) 直接金融

　直接金融では、出し手と取り手との間の資金の融通は、証券の取引という形で、証券市場を通じて行われる。銀行等の金融機関は介在しない。企業や政府などの資金不足部門（取り手）が株券や債券などの証券を発行し、資金余剰部門（出し手）である投資者が証券市場で直接それらを購入することにより、資金が融通される。直接金融では、資金の最終的な貸し手（投資者）が資金回収リスクを負う。

(2) 間接金融

　資金の最終的な出し手と資金の最終的な取り手との間に、銀行等の金融機関が介在するのが間接金融である。銀行等の金融機関は、家計などの資金余剰部門（出し手）から預貯金として集めたお金を、企業などの資金不足部門（取り手）に貸付金として融通をする。間接金融では、貸付先からの資金回収リスクは金融機関が負う。

用語

市場型間接金融
金融機関が資金の出し手から集めた資金を取り手に貸し付けるのではなく、市場での証券投資に振り向けることをいう。代表的なものに投資信託がある。

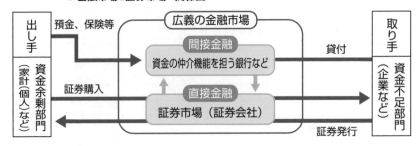

● 金融市場と証券市場の関係図

金融市場は資金の出し手から取り手への移転機能だけでなく、流動性の提供や長短資金の転換、資産・所得の配分、リスクの配分といった様々な機能を果たしている。

本番得点力が高まる! 問題演習

問1 金融市場に関する次の記述のうち、正しいものには○を、誤っているものには×をつけなさい。

① 直接金融において、資金回収リスクを負うのは金融機関である。

② 株式市場及び債券市場における資金調達は直接金融に区分される。

③ 間接金融は、銀行や保険会社などの金融機関を通じるものである。

④ 間接金融において、資金回収リスクを負うのは、出し手の個人などである。

解答

①× 直接金融では、投資者（出し手）がリスクを負う。

②○ 株式や債券の発行による資金の調達は直接金融に区分される。

③○ 出し手から集められた資金が貸付けという形で金融機関である取り手に供給される。

④× 間接金融で資金回収リスクを負うのは、取り手である銀行などの金融機関である。

2. 発行市場と流通市場

市場全体の考え方をここでおさえておこう。

重要度 ★★☆

1 発行市場

証券市場は、発行市場と流通市場に分けることができる。

発行市場が機能するためには、公正で継続的な価格形成と換金の可能性が高い（流通性が高い）流通市場が不可欠であり、両市場は有機的に結びついている。

発行市場は、プライマリーマーケット（第1次取得市場）と呼ばれる。

参考

発行市場は、当事者間の取引（相対取引）で証券の売買が行われる。

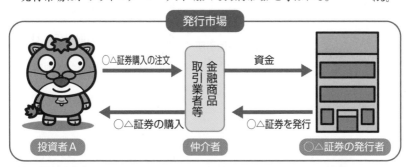

発行市場とは、企業などが新規に発行する株式などの証券を、直接または金融商品取引業者等（証券会社）などの仲介者を介して、投資者（投資家）が第1次取得する市場である。

2 流通市場

流通市場は、セカンダリーマーケットと呼ばれる。すでに発行された証券が、次の第2次、第3次の投資者に転々と流通する市場である。

なお、既発行の有価証券の売り出しのうち、実態として新規発行に類似した販売勧誘の場合には、新規発行の有価証券の販売勧誘（募集）と同じ法定開示を求められる。

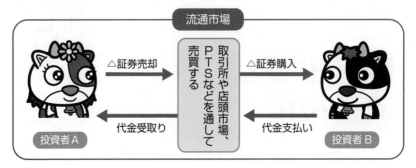

用語

取引所金融商品市場
上場有価証券の売買
等のために、金融商
品取引所が開設する
市場のこと。

　流通市場は、取引所金融商品市場（いわゆる取引所のこと）とそれ以外の市場に分けられる。取引所金融商品市場における売買取引を取引所取引といい、それ以外の市場には、店頭市場とPTS（私設取引システム）がある。

● **流通市場の取引**

名称	内容	特徴
取引所取引	金融商品取引所で行われる取引	・制度面や売買技術面で高度に組織化されている ・金融庁や金融商品取引所により厳重に監督されている ・取引所が定めた規則により取引される ・株式の流通市場の中心的存在
店頭（OTC）取引	取引所以外で行われる取引	・取引所の上場基準を満たさない株式などが取引される ・証券会社の店頭（カウンター）で、証券会社間、または顧客と証券会社との相対で取引が行われる ・日本証券業協会の定めた規則により取引される ・債券の流通市場の中心的存在
PTS	民間の証券会社が運営する証券取引システムのこと	

問1 次の文章は「証券市場のしくみ」の記述である。それぞれの（　）に当てはまる語句の組み合わせのうち、正しいものはどれか、1つを選びなさい。

証券市場は、証券を発行して最終的には市場で流通させるという観点からみて、（　イ　）と（　ロ　）に分けることができる。

（　イ　）は、投資者が企業などの発行者が発行する証券を直接取得する市場である。

（　ロ　）は、すでに発行された証券が、第1次投資者から、次の第2次、第3次投資者へ転々と取得される市場である。

（　イ　）と（　ロ　）の両者は、市場としての役割などの違いがあるが、（　ハ　）な関係にある。

① イ：発行市場　ロ：流通市場　ハ：密接
② イ：発行市場　ロ：流通市場　ハ：同種
③ イ：流通市場　ロ：発行市場　ハ：密接
④ イ：発行市場　ロ：外国市場　ハ：相対

解答 正しいものは、①

証券市場は、証券を発行して最終的には市場で流通させるという観点からみて、（　発行市場　）と（　流通市場　）に分けることができる。

（　発行市場　）は、投資者が企業などの発行者が発行する証券を直接取得する市場である。

（　流通市場　）は、すでに発行された証券が、第1次投資者から、次の第2次、第3次投資者へ転々と取得される市場である。

（　発行市場　）と（　流通市場　）の両者は、市場としての役割などの違いがあるが、（　密接　）な関係にある。

3. 投資者保護

預金者保護とは異なる
「投資者保護の理念」
について試験で問われる。

1 投資者保護と預金者保護

証券市場や金融商品取引業者に対する投資者保護と銀行等の金融機関に対する預金者保護とでは、その理念の性格や内容が異なる。

（1）投資者保護

金融商品取引法上の投資者保護とは、投資家にとっての「公正な取引の確保」と「利便性の確保」を意味する。よって、投資対象となる有価証券の価格を保証したり、株式などの配当を約束したり、投資者の損失の補填を約束するものではない。

● 投資者保護の内容

・証券市場における価格形成が公正に行われること
・投資者が投資の可否を判断できるよう、企業の財務内容など、証券投資に関する情報を正確かつ迅速に入手できること
・不公正な取引の発生から投資者を回避させること

投資者は自己の判断と責任で投資行動を行い、その結果としての損益はすべて投資者に帰属する。これを自己責任原則という。

（2）預金者保護

参考

預金保険制度により、当座預金や利息の付かない普通預金等（決済用預金）は、全額保護される。

預金者保護とは、銀行が経営破綻に陥ったとき、預金が返済不可能とならないようにすることである。万が一そうなったときには、銀行の合併や預金保険制度による元利金の保証を通じて預金の保護を図る。

預金保険制度は、預金者等の保護や資金決済の履行の確保を図ることにより、信用秩序を維持することを目的としている。

4.

3つの自主規制機関は重要ポイント!
その他の機関の業務についてもよく
問われる。

主要な
証券関係機関

重要度

1 自主規制機関

(1) 自主規制機関

金融商品取引業に関係した自主規制機関には以下のものがある。

・各金融商品取引所
・日本証券業協会
・投資信託協会　等

これらは、金商法により、自主規制機関としての性格（権限）を付与され、金融庁による公的な規制と並び、金融商品取引業規制の大きな柱である。

2 その他の証券関係機関

① 証券取引等監視委員会

証券取引等監視委員会は、金融商品取引業者等の公的規制機関の1つである（自主規制機関ではない）。

金融庁に属し、証券業界における公正を損なう行為などについての強制調査権、立入検査権が付与され、法令の違反者の告発、金融庁長官への行政処分の勧告をすることができる。

取り締まる違反には、インサイダー取引や金融商品取引業者による顧客の損失保証や補填などがある。

② 証券保管振替機構

国債以外の有価証券の決済及び管理業務を集中的に行う、日本で唯一の証券決済機関である。「社債、株式等の振替に関する法律」に基づき、株式、社債、投資信託などの有価証券の振替業務を運営する。

振替制度の概要は次のとおり。

参考

自主規制とは、金融商品市場への信頼を確保するため、自ら策定した規則により、自らを律すること。

用語

インサイダー取引
内部情報を得た社員などが、情報が公的に公表される前にその会社の株式を売買すること。株式市場は公平でなければならないのに、その有利な立場から利益を得てしまうことから法的に罰せられる。

用語

証券の振替決済制度
有価証券の決済に伴う証券の受渡しを、証券の授受によらず、各機関に設けた口座間の振替えにより行うこと。

- ・新規発行、流通、株式分割等、償還などの処理すべてを振替口座簿の記録で電子的に行う。
- ・株式等の配当金の支払においては、全銘柄の配当金を同一の預金口座で受領する方法や、証券会社を通じて配当金を受領する方法を選択できる。
- ・一般債の元利金は、投資者の口座残高に応じて、口座管理機関を経由して支払われる。

③ 日本投資者保護基金

投資者の保護を図り、証券取引への信頼性を維持することを目的とした基金である。金融商品取引業者の破綻により、顧客の金銭や有価証券が損失を被った場合に、その補償などの業務を行う。

● 日本投資者保護基金の補償内容

- ・補 償 対 象：適格機関投資家等のプロを除く顧客の預り資産
  （預り金、寄託有価証券、付随業務等により寄託を受けている金銭や有価証券、信用取引や先物取引等の保証金・証拠金及び代用有価証券など）
- ・補償限度額：顧客1人あたり1,000万円

④ 証券金融会社

資本金1億円以上で内閣総理大臣の免許を受けた証券金融専門の株式会社で、信用取引に必要な金銭や有価証券を貸し付ける業務を行う。

用語

信用取引
投資家が自身の資金や有価証券を担保に、金融商品取引業者から資金を借りて売買する取引のことである。

本番得点力が高まる！ 問題演習

問1 主要な証券関係機関に関する次の記述のうち、正しいものには○を、誤っているものには×をつけなさい。

① 自主規制機関には、各金融商品取引所、各金融商品取引業者、投資信託協会がある。

② 証券取引等監視委員会にはインサイダー取引や金融商品取引業者による顧客の損失補塡等の違反に対して強制調査権が付与され、証券業界における法令の違反者に対して捜査当局へ告発することができる。

③ 証券取引等監視委員会は、証券業界を規制する自主規制機関である。

④ 「社債、株式等の振替に関する法律」に基づき運営される振替制度では、株式の配当金の支払について、株主は証券保管振替機構から直接配当金を受領する方法を選択することになる。

解答

①× 自主規制機関は、各金融商品取引所、日本証券業協会、投資信託協会である。

②○ また、証券取引等監視委員会は、金融庁長官への行政処分の勧告をすることができる。

③× 証券取引等監視委員会は、金融庁に属する公的規制機関であり、自主規制機関ではない。

④× 振替制度では株式の配当金の支払方法について、全銘柄の配当金を同一の預金口座で受領する方法や証券会社を通じて配当金を受領する方法を選択できる。

問2 投資者保護に関する次の記述のうち、正しいものには○を、誤っているものには×をつけなさい。

① 金融商品取引法上の投資者保護とは、投資対象となる有価証券の価格を保証することも含まれる。

② 投資者は自己責任原則で投資を行うが、その結果として生じた損失が少額である場合には、金融商品取引業者がその損失を補填することをあらかじめ約束する行為は、投資者保護の観点から、必ずしも不適切な行為ではない。

③ 日本投資者保護基金の補償限度額は、顧客1人当たり5,000万円である。

④ 日本投資者保護基金の補償対象には、付随業務等により寄託を受けている金銭、信用取引や先物取引等の保証金、証拠金及び代用有価証券なども含まれる。

解答

①× 金融商品取引法上の投資者保護とは、証券投資に関する情報を正確かつ迅速に投資者が入手でき、不公正な取引の発生から回避させることであり、有価証券の価格を保証したり、損失を補填することではない。

②× 損失が少額であっても、金融商品取引業者が投資者の損失を補填すること、または損失補填を約束することは、投資者保護の観点から不適切な行為である。

③× 日本投資者保護基金の補償限度額は、顧客1人当たり1,000万円。

④○ 日本投資者保護基金の補償対象には、預り金、寄託有価証券、付随業務等により寄託を受けている金銭や有価証券、信用取引や先物取引等の保証金・証拠金及び代用有価証券なども含まれる。

5. サステナブルファイナンス

持続可能な社会の実現のために金融面で支えるのがサステナブルファイナンスだ。

重要度
★★★

1 サステナブルファイナンス

2006年に国連主導でPRI（Principle for Responsible Investment=責任投資原則）が発足し、機関投資家に「環境（Environmental）」、「社会（Social）」、「ガバナンス（Governance）」の3つの要素（ESG要素）を投資決定に組み込むことを求めている。このような投資をESG投資という。

2 サステナブルファイナンスの代表的な投資手法と金融商品

（1）ESG投資の7分類

ESG投資を推進する国際団体Global Sustainable Investment Alliance（GSIA）は資産運用にESG要素を考慮する手法として次のものをあげている。

①ESGインテグレーション
②コーポレートエンゲージメントと議決権行使
③国際規範に基づくスクリーニング
④ネガティブ/除外スクリーニング
⑤ポジティブ/ベストクラス・スクリーニング
⑥サステナビリティ・テーマ投資
⑦インパクト/コミュニティ投資

用語

ネガティブ/除外スクリーニング
規範や価値観に基づいた基準により、特定のセクターや国、企業などをファンドやポートフォリオから除外すること。

（2）ESG関連金融商品

ESG関連金融商品は次のようなものがある。

ESG要素を考慮した金融商品	サステナブルファイナンスの推進に資する金融商品
SDGs債	グリーンボンドやソーシャルボンド、サステナビリティボンドなど
トランジションボンド	気候変動分野において段階的な取り組みに必要な資金の調達
サステナビリティ・リンク・ボンド	KPI（重要業績評価指標）を投資家に明示し、SPT（s）を設定した上で達成型の性質を持つ資金使途を限定しない債券

3 証券業界とSDGs

証券業界でも、次の3つのテーマを設け、SDGsを推進している。

・サステナブルファイナンスの普及・推進に関する取り組み
・働き方改革・ダイバーシティ推進に関する取り組み
・子どもの貧困問題の解決に向けた取り組み

第2章

特別会員
論点

金融商品取引法

予想配点　34点／440点
出題形式
○×方式…7問
五肢選択方式…2問
（配点と出題形式はTACの予想です）

　この章では、経済の健全な発展と投資者の保護を目的とした金融商品取引法（金商法）を学習します。
　金商法は金融システムの改革等により多様な金融サービスが誕生し、幅広い金融商品を対象とする新しい法律の枠組みが求められたことによって制定された法律です。

関連章　第5章　第6章

金商法❶は、金融商品に関わる取引が安全で公正に行われるために作られた法律になります。

この章では、金融商品を取り扱う業者❷や関係機関❸、また取引自体に関する規定❹❻❼や適切な情報開示❺などについて学んでいきます。

NO!
悪質な
企業買収
公正な
株式市場

当然ながら、不正な取引は許されません。しっかりと内容を理解して、様々なルールを正確に把握しましょう。

法律

1.

金融商品取引業に関わる者にとってとても重要な法律。試験でも幅広い範囲から出題されるよ。

金商法
（金融商品取引法）

重要度
★★★

1 金商法の目的

金商法の第1条では、その目的を次のように定めている。

> 「この法律は、企業内容等の開示の制度を整備するとともに、金融商品取引業を行う者に関し必要な事項を定め、金融商品取引所の適切な運営を確保すること等により、有価証券の発行及び金融商品等の取引等を公正にし、有価証券の流通を円滑にするほか、資本市場の機能の十全な発揮による金融商品等の公正な価格形成等を図り、もって国民経済の健全な発展及び投資者の保護に資することを目的とする」

2 金商法上の有価証券・取引

(1) 金商法が列挙する有価証券（第一項有価証券）

金商法の適用対象となる主な有価証券は、次のものである。

①国債証券、②地方債証券、③社債券、④株券・新株予約権証券、⑤投資信託または外国投資信託の受益証券、⑥貸付信託の受益証券、⑦CP、⑧抵当証券、⑨カバードワラント、⑩DR（預託証券）、⑪海外CD　等

(2) 金商法上の有価証券とみなされる権利（第二項有価証券）

私法上、有価証券ではない次の権利も、金商法上では有価証券とみなされる。

①信託の受益権、②合名会社・合資会社・合同会社の社員権、③集団投資スキーム（ファンド）持分、④一定の学校債券　等

(3) 金商法の適用対象となるデリバティブ取引

　金商法の適用対象には、有価証券のほかに、有価証券から派生する一定のデリバティブ取引が含まれる。

①市場デリバティブ取引（金融商品市場を開設する者の定める基準及び方法により行われるデリバティブ取引）、②店頭デリバティブ取引（金融商品市場及び外国金融商品市場によらないデリバティブ取引）、③外国市場デリバティブ取引

(4) 金商法の金融商品と金融指標

　金融商品とは、次のものをいう。

①有価証券、②預金契約に基づく債権その他の権利等、③通貨、④暗号等資産、⑤標準物　等

　金融指標とは、次のものをいう。

①金融商品の価格・利率等、②気象庁などが発表する気象の観測の成果に係る数値　等

デリバティブ取引とは、通貨や株式、債券などの有価証券そのものの取引ではなくそこから派生した価格や変動率、信用度などが取引の対象となるものである。

問1 次の文章は「金商法第1条」の記述である。それぞれの（　）に当てはまる語句の組み合わせのうち、正しいものはどれか、1つを選びなさい。

金商法1条には「有価証券の発行及び金融商品等の取引等を公正にし、（　イ　）を円滑にするほか、資本市場の機能の十全な発揮による金融商品等の（　ロ　）等を図り、もって国民経済の健全な発展及び（　ハ　）の保護に資することを目的とする」と定められている。

① イ：公正な価格形成　ロ：有価証券の流通　ハ：投資者
② イ：有価証券の流通　ロ：公正な価格形成　ハ：投資者
③ イ：有価証券の流通　ロ：公正な価格形成　ハ：消費者

解答 正しいものは、②
金商法の第1条は、全文をよく読んで内容をしっかり理解しておこう。

問2 金商法に関する次の記述のうち、正しいものには○を、誤っているものには×をつけなさい。
① 金商法上の有価証券には、国債証券も含まれる。
② 店頭デリバティブ取引は、金商法の適用対象となる取引である。
③ 暗号等資産は、金商法上の金融商品には含まれない。

解答 ①○　金商法上の有価証券には、国債証券、地方債証券、社債券等も含まれる。
②○　店頭デリバティブ取引は、金商法の適用対象となる取引に含まれる。
③×　暗号等資産は、金商法上の金融商品である。

2. 金融商品取引業者

金商法上における金融商品取引業に関わる制度は、とても重要!

1 金融商品取引業

　金融商品取引業とは、有価証券の売買、有価証券の引受け・売り出し、PTSの運営業務などをいう。金融商品取引業者は、原則、内閣総理大臣の登録を受け金融商品取引業を営む者のことである。なお、金融取引業に関する参入規制は、PTS運営業務を除き、登録制に統一されている。

参考

PTSの運営業務を行うには内閣総理大臣の認可が必要だが、取引規模の大きくない非上場PTSの運営を行う場合は認可不要。

(1) 金融商品取引業の主な業務

　金融商品取引業とは、次にあげるものをいう。

- 有価証券の売買、市場デリバティブ取引または、外国市場デリバティブ取引
- 有価証券の売買、市場デリバティブ取引または、外国市場デリバティブ取引の媒介、取次ぎ、または代理
- 店頭デリバティブ取引またはその取引の媒介・取次ぎもしくは代理
- 有価証券等清算取次ぎ
- 有価証券の引受け
- 投資信託の受益証券のうち委託者指図型投資信託の受益権に係るもの、外国投資信託の受益権などの募集または私募
- 有価証券の売出しまたは特定投資家向け売付け勧誘等
- 有価証券の募集もしくは売出しの取扱いまたは私募もしくは特定投資家向け売付け勧誘等の取扱い
- 私設取引システム(PTS)運営業務
- 投資顧問契約を締結し、その契約に基づき、助言を行う　等

(2) 金融商品取引業の分類

　金商法では、金融商品取引業を、業務の内容によって4種類に分類しており、第一種金融商品取引業、第二種金融商品取引業、投資助言・代理業、投資運用業に分けることができる。なお、いわゆる証券会

社は金融商品取引業者にあたる。

　金融商品取引業者とは、内閣総理大臣の登録を受け金融商品取引業を営む者をいう。

● 金融商品取引業の4分類

分類	業務内容
第一種金融商品取引業	保護預りを含む証券業・金融先物取引業等(店頭デリバティブ取引等を含む) 次にあげるもののいずれかを業として行うことをいう。 ・有価証券の売買、市場デリバティブ取引または外国市場デリバティブ取引と、それらに関わるその取引の媒介、取次ぎまたは代理、あるいはその取引の委託の媒介、取次ぎまたは代理、有価証券等清算取次ぎ、売出し、募集・売出し・私募の取扱い ・商品関連市場デリバティブ取引の媒介、取次ぎもしくは代理、またはその委託の媒介、取次ぎもしくは代理、及びその有価証券等清算取次ぎ ・店頭デリバティブ取引、もしくはその媒介、取次ぎもしくは代理、またはその清算取次ぎ ・有価証券の引受け ・私設取引システム(PTS)運営業務 ・有価証券等管理業務
第二種金融商品取引業	商品投資販売業、信託受益権販売業等
投資助言・代理業	投資顧問業等
投資運用業	投資一任契約に係る業務、投資法人資産運用業、投資信託委託業　等

● 電子募集取扱業務

　電子募集取扱業務は、電子情報処理組織を使用する方法、または、その他の情報通信の技術を利用する方法で有価証券の募集や売り出し等を行う業務である。

(3) 金融商品取引業の内容

① 有価証券の売買

　有価証券の売買とは、自己の計算（金融商品取引業者のお金）で有価証券の売買等を行う取引のことである（＝自己売買）。

② 有価証券の売買の媒介・取次ぎ、代理

媒介	他人間の取引の成立に尽力すること
取次ぎ	自己の名義(金融商品取引業者の名前)で委託者の計算(顧客のお金)で有価証券の売買等を引き受けること(=ブローカー業務)
代理	委託者の名義(顧客の名前)で委託者の計算で有価証券の売買等を行うことを引き受けること

③ 有価証券の引受け

有価証券の引受けとは、有価証券の募集や売出しなどの際に、発行体・売出人のためにその販売を引き受けることである。

引受けには以下の2種類の契約がある。

買取引受け	有価証券の全部または一部を取得すること
残額引受け	売れ残りがあった場合にそれを取得すること

なお、発行者から直接引き受ける元引受けを行う場合は、第一種金融商品取引業者として内閣総理大臣の登録を受けなければならない。

④ 有価証券の募集

有価証券の募集とは、新たに発行される有価証券の取得の申込みの勧誘のうち、次のものが該当する。

第一項有価証券	・多数の者(50名以上)を相手方として行う場合 ・適格機関投資家、特定投資家、少人数の投資家のみを相手方として勧誘する場合などは除く
第二項有価証券	・募集に係る有価証券を相当程度多数の者(500名以上)が所有することとなる場合

⑤ 有価証券の私募

有価証券の私募とは、新たに発行される有価証券の取得の申込みの勧誘のうち、適格機関投資家、特定投資家、少人数の投資家を対象とするため、「有価証券の募集」に該当しないものをいう。

なお、第二種金融商品取引業の範囲にも、有価証券の募集・私募(政令で定めたもの)が含まれる。

⑥ 有価証券の売出し

有価証券の売出しとは、すでに発行された有価証券の売付け、買付けの申込みの勧誘のうち、次のものが該当する。

参考

買取引受け、残額引受けは、いずれも売れ残りリスクを負担するという特徴がある。

用語

有価証券の募集・売出しの取扱い

他人が有価証券の募集・売出しをする際に、この者のために当該有価証券の取得の申込みの勧誘行為を引き受ける業務をいう。有価証券の募集・売出しと異なり、金融商品取引業者は売れ残りリスクを負担しない。

第一項 有価証券	・多数の者(50名以上)を相手方として行う場合
第二項 有価証券	・売出しに係る有価証券を相当程度多数の者(500名以上) が所有することとなる場合

⑦ 私設取引システム(PTS)運営業務

　私設取引システム (PTS) とは、電子情報処理組織 (コンピューター・ネットワーク) を使用して、定められた方法で決まった売買価格をもとに、同時に多数の者が有価証券の売買等を行うものである。

　なお、私設取引システム (PTS) の運営業務を行うには、原則、内閣総理大臣の認可が必要である。

(4) 金融商品取引業以外の業務

　第一種金融商品取引業または投資運用業を行う者は、以下の金融商品取引業以外の業務を行うことが認められている。

付随業務	金融商品取引業に付随する業務。内閣総理大臣への届出や承認は不要
届出業務	商品市場における取引等に係る業務。内閣総理大臣への届出が必要
承認業務	付随業務、届出業務に該当しない業務で、公益に反せず投資者保護に支障をきたさなければ認められる。内閣総理大臣の承認が必要

2 金融商品取引業者の登録と認可

　金融商品取引業の最低資本金及び営業保証金の額は、次のとおりである。

第一種金融商品取引業	5,000万円(ただし、元引受業務を行う場合で、主幹事は30億円、その他は5億円)
第二種金融商品取引業	1,000万円(個人が行う場合は営業保証金1,000万円)
投資運用業	5,000万円(ただし、適格投資家向け投資運用業を行う場合は1,000万円)
投資助言・代理業	営業保証金500万円

私設取引システム(PTS)運営業務	3億円
第一種少額電子募集取扱業務	1,000万円
第二種少額電子募集取扱業務	500万円

　金融商品取引業者という商号もしくは名称、または紛らわしい商号や名称を用いることはできない使用制限がある。

3 外務員制度

(1) 外務員の登録

　金融商品取引業者等の役員・使用人については、勧誘員、販売員、外交員その他のいかなる名称を有する者であるかを問わず、外務行為を行う者はすべて外務員とされる。外務員は、氏名、生年月日、その他所定の事項を内閣府令で定める場所（認可金融商品取引業協会など）に備える外務員登録原簿に登録を受けなければならない。登録外務員以外の者が外務行為をすることは許されず、例外はない。

① 　外務員が次のいずれかに該当するとき、内閣総理大臣はその登録を拒否しなければならない。

・欠格事由のいずれかに該当する者
・監督上の処分により外務員の登録を取り消され、その取消しの日から5年を経過しない者
・登録申請者以外の金融商品取引業者等や金融商品仲介業者に所属する外務員として登録されている者
・金融商品仲介業者に登録されている者　等

② 　登録を受けている外務員が以下のいずれかに該当する場合には、登録取消、または2年以内の職務停止を命ずることができる。

・欠格事由のいずれかに該当することとなったとき
・法令違反、または著しく不適当な行為をしたとき
・過去5年間に退職その他の理由により登録を抹消された場合に、登録を受けていた間の行為が法令違反などに該当していたとき

(2) 外務員の法的地位

　外務員は、所属する金融商品取引業者等に代わって、有価証券の売買等の行為に関し一切の裁判外の行為を行う権限（代理権）を有する

ものとみなされる。そのため、外務員の行為の効果は外務員の所属する金融商品取引業者等に直接帰属し、その金融商品取引業者等は、外務員の負った債務を直接履行する責任がある。金融商品取引業者等は、金商法に違反する悪質な行為を外務員が行った場合にその行為が代理権の範囲外であることを理由としてその監督責任を免れることはできない。

ただし、相手方である顧客に悪意があるときは免責される。

4 金融商品取引業の行為規制

(1) 一般的義務

① 誠実・公正義務

金融商品取引業者等並びにその役員及び使用人は、顧客に対して誠実かつ公正に、その業務を遂行しなければならない。

② 広告規制

金融商品取引業者等は、金融商品取引業の内容の広告などをするとき、当該金融商品取引業者等の商号・名称または氏名・登録番号、及び、顧客の判断に影響を及ぼす表示の事項等を表示しなければならない。表示の事項とは、手数料等、元本損失または元本超過損が生ずるおそれがある旨、重要事項について顧客の不利益となる事実などである。

● 広告規制の概要

表示方法	リスク情報について、広告で使用される最も大きな文字・数字と著しく異ならない大きさで表示しなければならない。
広告規制の対象	郵便、信書便、ファクシミリ、電子メール、ビラ・パンフレット配布等の「多数の者に対して同様の内容で行う情報の提供」が広告規制の対象となる。

③ 契約締結前の書面交付義務

金融商品取引業者等は、金融商品取引契約を締結しようとするときは、あらかじめ、顧客に対し契約締結前交付書面を交付しなければならない。

● 契約締結前の書面交付義務の概要

書面の 記載事項	・金融商品取引業者等の商号・名称・住所 ・金融商品取引業者等である旨及び登録番号 ・金融商品取引契約の概要 ・手数料・報酬等の金融商品取引契約に関して顧客が支払うべき対価に関する事項 ・顧客が行う金融商品取引行為で、金利、通貨の価格、金融商品市場の相場等の変動により損失が生ずるおそれがあるときは、その旨　等
書面の 記載方法	・顧客の判断に影響を及ぼす特に重要な事項を最初に平易に12ポイント以上の文字・数字で記載すること ・手数料等の概要、元本損失・元本超過損が生ずるおそれがある旨、店頭デリバティブ取引のカバー取引の相手方の商号等及び分別管理の方法・預託先、電子申込型電子募集取扱業務等に係る取引に関する一定の事項、クーリングオフの規定の適用の有無などを枠の中に12ポイント以上の文字・数字で明瞭かつ正確に記載すること ・その他の事項は8ポイント以上の文字・数字を用いて明瞭かつ正確に記載すること　等
契約締結前 の書面交付 義務の適用 除外	・過去1年以内に同一内容の金融商品取引契約について契約締結前交付書面を交付している場合 ・顧客に対し契約締結前交付書面に記載すべき事項のすべてが記載されている目論見書を交付している場合　等

④ 契約締結時の書面交付義務

　金融商品取引業者等は、金融商品取引契約が成立したとき、遅滞なく、契約締結時交付書面を作成し顧客に交付しなければならない。

⑤ 電子募集取扱業務に係る情報提供義務

　金融商品取引業者等は、一定の有価証券について電子募集取扱業務を行うときには、契約締結前交付書面に記載する事項のうち、判断に重要な影響を与えるものとして内閣府令で定める事項について、その業務を行う期間中、閲覧することができる状態に置かなければならない。

⑥ 取引態様の事前明示義務

　金融商品取引業者等は、顧客から注文を受けたとき、あらかじめ顧客に対し自己が相手方となって売買を成立させるのか（仕切り注文）、または媒介、取次ぎ、代理で取引を成立させるのか（委託注文）の別を明らかにしなければならない。

⑦ 適合性の原則の遵守義務

　金融商品取引業者等は、顧客の知識、経験、財産の状況及び金融商品取引契約を締結する目的に照らして、不適当と認められる勧誘をしてはならない。

⑧ 最良執行義務

　金融商品取引業者等は、顧客の注文について、最良の取引の条件で執行するための方針や方法（最良執行方針等）を定め、公表し、執行しなければならない。また、顧客の注文を受ける場合には、あらかじめ、最良執行方針等が記載された書面を交付しなければならない。なお、これらの交付は電子交付によることもできる。

⑨ 分別管理義務

　金融商品取引業者等は、顧客から預かった有価証券や金銭を自己の固有財産と分別して保管しなければならず、金融商品取引業を廃止した場合などに顧客に返還すべき金銭を顧客分別金として、信託会社等に信託しなければならない。

⑩ 担保（貸付）同意書の徴求

　金融商品取引業者等は、顧客の計算において自己が占有する有価証券、または顧客から預かった有価証券を担保に供する場合、または他人に貸し付ける場合には、その顧客から書面による同意を得なければならない。

⑪ 損失補塡等の禁止

　金融商品取引業者等は、有価証券の売買取引等で次の行為を行ってはならない。また、第三者を通じて行うことや、顧客からの要求に応じて約束することも禁止されている。

　なお、顧客が要求しただけでは処罰の対象とならない。

- ・損失保証・利回保証
- ・損失補塡の申込み・約束
- ・損失補塡の実行

（2）特定投資家制度

　金商法では、投資家を特定投資家（いわゆるプロ）と一般投資家（いわゆるアマ）に区別し、金融商品取引業者等の行為規制の適用に差異を設けている。

　特定投資家には、適格機関投資家、国、日本銀行、日本投資者保

参考

担保（貸付）の書面による同意は、所定の電子的方法で行うこともできる。

用語

顧客の計算

顧客のお金で有価証券を売買することである。

用語

損失保証

損失が出たら穴うめをすると約束することである。

用語

利回保証

予定していた利益が得られなかった場合に差額を補うと約束することである。

用語

特定投資家

知識、経験、財産の状況から金融取引に係る適切なリスク管理を行うことが可能と考えられる者という位置付けをしている。

護基金その他の内閣府令で定める法人がある。

　そのうち、一般投資家に移行可能な特定投資家は、日本投資者保護基金その他の内閣府令で定める法人（所定の手続きを経た場合）、政府系機関、日本投資者保護基金、預金保険機構、保険契約者保護機構、外国法人、上場会社、資本金5億円以上と見込まれる株式会社等がこれにあたる。

　一方、一般投資家に移行できない特定投資家は、次のとおりである。

> 銀行、金融商品取引業者、保険会社、信用金庫等の適格機関投資家、国、日本銀行

　また、一般投資家か、特定投資家であるかを問わず、損失補塡の禁止等、市場の公正性確保を目的として、行為規制が適用される。

(3) 業態・業務状況に係る行為規制

① 名義貸しの禁止

　金融商品取引業者等が、自己の名義をもって他人に金融商品取引業を行わせることは禁止されている。

② 社債管理者になること等の禁止

　金融商品取引業者は、社債管理者または担保付社債信託契約の受託会社になることはできない。ただし、引受人となることは可能である。

③ 過当な引受競争を行う営業の禁止

　金融商品取引業者が、著しく不適当と認められる数量、価格その他の条件により有価証券の引受けを行うことは禁じられている。

④ 引受人の信用供与の制限

　有価証券の引受人となった金融商品取引業者は、その有価証券を売却する場合において、引受人となった日から6ヶ月を経過する日までは、その買主に対し買入代金を貸し付けたりしてはならない。

(4) 投資勧誘・受託に関する行為規制

① 断定的判断の提供による勧誘の禁止

　金融商品取引業者による、顧客に強い期待を抱かせるような断定的判断の提供による勧誘は禁止されている。なお、断定的判断をした業者は、金商法に基づき、それによって顧客が被った損害を賠償する責任を負う。

② 虚偽の告知等の禁止

・虚偽告知の禁止

　金融商品取引業者等やその役員・使用人は、金融商品取引契約の

用語

社債管理者
社債の発行者に代わって社債に係る一切の債務の弁済を引き受ける者のことである。

用語

担保付社債信託契約の受託会社
社債を購入した投資家へ元利金の支払いを保証するために担保が付けられた社債に関して、担保を管理し、万が一の場合は担保を処分して受益者に元利金を返済するなどの業務を託された会社である。

参考

金融商品取引業者が引受人として新株予約権の行使により取得した有価証券を売却する場合も信用供与の制限を受ける。

締結またはその勧誘に関して、顧客に対し虚偽の告知を禁止している。

・虚偽の表示の禁止

　　金融商品取引業者等やその役員・使用人は、金融商品取引契約の締結またはその勧誘に関して、虚偽の表示をして、または、重要な事項について故意・過失を問わずに、誤解を生ぜしめる表示を禁止している。

③ 大量推奨販売の禁止

　　金融商品取引業者等は、特定かつ少数の銘柄の有価証券取引等について、不特定かつ多数の顧客に対し、買付け・売付け等を一定の期間継続して一斉に、かつ過度に勧誘する行為で、公正な価格形成を損なうおそれがあるものを行ってはならない。

④ インサイダー取引注文の受託の禁止

　　金融商品取引業者等またはその役員・使用人は、顧客の取引がインサイダー取引であることを知りながら、あるいはそのおそれがあることを知りながら、売買取引の相手方となったり、取引の受託等をしてはいけない。

⑤ 法人関係情報の提供による勧誘の禁止

　　金融商品取引業者等またはその役員・使用人は、有価証券の売買等で、顧客に対してその有価証券の発行者である会社の法人関係情報を提供し、投資勧誘を行ってはならない。

(5) 市場価格歪曲に係る市場阻害行為

① フロントランニングの禁止

　　金融商品取引業者等は、顧客から有価証券の買付け（または売付け）の委託等を受けて、その顧客の売買を成立させる前に、自己の計算において、その有価証券と同じ銘柄の売買等を成立させるために、その顧客の注文した価格と同一またはそれよりも有利な価格で買付け（または売付け）をしてはならない。

② 作為的相場形成等の禁止

　　金融商品取引業者等は、主観的な目的の有無を問わず、特定の銘柄の有価証券について、実勢を反映しない作為的相場が形成されることを知りながら、売買取引の受託等を行ってはならない。

③ 信用取引の客向かい行為の禁止

　　信用取引の客向かい行為とは、顧客が信用取引の買付委託をしてきたとき、金融商品取引業者は自己の信用売りを対当させ、後日、その顧客が決済のため売付委託をしてきたとき、金融商品取引業者が自己の信用買いを対当させることである。これは公正な価格形成をそこなうため、

参考

虚偽の表示の禁止は、勧誘行為の無い表示へも適用される。例えば、口頭、文書、図面、放送、映画等も含まれる。

用語

市場価格歪曲
市場における価格形成がゆがめられ、公正な価格形成がそこなわれることである。

用語

作為的相場形成
何者かの意図が反映された人為的な操作により、相場が形成されることである。

参考

「信用取引の客向かい」は、顧客と金融商品取引業者の利害が真っ向から対立し、顧客と勝負する形となるため、顧客に対する誠実義務に違反するおそれが高い。

禁止されている。

④ 役職員の地位利用の禁止

金融商品取引業者等またはその役員・使用人は、自己の職務上の地位を利用して、顧客の有価証券の売買等に係る注文の動向その他職務上知り得た特別な情報に基づいて売買等を行い、投機的利益の追求を目的として売買等を行ってはならない。

(6) 投資運用業に関する行為規制

金商法では、投資運用業を行う金融商品取引業者等が投資一任契約を締結する場合などにおいて、契約締結前の書面交付義務等の販売・勧誘ルールを適用している。また、金融商品取引業者等が投資運用業を行う場合、忠実義務・善管注意義務のほか、次のような特則がある。

① 禁止行為

金融商品取引業者等は、投資運用業に関して以下の行為を行ってはならない。

> ・自己または取締役もしくは執行役との間の取引を行う運用。
> ・運用財産相互間において取引を行う運用。
> ・自己や権利者以外の第三者の利益を図る目的で、正当な根拠を有しない取引を行う運用（スカルピング行為）。

> ・通常の取引の条件と異なる条件で、かつ、当該条件での取引が権利者の利益を害することとなる条件での取引を行って運用。
> ・運用により生じた権利者の損失補填、または利益の追加のために、その権利者または第三者に対し財産上の利益を提供してはならない（損失補填等の禁止）。 等

② 運用報告書の交付義務

金融商品取引業者等は、運用財産について定期に運用報告書を作成し、権利者に交付しなければならない。

(7) ファンドの規制

集団投資スキーム持分（ファンド）の定義は次の3つの要素から構成される。

用語

忠実義務・善管注意義務
金融商品取引業者等は、権利者のために忠実に投資運用業を行わなければならない。また、権利者に対し、善良な管理者の注意をもって投資運用業を行わなければならない。

参考

金商法では、集団投資スキーム持分の例として、組合契約に基づく権利、匿名組合契約に基づく権利、投資事業有限責任組合契約に基づく権利、有限責任事業組合契約に基づく権利、社団法人の社員権があげられている。

用語

合同会社
社員全員が有限責任社員である会社のことである。

・投資者から金銭の出資、拠出を受ける。
・出資、拠出された金銭を用いて事業、投資を行う。
・その事業から生じる収益等を出資者に分配する。

　以上の要素すべてを備える権利は、適用除外に該当する場合を除き、金商法の適用対象となる。ただし、株券、投資信託の受益証券、合同会社の社員権、信託受益権等、金商法上の有価証券となる権利は、集団投資スキーム持分に該当しない。

5 金融商品仲介業制度

(1) 金融商品仲介業とは

　金融商品仲介業とは、第一種金融商品取引業者、投資運用業者または登録金融機関の委託を受けて、次の業務を行う。

・有価証券の売買の媒介（PTS運営業務を除く）
・取引所金融商品市場等における売買等の委託の媒介
・有価証券の募集・売出しの取扱い、または私募の取扱い
・投資顧問契約または投資一任契約の締結の代理または媒介

(2) 金融商品仲介業の登録

　法人・個人を問わず、銀行・協同組織金融機関その他政令で定める金融機関以外の者は、内閣総理大臣の登録を受けて、金融商品仲介業を行うことができる。ただし、第一種金融商品取引業者及び登録金融機関の役員、使用人は除く。

(3) 金融商品仲介業務に関する規制

　金融商品仲介業者は、顧客に対し、所属金融商品取引業者の委託を受けて行う金融商品仲介行為以外の行為をしてはならない。また、金融商品仲介行為を行うとするときは、あらかじめ、顧客に対し以下の事項を明らかにしなければならない。

・所属金融商品取引業者等の商号または名称
・所属金融商品取引業者等の代理権がない旨
・金銭もしくは有価証券の預託の禁止　等

(4) 金融商品取引業者等の責任

　金融商品仲介業者が所属する金融商品取引業者等は、原則、金融

商品仲介業者が金融商品の仲介で顧客に与えた損害の賠償責任を負う。

　なお、金融商品仲介業者の役員または使用人のうち、金融商品仲介行為や勧誘行為を行う者は、外務員登録をしなければならない。

本番得点力が高まる！ 問題演習

問1 次の文章は「金融商品取引業」の記述である。それぞれの（　）に当てはまる語句の組み合わせのうち、正しいものはどれか、1つ選びなさい。

金融商品取引業者が、金融商品取引業を営むには、内閣総理大臣の（　イ　）を受けなければならない。金融商品取引業者を分類すると、第一種金融商品取引業者、第二種金融商品取引業者、投資助言・代理業者、（　ロ　）に分けることができる。

第一種金融商品取引業者の業務には、ディーラー業務などの内閣総理大臣の（　イ　）が必要な業務と、内閣総理大臣の（　ハ　）が必要なPTS業務（非上場有価証券のみを扱う流動性または取引規模などが限定的な場合を除く）がある。

① イ：許可　ロ：銀行業務者　　ハ：認可
② イ：登録　ロ：投資運用業者　ハ：許可
③ イ：許可　ロ：銀行業務者　　ハ：登録
④ イ：登録　ロ：投資運用業者　ハ：認可

解答 正しいものは、④

金融商品取引業者が、金融商品取引業を営むには、内閣総理大臣の（　登録　）を受けなければならない。金融商品取引業者を分類すると、第一種金融商品取引業者、第二種金融商品取引業者、投資助言・代理業者、（　投資運用業者　）に分けることができる。

　第一種金融商品取引業者の業務には、ディーラー業務などの内閣総理大臣の（　登録　）が必要な業務と、内閣総理大臣の（　認可　）が必要なPTS業務がある。

問2 金融商品取引業の内容に関する次の記述のうち、正しいものには○を、誤っているものには×をつけなさい。

① 第一種金融商品取引業には、店頭デリバティブ取引は含まれない。
② 有価証券の売買の媒介とは、他人間の取引の成立に尽力することである。

③　有価証券の元引受けを行う場合は、第一種金融商品取引業者として内閣総理大臣の登録を受けなければならない。

④　私設取引システム (PTS) 運営業務を営むためには、原則、内閣総理大臣の認可が必要である。

⑤　第二種金融商品取引業の範囲には、有価証券の募集・私募は含まれない。

 解答

①×　店頭デリバティブ取引は、第一種金融商品取引業の業務内容であり、内閣総理大臣の登録が必要である。

②○　なお、取次ぎとは、委託者の計算で自己の名前で有価証券の売買等を行うことである。

③○　元引受けとは、直接、発行者・売出人から有価証券を引き受けることである。

④○　私設取引システム (PTS) 運営業務を営むためには、内閣総理大臣の認可が必要である。なお、取引規模の大きくない非上場PTSの運営を行う場合は認可不要である。

⑤×　第二種金融商品取引業の範囲には、有価証券の募集・私募は含まれる。

問3　金商法に関する次の記述のうち、正しいものには○を、誤っているものには×をつけなさい。

①　金融商品仲介業者の所属金融商品取引業者等は、原則として、金融商品仲介業者が金融商品仲介業につき顧客に加えた損害の賠償責任を負う。

②　金融商品取引業者等の外務員は、外務員登録原簿の登録を受けなければ外務行為は許されない。

③　外務員は、所属する金融商品取引業者等に代わり、有価証券の売買等の行為に関し、一切の裁判外の行為を行う権限を有するものとみなされる。

④　外務員の行為の効果は外務員の所属する金融商品取引業者等に直接帰属し、金融商品取引業者等は、外務員の負った債務を直接履行する責任がある。

⑤　ある金融商品取引業者の外務員登録を受けている者が、別の金融商品取引業者の外務員登録を受けて外務行為を行うことは可能である。

⑥　金融商品仲介業を営むことは、法人のみ可能である。

⑦　金融商品仲介業者は、金融商品仲介業に関して、名目を問わず、顧客から金銭もしくは有価証券の預託を受けることが認められている。

解答

①○　ただし、顧客に悪意があるときは免除される。

②○　登録外務員以外の者は、営業所の内外問わず、外務行為を行うことはできない。

③○　外務員は、有価証券の売買等の行為に関し、代理権により、一切の裁判外の行為を行う権限を与えられている。

④○　ただし、相手方である顧客に悪意がある場合は免責される。

⑤×　外務員は、同時に複数の金融商品取引業者の登録外務員として外務行為を行うことはできない。

⑥×　金融商品仲介業を営むことは、法人でも個人でも可能である。

⑦×　金融商品仲介業者は、金融商品仲介業に関して、名目を問わず、顧客から金銭もしくは有価証券の預託を受けることは禁止されている。

問4　金融商品取引業の行為規制に関する次の記述のうち、正しいものには○を、誤っているものには×をつけなさい。

①　金融商品取引契約を締結しようとする顧客に対し、金融商品取引業者が過去3年以内に同一内容の金融商品取引契約について契約締結前交付書面を交付している場合、契約締結前交付書面を交付しなくてもよい。

②　金融商品取引業者等は、顧客の注文を受ける場合は、あらかじめ、最良執行方針等が記載された書面を交付しなければならない。

③　金融商品取引業者等は、注文を受けたとき、あらかじめ顧客に対し仕切注文か委託注文かの別を明らかにしなければならない。

④　金融商品取引業者の虚偽の表示、または投資判断に重大な影響を及ぼすような重要事項において誤解を生じさせるような表示は、勧誘行為のときに故意に行う場合にのみ禁じられている。

⑤　金融商品取引業者等は、有価証券の売買等において、顧客への損失補填を申し込み、または約束する行為は認められない。

⑥　金融商品取引業者等は、有価証券の売買等において、顧客の損失を補填するために第三者を通じて財産上の利益を提供する行為は、禁止されていない。

⑦　顧客の信用取引の買付委託に対し、金融商品取引業者は自己の信用売りを対当させ、後日、決済のための当該顧客の売付委託に対し、金融商品取引業者が自己の信用買いを対当させることは、禁止されている。

⑧　金融商品取引業者が自己の職務上の地位を利用して、投機的利益の追求を目的とした売買等を行ってはならない。

⑨　金融商品取引業者等が顧客に強い期待を抱かせるような断定的判断を提供し勧誘することは、顧客の買付け時には禁止されているが、売付け時には禁止されていない。

⑩　金融商品取引業者等は、特定かつ少数の銘柄について不特定かつ多数の顧客に対し、買付け・売付け等を一定の期間継続して一斉に、かつ過度に勧誘することは、自らが保有する有価証券の銘柄についてのみ認められている。

⑪　有価証券の引受人となった金融商品取引業者は、その有価証券を売却する場合において、引受人となった日から3ヶ月を経過すれば、その買主に対し、買入代金について貸付けその他信用の供与をすることができる。

 解答

①×　過去1年以内に同一内容の金融商品取引契約について契約締結前交付書面を交付している場合には、契約締結前交付書面を交付しなくてもよい。

②○　なお、これらの交付は電子交付で行うこともできる。

③○　仕切注文とは自己が相手となって取引を成立させる方法で、委託注文とは媒介、取次ぎ、代理で取引を成立させる方法である。

④×　金融商品取引業者の虚偽の表示、または投資判断に重大な影響を及ぼすような重要事項において誤解を生じさせるような表示は、禁止されている。勧誘行為の有無、故意・過失に関係なく、表示行為自体が禁止されている。

⑤○　実際に損失補塡を実行しなくても禁止行為に当たる。また、顧客である投資者が金融商品取引業者等に対して損失補塡などの行為を要求して約束させた場合は処罰の対象となる。

⑥×　損失補塡・利益提供等は、第三者を通じて行うことも禁止されている。

⑦○　信用取引の客向かいは、公正な価格形成を阻害するものとして禁止されている。

⑧○　金融商品取引業者は、顧客の有価証券の売買等に係る注文の動向、その他職務上知り得た特別な情報に基づいて、投機的利益の追求を目的とした売買等を行うことは禁止されている。

⑨×　金融商品取引業者等の断定的判断の提供による勧誘は、顧客の買付け時、売付け時ともに禁止されている。

⑩✕　金融商品取引業者等による大量推奨販売は禁止されている。特に、その銘柄が現にその金融商品取引業者等の保有する有価証券である場合、推奨販売行為は厳しく禁じられている。

⑪✕　引受人となった日から６ヶ月を経過する日までは貸付けその他信用の供与をしてはならない。

3. 関係機関等

金融商品取引業に深く関わる団体はたくさんある。

重要度 ★★☆

1 信用格付業者

　信用格付とは、金融商品または法人の信用状態に関する評価の結果について、記号や数字を用いて表示した等級のことである。

　また、信用格付業者とは、内閣総理大臣の登録を受けた信用格付業を行う法人のことである。信用格付業とは、信用格付を付与し、かつ、提供または閲覧に供する行為を業として行うことである。

2 高速取引行為者

　近年、取引システムの高度化が進み、株式等の高速取引の影響力が増大している。高速取引とは、高性能コンピューターと情報通信技術を駆使して、取引の通信時間を短くする方法のことであり、高速取引を行う投資家の登録制度が導入されている。

(1) 高速取引行為及び高速取引行為者

①高速取引行為

　高速取引行為とは、有価証券の売買または市場デリバティブ取引等の行為を行うことについての判断が電子情報処理組織により自動的に行われ、かつ、当該判断に基づく当該有価証券の売買または市場デリバティブ取引を行うために必要な情報を、金融商品取引所その他の内閣府令で定められる者に対して伝達するときに、情報通信の技術を利用する方法である。そして、当該伝達に通常要する時間を短縮するための方法として内閣府令で定める方法を用いて行うものをいう。

②高速取引行為者

　高速取引行為者とは、内閣総理大臣の登録を受けた者をいい、金融商品取引業者等、及び取引所取引許可業者以外の者が、高速取引行為を行おうとするときは、内閣総理大臣の登録を受けなければならない。

参考

高速取引行為は、今後の情報通信技術の進展に柔軟に対応できるように、その内容の一部が政令や内閣府令に委任されている。

(2) 高速取引行為者の監督

①廃業等の届出等

　高速取引行為者がその業務を廃止等したとき、その日から30日以内に内閣総理大臣に届け出なければならない。

②監督上の処分

　内閣総理大臣は、高速取引行為者において監督上の要件に該当する場合には、高速取引行為者の登録の取り消し、または、6ヶ月以内の業務全部もしくは一部の停止を命じることができる。

3 金融商品取引業協会

　金融商品取引業協会には、認可金融商品取引業協会と、認定金融商品取引業協会の形態が認められている。なお、日本証券業協会は認可金融商品取引業協会、投資信託協会等は認定金融商品取引業協会である。

4 日本投資者保護基金

　投資者保護基金制度は、金融商品取引業者の破綻時に投資者を救済するために設けられており、第一種金融商品取引業者は基金に加入する義務を負う。

　基金が補償する対象債権は、金融商品取引業者が適格機関投資家等を除く一般顧客から預かった金銭・有価証券、先物取引の証拠金、信用取引の保証金等で、支払最高限度額は一顧客につき1,000万円までである。

5 金融商品取引所

　金融商品取引所は、内閣総理大臣の免許を受けて金融商品市場を開設する。金融商品取引所の法的組織形態には、金融商品会員制法人と株式会社がある。なお、金融商品取引所が開設する金融商品市場を取引所金融商品市場という。

参考

金融商品市場には、商品関連市場デリバティブ取引のみを行う市場は含まれない。

6 証券金融会社

　証券金融会社は、信用取引の決済に必要な金銭や有価証券を、取引所の開設する金融商品市場の決済機構を利用して貸し付ける業務を行う会社である。

　証券金融会社は、内閣総理大臣の免許を受けており、資本金が１億円以上の株式会社でなければならない。現在、日本証券金融株式会社の１社のみである。

● 証券金融会社の業務

貸借取引貸付け	金融商品取引業者に対し、信用取引の決済に必要な金銭または有価証券を貸し付けること
公社債貸付け	金融商品取引業者に対し、公社債を担保に公社債の売買及び引受けのため、一時的に資金を貸し付けること
	金融商品取引業者の顧客に対し、公社債を担保に公社債の購入及び保有のため、資金を貸し付けること
一般貸付け	金融商品取引業者またはその顧客に対し、有価証券または金銭を担保として、金銭または有価証券を貸し付けること
債券貸借の仲介	金融商品取引業者及び金融機関等の間の債券の貸借の仲介を行うため、債券の借入れ及び貸付けを行うこと

7 指定紛争解決機関

　指定紛争解決機関は、内閣総理大臣から指定を受けた、金融商品取引業等に関連する紛争解決などの業務を行う法人である。

本番得点力が高まる! 問題演習

問1 金融商品取引業の関係機関に関する次の記述のうち、正しいものには〇を、誤っているものには×をつけなさい。

① 日本投資者保護基金が補償する対象債権は、金融商品取引業者が一般投資家から預かった金銭や有価証券だが、先物取引に係る証拠金は含まれない。

② 第一種金融商品取引業者の日本投資者保護基金への加入は、任意である。

③ 証券金融会社の主な業務の1つに、信用取引の決済に必要な金銭や有価証券を貸し付ける業務がある。

解答

①× 日本投資者保護基金が補償する対象債権には、先物取引の証拠金、信用取引の保証金等も含まれ、支払最高限度額は一顧客につき1,000万円までである。

②× 第一種金融商品取引業者は、必ず基金に加入しなければならない。

③〇 なお、証券金融会社は、内閣総理大臣の免許を受けている、資本金1億円以上の株式会社でなければならない。

4. 市場阻害行為の規制（不公正取引の規制）

単に金融商品取引等が公正に行われることだけでなく、資本市場の機能が阻害されるのを防止する目的もある。

重要度 ★★★

1 包括規定

(1) 不公正取引禁止の包括規定

何人も、有価証券の売買等について、不正の手段、計画または技巧をしてはならない。

(2) 虚偽または不実の表示の使用の禁止

何人も、有価証券の売買等について、重要事項について虚偽の表示、または誤解を生じさせないために必要な重要事実の表示が欠けている文書を使用して、金銭その他の財産を取得してはならない。

(3) 虚偽の相場の利用の禁止

何人も、有価証券の売買等を誘引する目的をもって、虚偽の相場を利用してはならない。

2 風説の流布・偽計取引

有価証券の募集・売出し・売買、またはデリバティブ取引等などのために、有価証券等の相場の変動を図る目的を持って、風説を流布し、偽計を用い、または暴行もしくは脅迫をしてはならない。これに違反した者は課徴金制度の対象となる。

3 相場操縦

相場操縦とは、有価証券等の市場における価格形成を人為的にゆがめる行為で厳しく禁止されている。具体的には仮装取引（仮装売買）や馴合取引（馴合売買）等がある。これに違反した場合は課徴金制度の対象となる。

用語

課徴金制度
一定の不公正取引があった場合に、内閣総理大臣が一定の手続きに基づいて、不公正取引に応じて決められた額の課徴金を国庫に納付するよう命ずる制度である。

(1) 仮装売買・馴合売買

● 仮装売買・馴合売買

仮装売買	上場有価証券の売買や市場デリバティブ取引等について、取引状況に関し他人に誤解を生じさせる目的をもって、権利の移転、金銭の授受等を目的としない仮装の取引をすること。
馴合売買	取引状況に関し他人に誤解を生じさせる目的をもって、自己が行う売付け（または買付け、デリバティブ取引）と同時期に、同価格で他人がその金融商品の買付け（または売付け、デリバティブ取引）を行うことをあらかじめその者と通謀して行う行為。

(2) 安定操作取引

　上場金融商品等の相場をくぎ付けにし、固定し、安定させる目的で有価証券の売買等をする安定操作取引は、原則、禁止されている。ただし、募集や売出しなどの場合、大量に有価証券が一時的に放出されると、需給のバランスが崩れ資金調達が困難になることから、緊急避難的に認められる場合がある。

(3) 空売りの規制

　有価証券を有しないで売付け（空売り）することは、原則、禁止されている。有価証券を借り入れて売付けまたは売付けの委託もしくは受託をする場合も空売り規制の対象となる。ただし、信用取引、先物取引のように定型化され、一定の規制方式が確立した取引等は許容される。

4 内部者取引（インサイダー取引）

　内部者取引とは、その会社に関する重要事実の情報を容易に入手できる立場にある者が、その立場を利用して入手した情報に基づき、その情報が公表される前に当該会社が発行する有価証券に係る取引を行うことである。

(1) 会社関係者の範囲

- ・上場会社等の役員・代理人・使用人その他の従業者
- ・上場会社等の帳簿閲覧権を有する株主や社員
- ・上場会社等と契約を締結している者、すなわち、取引銀行、公認会計士、引受人、顧問弁護士等
- ・会社関係者でなくなってから1年以内の者
- ・親会社・子会社の役員　等

参考

内部者取引は、情報の格差や情報面での優越的地位を利用した取引であることから、公正な価格形成を妨げる取引として禁止されている。
また、売却後に損失が出たとしても内部者取引に該当する。

(2) 重要事実とは

　重要事実とは、おもに次の事実をいう。なお、子会社で生じた重要事実についても親会社同様規制の対象となる。

① 上場会社等の業務執行を決定する機関が、次の事項を行う決定をしたこと、または、いったん行うと決定した事項を行わないと決定したこと。

> 募集株式・新株予約権の募集、資本金の額の減少、自己の株式の取得、株式無償割当て、株式の分割、合併、会社の分割、事業の譲渡、解散、新製品・新技術の企業化　等

② 主要株主の異動や災害等による損害が発生したこと。

(3) 重要事実の公表

　次のいずれかの場合には、重要事実が公表されたものとみなされる。

> ・重要事実が、日刊紙を販売する新聞社や通信社または放送機関等の2以上の報道機関に対して公開され、かつ、公開したときから12時間以上経過した場合
> ・上場会社等が重要事実または公開買付等事実を金融商品取引所等に通知し、金融商品取引所等において公衆の縦覧に供された場合
> ・上場企業等が提出した有価証券届出書等に重要事実が記載され、金商法の規定に従い公衆の縦覧に供された場合

(4) 内部者取引の適用除外

> ・株式の割当てを受ける権利の保有者が権利の行使により株券を取得する場合
> ・新株予約権の保有者が新株予約権行使により株券を取得する場合
> ・株式買取請求権等に基づき売買をする場合
> ・株主総会決議等に基づいて株券等の買付けをする場合
> ・重要情報を知る前に締結された契約の履行等として売買等をする場合　等

(5) 会社の役員及び主要株主の報告義務

　上場会社等の役員及び主要株主（総株主等の議決権の10%以上を保有している株主）が、自己の計算で当該上場会社等の株券・新株予約権証券・社債券等（特定有価証券）の買付けまたは売付けを行った場合、原則、その売買等に関する報告書を内閣総理大臣に提出しなければならない。

(6) 役員または主要株主の短期売買規制・自社株の空売り等の禁止

　上場会社等の役員または主要株主が、当該上場会社等の特定有価証券等について、自己の計算で買付け等をした後 6 ヶ月以内に売付け

等をし利益を得たときは、当該上場会社等は、その者に対し得た利益を提供するよう請求できる。また、上場会社等の役員または主要株主は、自社株の空売り及びそれと同様の効果を有する取引をすることは絶対的に禁止されている。

本番得点力が高まる！ 問題演習

問1　市場阻害行為の規制（不公正取引の規制）に関する次の記述のうち、正しいものには〇を、誤っているものには✕をつけなさい。

① 仮装売買とは、上場有価証券の売買で取引状況に関し他人に誤解を生じさせる目的をもって、権利の移転、金銭の授受等を目的としない仮装の取引をすることである。

② 有価証券を借り入れて売付けまたは売付けの委託もしくは受託をする場合は空売り規制の対象となる。

③ 内部者取引の規制対象となる会社関係者の範囲には、上場会社等と契約を提携している顧問弁護士も含まれる。

④ 重要事実が新聞社や通信社、放送機関等の2つ以上の報道機関に対して公開され、かつ6時間以上経過した場合、その重要事実が公表されたものとなる。

⑤ 株式の分割や主要株主の異動は、内部者取引の重要事実にあたる。

⑥ 上場会社等が提出した有価証券報告書等が金商法の規定に従い公衆の縦覧に供された場合、その重要事実は公表がなされたこととなる。

⑦ 上場会社の役員または主要株主が、当該上場会社の特定有価証券を自己の計算で買い付けした後1年以内に売り付けて利益を得たときは、当該上場会社は、その者に対し得た利益の提供を請求することができる。

⑧ 上場会社等の株主のうち、議決権の5％以上を保有している者が、自己の計算でその上場会社等の株券等の取引を行った場合、原則、その取引等に関する報告書を内閣総理大臣に提出しなければならない。

解答

① ○　なお、馴合売買とは、自己が行う売付け (または買付け) と同時期に、同価格で他人がその金融商品の買付け (または売付け) を行うことをあらかじめその者と通謀して行う行為である。

② ○　ただし、信用取引、先物取引のように定型化され、一定の規制方式が確立した取引等は許容される。

③ ○　内部者取引の規制対象となる会社関係者の範囲には、上場会社等と契約を提携している顧問弁護士、公認会計士、引受人、取引銀行等が含まれる。

④ ×　6時間以上ではなく、12時間以上経過した場合である。

⑤ ○　資本金の額の減少や自己の株式の取得等も、内部者取引の重要事実にあたる。また、重要事実に当たる決定を中止した場合も、その中止の決定は重要事実に当たる。

⑥ ○　また、上場企業等が重要事実を金融商品取引所に通知し、公衆の縦覧に供された場合も、その重要事実は公表されたこととなる。

⑦ ×　上場会社の役員または主要株主が、自己の計算で買い付けした後6ヶ月以内に売り付けて利益を得たとき、当該上場会社は利益の提供を請求することができる。

⑧ ×　議決権の5％以上ではなく、議決権の10％以上を保有している者である。

5. 情報開示

情報開示制度とは、投資者が十分に投資判断を下すことができるように情報を開示する制度である。

1 企業内容等開示制度

企業内容等開示制度とは、有価証券を発行する会社の事業状況、財政状態、経営成績等に関する情報を開示させ、投資者が十分な投資判断材料を入手できるようにするための制度である。なお、開示書類は一定の場所に備え置かれ、各々の書類ごとに定められた期間公衆の縦覧に供される。

企業内容等開示制度には、発行市場における開示と、流通市場における開示がある。

企業内容等開示制度の対象となる有価証券は、発行段階では募集・売出しが行われる有価証券である。投資信託の受益証券、投資法人の発行する投資証券なども、企業内容等開示制度の適用対象となる。ただし、国債証券、地方債証券、金融債、政府保証債、流動性の低い一定の集団投資スキーム持分等には開示制度が適用されない。

（1）発行市場における開示制度

① 募集・売出しに際しての届出

有価証券の募集・売出しをするには、発行者はその証券について内閣総理大臣に届出をしなければならない。届出が行われると、その内容は直ちに公衆の縦覧に供される。

実際に有価証券を投資者に取得・売付けできるようになるのは、届出の効力が発生してからとなる。届出の効力が発生するのは、発行会社からの届出が内閣総理大臣に受理された日から、原則、15日を経過した日となる。

② 発行市場における情報開示文書

発行市場における情報開示文書には主に以下のものがある。

用語

地方債証券
地方公共団体が発行する債券。

用語

金融債
金融機関が発行する債券。

用語

政府保証債
政府が元利金の支払いを保証して発行する債券。

参考

有価証券の募集・売出しの場合、企業内容等開示制度が適用されるが、「有価証券の私募」は、企業内容等開示制度が免除される。

有価証券届出書	・発行者は、募集・売出しをする際には、有価証券届出書を内閣総理大臣に提出しなければならない。 ・記載事項は、募集・売出しに関する情報（証券情報）、発行会社に関する情報など。
目論見書 （もくろみしょ）	・有価証券の発行者の事業その他の事項に関する説明を記載する文書。 ・金融商品取引業者等などは、有価証券を募集や売出し等により取得、または売り付ける場合には、あらかじめまたは同時に、目論見書を投資者に交付しなければならない。ただし、以下の場合は例外として目論見書を交付しなくてもよい。 ①適格機関投資家に取得、または売り付ける場合 ②当該有価証券と同一の銘柄を所有する者、またはその同居者がすでに当該目論見書の交付を受けた場合や、相手が当該目論見書の交付を受けないことについて同意した場合

(2) 流通市場における開示制度

① 流通開示の適用対象会社

　金商法上、流通市場における情報開示義務を負担する会社には以下の4種がある。

・上場有価証券発行会社（上場会社）
・店頭売買有価証券発行会社
・上記以外で募集・売出しにつき内閣総理大臣に届出を要した有価証券の発行者（ただし、当該事業年度を含む前5事業年度のすべての末日における株式等の所有者が300名未満の場合等は、内閣総理大臣の承認を得ることで開示義務を免れることができる）
・上記以外で、資本金5億円以上でかつ、最近5事業年度のいずれかの末日において株主名簿上の株主数が1,000人以上の会社

② 流通市場における情報開示文書

　金商法の継続開示制度は、有価証券報告書、半期報告書、一定のあらかじめ定められた事項が生じたら直ちに届け出るべき臨時報告書からなり、それに加えて金融商品取引所のルールである適時開示（タイムリー・ディスクロージャー）が用意されている。

有価証券 報告書 （年次報告書）	・事業年度ごとに事業年度経過後3ヶ月以内に内閣総理大臣に提出しなければならない。 ・記載事項は、企業の概況、事業の状況、設備の状況、提出会社の状況、経理の状況、など。
半期報告書	事業年度が6ヶ月を超える場合には、6ヶ月の各期間ごとに半期報告書を会社の区分に応じ、事業年度が開始した日以後6ヶ月が経過した日から起算して次の定める日までに内閣総理大臣に提出しなければならない。 ①上場会社等のうち銀行や保険会社などの金融システムの安定を図るためその業務の健全性を確保する必要がある事業を行う会社：60日以内 ②上場会社等のうち①以外の会社：45日以内 ③上場会社等以外の会社：3ヶ月以内
臨時報告書	内閣府令が定める一定の場合に該当するとき、臨時報告書を遅滞なく内閣総理大臣に提出し、その後、遅滞なくその写しを金融商品取引所または金融商品取引業協会に提出しなければならない。
訂正届出書・ 訂正報告書	有価証券報告書等の提出後、重要事項に変更等がある場合には、訂正届出書・訂正報告書を提出しなければならない。
自己株券買付 状況報告書	上場会社に自己株式の取得に関する株主総会決議または取締役会決議があった場合、自己株券買付状況報告書を作成し、各月ごとに内閣総理大臣に提出しなければならない。

2 公衆縦覧

　次の書類は一定の場所に備え置かれ書類ごとに定められた期間、公衆の縦覧に供される。

> 有価証券届出書、発行登録書、発行登録追補書類、有価証券報告書、半期報告書、確認書、内部統制報告書、臨時報告書、親会社等状況報告書、自己株券買付状況報告書　等

3 フェア・ディスクロージャー・ルール（FDルール）

　発行者が未公表の決算情報などの重要情報を証券アナリストなどに提供した場合、次のような公表の義務が課される。

・意図的な伝達の場合は同時に公表
・意図的な伝達ではない場合は速やかに公表

(1) FDルール

重要情報の定義	当該上場会社等の運営、業務、または財産に関する公表されていない重要な情報であって、投資者の投資判断に重要な影響を及ぼすもの
公表義務を負う者	・社債券、株券、新株予約権証券、投資証券等で金融商品取引所に上場されているものの発行者 ・店頭売買有価証券に該当するものの発行者等
対象となる情報提供者	・上場会社等 ・投資法人である上場会社等の資産運用会社 上記の役員、代理人、使用人、その他従業員
公表の方法	インターネットなど
公表が不要となる場合	・第三者に伝達しない義務を負う場合 ・当該上場会社等の有価証券にかかる売買等をしてはならない義務を負う場合

4 監査・内部統制

　上場有価証券発行会社等は、財務計算書類について公認会計士、監査法人による監査証明を受けなければならない。また、事業年度ごとに、子会社も含めた企業集団に係る内部統制報告書を、有価証券報告書と合わせて内閣総理大臣に提出しなければならない。

用語

内部統制報告書
内部統制報告書は、企業の財務情報やその他の情報の適正性を確保するために必要な体制について評価した報告書。公認会計士・監査法人によって監査が義務付けられている。

本番得点力が高まる! 問題演習

問1 企業内容等開示制度に関する次の記述のうち、正しいものには〇を、誤っているものには×をつけなさい。

① 発行市場における開示制度の対象となる有価証券に、国債証券、地方債証券、金融債、政府保証債が含まれる。

② 投資信託の受益証券は、企業内容等開示制度の適用対象とならない。

③ 上場有価証券発行会社及び店頭売買有価証券発行会社以外で当該事業年度を含む前5事業年度すべてにおける株主が500名未満の場合は、内閣総理大臣の承認を得ることで、有価証券報告書の提出を免れることができる。

④ 上場有価証券発行会社等は、有価証券報告書等の財務計算書類について、公認会計士または監査法人による監査証明を受けなければならない。

⑤ 有価証券報告書、臨時報告書、自己株券買付状況報告書等の情報開示文書は、それぞれ一定期間公衆の縦覧に供され、誰でも自由に見ることができる。

⑥ 有価証券報告書の提出を義務付けられている上場会社等は、事業年度ごとにその事業年度経過後6か月以内に有価証券報告書を内閣総理大臣に提出しなければならない。

⑦ 提出会社の財政状態・経営成績に著しい影響を与える事象が発生した場合は、訂正報告書の提出が必要となる。

解答

①× 国債証券、地方債証券、金融債、政府保証債、流動性の低い一定の集団投資スキーム持分は、発行市場における開示制度の対象となる有価証券に含まれない。

②× 投資信託の受益証券、及び投資法人の発行する投資証券なども、企業内容等開示制度の適用対象となる。

③× 当該事業年度を含む前5事業年度すべてにおける株主が300名未満の場合は、内閣総理大臣の承認を得ることで、有価証券報告書の提出等の継続開示義務を免れることができる。

④〇 金商法における監査制度の目的は、マーケットでの共通の投資尺度の提供と、投資対象の真実の価値を把握することである。

⑤〇 情報開示文書は、一定の場所に据え置かれ、各々の書類ごとに定められた期間、公衆の縦覧に供される。

⑥× 上場会社等は、事業年度ごとにその事業年度経過後3か月以内に有価

第2章 金融商品取引法／情報開示

証券報告書を内閣総理大臣に提出しなければならない。

⑦× 提出会社の財政状態・経営成績に著しい影響を与える事象が発生した場合は、訂正報告書ではなく、臨時報告書の提出が必要となる。

6. 公開買付制度

ニュースでも取り上げられる企業買収の手法のひとつが公開買付けで、いわゆるTOBと呼ばれる。

重要度

1 公開買付け（TOB）

(1) 公開買付けの意義

公開買付けとは、不特定かつ多数の者に対し、公告により株券等の買付け等の申込み、または売付け等の申込みの勧誘を行い、取引所金融商品市場を通さずに株券等の買付け等を行うことである。

参考

公開買付けの対象会社の経営陣が同意している買収を友好的買収、反対している買収を敵対的買収という。

(2) 公開買付けの届出

公開買付けを行う者は、その公告日に、公開買付届出書を内閣総理大臣に提出しなければならない。公開買付届出書等は、買付期間終了後5年を経過する日まで、公衆の縦覧に供される。

公開買付開始公告を行わなかった者、虚偽記載等のある公開買付開始公告を行った者に対して、課徴金制度が設けられている。

参考

公開買付届出書の記載事項には、公開買付けの目的、買付価格、買付予定株券等の数、買付期間等がある。

(3) 行為規制

公開買付けは、多くの行為規制を設けることで、公正な取引条件の確保を図っている。

● 公開買付けの行為規制

- ・公開買付価格の条件は均一でなければならない。途中で価格を引き上げることはできるが、引き下げることは原則認められない。
- ・公開買付者が対象有価証券を公開買付け以外の方法によって買い付ける別途買付けは、原則として禁止されている。
- ・公開買付者は原則として公開買付けを撤回することはできない。
- ・公開買付者は、買付希望数量を超えて申込みがあった場合は、応募者の応募株券数に応じてあん分比例により買い上げなければならない。
- ・公開買付者は、買付後の株券等所有割合が3分の2以上となる場合は、応募株式の全部を買い付けなければならない。

参考

公開買付届出書を提出後、直ちにその写しを当該公開買付けの対象会社に送付しなければならない。

本番得点力が高まる! 問題演習

問1 公開買付制度に関する次の記述のうち、正しいものには〇を、誤っているものには×をつけなさい。

① 公開買付者は、公開買付価格を途中で引き上げることはできない。

② 買付後の株券等所有割合が2分の1以上となる場合には、公開買付者は応募株式の全部を買い付けなければならない。

③ 公開買付届出書は、買付期間終了後5年間を経過する日までの間、公衆の縦覧に供される。

解答

①× 公開買付者が途中で価格を引き上げることはできるが、引き下げることは、原則、認められていない。

②× 買付後の株券等所有割合が3分の2以上となる場合には、公開買付者は応募株式の全部を買い付けなければならない。

③〇 なお、公開買付届出書には、公開買付けの目的、買付価格、買付予定株券等の数、買付期間等が記載されている。

7. 株券等の大量保有の状況に関する開示制度（５％ルール）

買い占めに対して
５％ルールがある。

NO!
悪質な
企業買収
公正な
株式市場

重要度 ★★★

1 株券等の大量保有の状況に関する開示制度（5%ルール）

上場会社等が発行する株券等の保有割合が５％を超える者（大量保有者）は、大量保有報告書を提出しなければならない。これを大量保有報告制度（５％ルール）という。

（1）対象有価証券

対象有価証券は、上場株券等の発行者である法人が発行する有価証券で、①株券（議決権がないものは除く）、②新株予約権証券及び新株予約権付社債券、③外国の者が発行する証券・証書で①及び②の有価証券の性質を有するもの、④投資証券等及び新投資口予約権証券等などである。無議決権株（議決権のない株券）、自己株式は規制の対象外である。

（2）大量保有者

大量保有報告書の提出義務を負うのは、対象有価証券の保有者で、その保有割合が５％を超える者（大量保有者）である。なお株券等保有割合は、保有者と共同保有者の株券等を合わせた数を発行済株式総数で除した割合である。

（3）大量保有報告書

大量保有者は、大量保有者となった日から５日以内に大量保有報告書を内閣総理大臣に提出しなければならず、EDINET（電子開示システム）による提出が義務付けられている。EDINETを通じて提出した場合は、発行者への大量保有報告書の写しの送付義務は免除される。大量保有報告書は５年間公衆の縦覧に供される。

なお、内閣総理大臣が訂正報告書の提出命令を発し、虚偽記載等のあった大量保有報告書等を公衆の縦覧にしないものとしたときは、その通知を受けた金融商品取引所・認可金融商品取引業協会は公衆縦覧の義務を解除される。

用語

共同保有者
保有者と共同して株券等の取得・譲渡等をすることを合意している他の保有者のことをいう。

参考

大量保有報告書の記載事項は、大量保有者や共同保有者の概要、保有目的、保有株券等の内訳などである。

(4) 変更報告書

　大量保有者となった後に株券等保有割合が1％以上増減した場合には、その日から5日以内に変更報告書を提出しなければならない。

(5) 特例報告

　証券会社や投資運用会社などには、事務負担軽減のための特例報告制度が設けられており、報告期限は概ね2週間ごと5日以内となっている。ただし、株券等保有割合が10%を超える場合などには特例報告制度は利用できない。

本番得点力が高まる! 問題演習

問1　大量保有報告制度に関する次の記述のうち、正しいものには〇を、誤っているものには×をつけなさい。

① 上場会社が発行する株券の保有割合が5％を超える者は、大量保有報告書を内閣総理大臣に提出しなければならないが、その後、保有割合が変化した場合でも一切届け出る必要はない。

② 大量保有報告制度の対象有価証券には、新株予約権証券・新株予約権付社債券が含まれる。

③ 大量保有報告制度の報告対象となる有価証券の範囲には、外国の者が発行する証券等で株券の性質を有するものは含まれない。

④ 株券等保有割合が5％を超えた場合、その大量保有者は、大量保有者となった日から5日以内に、大量保有報告書を内閣総理大臣に提出しなければならない。

⑤ 株券等の保有割合は、保有者の保有する株券等の数に共同保有者の保有する株券等の数を加え、発行済株式総数で除して求める。

⑥ 大量保有者となった場合、大量保有報告書を内閣総理大臣に提出するが、EDINETによる提出は任意である。

解答

①× 大量保有者となった後に株券等保有割合が1％以上増減した日から5日以内に変更報告書を提出しなければならない。

②〇 新株予約権証券・新株予約権付社債券は大量保有報告制度の対象である。ただし、議決権のない株券、議決権のない株式のみを取得する権利だけを付与されている新株予約権証券・新株予約権付社債券は対象とならない。

③✕ 外国の者が発行する証券・証書で株券の性質を有するものは、大量保有報告制度の報告対象となる有価証券の範囲に含まれる。

④◯ なお、大量保有報告書は5年間公衆の縦覧に供される。

⑤◯ なお、共同保有者とは、保有者と共同して株券等の取得・譲渡等をすることを合意している他の保有者のことである。

⑥✕ 大量保有者となった場合、大量保有報告書を内閣総理大臣にEDINETを通じて提出しなければならない。

第 **3** 章

特別会員
論点

金融商品の勧誘・販売に関係する法律

予想配点　6点／440点 出題形式 ○×方式…3問 （配点と出題形式はTACの予想です）	金融商品取引法以外の、外務員として遵守しなければならない法律について覚えましょう。この章で紹介する法律は、どれも金融商品の勧誘や販売に密接に関わっており、業務を遂行するためには欠かせない知識です。

関連章 　なし

公正な取引の実現のために、証券外務員が覚えるべき法律は金商法以外にもまだあります。

公正

代表例としては、金融サービスを提供する側が覚えるべき法律❶、消費者の保護を目的とした法律❷、個人情報に関する法律❸などがあります。

法律

マネー・ローンダリングなどの犯罪の防止を目的とした法律❹もあるので、しっかりと内容を覚えていきましょう。

1. 金融サービスの提供及び利用環境の整備等に関する法律

法律は、顧客の保護等のためなんだね。

重要度 ★★★

1 概要と趣旨

金融サービスの提供及び利用環境の整備等に関する法律（以下、「金融サービス提供法」という）は、次の事項について定めている。

①金融商品販売業者等が金融商品を販売する際の顧客に対する説明義務
②説明義務違反により顧客に損害が生じた場合の損害賠償責任及び損害額の推定等
③その他の金融商品の販売等に関する事項
④金融サービス仲介業を行う者について登録制度を実施し、その業務の健全かつ適切な運営を確保すること

2 適用対象・範囲

用語

金融商品の販売等
預金契約、有価証券を取得させる行為、市場・店頭デリバティブ取引などまたはその取次ぎ・代理・媒介を意味する。

金融サービス提供法において説明の義務を負うのは、「金融商品の販売等」を業として行う者である。

金融商品の販売とは、預金等の受入れを内容とする契約、有価証券を取得させる行為、市場・店頭デリバティブ取引などである。金融商品の販売等には、金融商品の販売のほか、それらの取次ぎや代理・媒介を含む。

具体的には次のような行為となる。

・顧客からの株券の委託売買の取次ぎを行う行為
・顧客に対する投資信託の販売
・顧客からの商品関連市場デリバティブ取引の委託の取次ぎを行う行為

3 説明義務

(1) 重要事項

金融商品販売業者等は、金融商品の販売等を業として行おうとするときは、金融商品が販売されるまでの間に、重要事項を説明しなければならない。また、重要事項の説明は、書面の交付による方法も可能であるが、顧客の知識、経験、財産の状況及び当該金融商品の販売に係る契約を締結する目的に照らして、当該顧客に理解されるために必要な方法及び程度によるものでなければならない。

● 説明が必要な重要事項

リスクの種類	説明事項
【市場リスク】 金利、通貨の価格、市場の相場、その他指標に係る変動	・元本欠損が生ずるおそれがある場合はその旨 ・当初元本を上回る損失が生ずるおそれがある場合はその旨
【信用リスク】 金融商品の販売者、その他の者の業務、または財産の状況の変化	・当該指標(市場リスク)、または当該者(信用リスク) ・金融商品の販売に係る取引の仕組みの重要な部分
期間の制限	権利行使期間の制限及びクーリングオフ期間の制限があるときはその旨

上記の重要事項の説明義務は、特定顧客(金商法上の特定投資家)に対する場合には適用されず、重要事項について説明を要しない旨の顧客の意思の表明があった場合には、商品関連市場デリバティブ取引及びその取次ぎ(金商法2条8項1号)の場合を除き、免除される。

なお、金融サービス提供法上の説明義務の免除の如何に関わらず、金商法上の説明義務は免除されない。

(2) 因果関係・損害額の推定

金融サービス提供法では、金融商品販売業者等が金融商品の販売等に際して、説明義務違反や断定的判断の提供の禁止に違反する行為を行った場合に、不法行為による損害賠償責任があることを明確にし、民法の不法行為の特則として、損害の立証責任の転換を図るとともに、損害額の推定を行わなければならない。

用語

クーリングオフ
特定の取引で契約したあと、一定期間無条件で契約を解除できる制度である。

	民法	金融サービス提供法
説明義務違反	故意または過失の存在が要求される	・故意、過失の有無を問わない(無過失責任) これにより生じた損害の賠償責任を負う ・断定的判断の提供を行った場合も同じ
不法行為と損害の発生の因果関係及び損害額	顧客側に立証責任	・金融商品販売業者側に立証責任 ・損害額は元本欠損額と推定

(3) 勧誘方針の策定・公表義務

　金融サービス提供法では、金融商品販売業者等に対し、勧誘の対象となる者の知識、経験、財産の状況、その他配慮すべき事項など、一定事項を記載した勧誘方針の策定及び公表を義務付けている。

4 金商法における適合性原則・説明義務との関係

　適合性原則や説明義務については、金商法においても規定されているが、金商法上では、当該義務を怠った金融商品取引業者等に対する行政処分であるのに対して、金融サービス提供法の説明義務違反については、損害賠償義務、因果関係、損害額の推定など私法上の効果を生じさせるものである。

　金融サービス提供法では金融サービス仲介業者の行為規制を定めており、有価証券の売買の媒介、募集・私募の取扱いは「特定金融サービス契約」に当たるため、金商法上の定める各種の行為規制が準用される。

5 顧客の説明不要の意思表示

　金融サービス提供法上の重要事項の説明義務は、特定顧客でない場合でも金商法2条8項1号に規定する商品関連市場デリバティブ取引及びその取次ぎの場合を除き、「説明不要」の意思の表明があった場合は免除されるが、金商法上では特定投資家に該当しない顧客に対しては「説明不要」との意思表示があった場合でも実質的説明義務を免れるわ

けではない。

6 金融サービス仲介業

金融サービス提供法上の登録を受けた金融サービス仲介業者は、次の業を行うことができる。

・預金等媒介業務
・保険媒介業務
・有価証券等仲介業務
・貸金業貸付媒介業務
・電子決済等代行業（電子金融サービス仲介業務を行う登録をした場合）

本番得点力が高まる! 問題演習

問1 金融サービス提供法に関する次の記述のうち、正しいものには○を、誤っているものには×をつけなさい。

① 金融商品販売業者等が金融商品の販売等を業として行おうとするときは、金融商品が販売されるまでの間に、顧客に対して重要事項の説明を行わなければならない。

② 金融サービス提供法では、重要事項の説明義務違反については、故意または過失の有無を問わないとしている。

③ 金融商品の販売等を業として行おうとするときの重要事項の説明義務は、金融に関する専門的知識や経験を有する者としての特定顧客に対しても適用される。

解答
①○ なお、金融商品販売業者等が顧客に対して重要事項説明を行う場合は、口頭または書面でも構わない。

②○ 金融サービス提供法では、重要事項の説明義務違反については、故意または過失の有無を問わず、無過失責任としている。

③× 重要事項の説明義務は、一定の場合を除き特定顧客に対しては適用されない。

2. 消費者契約法

金融サービス提供法との違いをしっかりチェック!

重要度
★★★

1 概要と趣旨

参考

ここでいう消費者とは、個人のうち、「事業としてまたは事業のために契約の当事者となる場合におけるもの」を除いた者である。

消費者契約法は、消費者保護の観点から、消費者を誤認させる行為または消費者を困惑させる行為が行われた場合の、消費者による取消権や不当な契約条項の無効、適格消費者団体による差止請求権等を定める法律である。

2 適用対象とその範囲

参考

事業とは、一定の目的を持つ反復継続的な同種の行為のことであり、営利目的は必要ない。

消費者契約法が適用されるのは、消費者契約（消費者と事業者との間で締結される契約）である。消費者契約の定義は非常に広範であり、金融サービス提供法の対象となる契約も、消費者と事業者との間で締結される限り、消費者契約に含まれる。

また、契約の直接の相手方でなく、契約の相手方から媒介の委託を受けた者や代理権の授与を受けた者による勧誘などの行為についても、適用される。例えば、協会員が投資信託や変額年金の販売を行う場合などは、顧客との間に直接の相手方となるわけではないが、消費者契約法が適用される。

なお、原則、民法や商法に優先して適用される。

3 消費者契約法による契約の取消しと無効

（1）契約の取消し

① 対象となる主な契約

消費者は消費者契約法により契約の取消しをすることができる。契約の取消しができるのは、事業者が消費者に契約を勧誘する際、次のいずれかに該当した場合で、それによって消費者契約の申込みまたはその承諾の意思表示をしたときとなる。

重要事項の不実告知	消費者に対して重要事項について事実と異なることを告げたことにより、消費者に告げられた内容が事実であると誤認した場合	**参考**
断定的判断の提供	将来における変動が不確実な事項につき断定的判断を提供することにより、消費者が提供された断定的判断の内容が確実であると誤認した場合	
不利益事実の故意または重過失による不告知	消費者に対して、重要事項等について消費者の利益となる旨を告げ、不利益となる事実を故意または重過失によって告げなかったことにより、消費者が不利益となる事実は存在しないと誤認をした場合	
不退去	事業者に対し、消費者が、住居または業務を行っている場所から退去すべき旨の意思を示したにもかかわらず、それらの場所から退去しないことによって消費者が困惑した場合	
退去妨害	事業者が消費者契約の締結について勧誘をしている場所から消費者が退去する意思を示したにもかかわらず、その場所から消費者を退去させないことによって消費者が困惑した場合	
勧誘することを告げずに退去困難な場所へ同行し勧誘した場合	消費者に対し、消費者契約の締結について勧誘することを告げずに、その消費者が退去することが困難な場所であると知りながら、その場所に同行し、その場所で勧誘することで消費者が困惑した場合	
威迫する言動を交え相談の連絡を妨害した場合	消費者が契約の締結をするか否かの相談を、当該事業者以外の者と電話やメールなどによる連絡の意思を示したにもかかわらず、威迫する言動に交えて消費者が連絡することを妨げることによって消費者が困惑した場合	
社会生活上の経験不足の不当な利用	消費者が社会生活上の経験が乏しいことから、それに関する重要事項やこのほかの要因に関する重要事項の願望の実現に対して不安を抱いていることを知りながら、裏付けとなる根拠がないにもかかわらず、その願望の実現のために契約が必要である旨を告げることにより消費者が困惑した場合	
恋愛感情等に乗じた人間関係の濫用	消費者が勧誘する者に対して恋愛感情等を抱き、かつ、勧誘する者も同様の感情を抱いているものと誤信していることを知りながら、契約をしなければ勧誘する者との関係が破綻することになる旨を告げることによって消費者が困惑した場合	

「事実と異なること」には、故意によるものだけではなく、事業者が虚偽であることを知らない場合も含まれる。

加齢等による判断能力の低下の不当な利用	消費者が加齢等により判断能力が著しく低下していることから生活の維持に不安を抱いていることを知りながら、裏付けとなる根拠がないなどにもかかわらず、契約をしなければ生活の維持が困難となる旨を告げることによって消費者が困惑した場合
霊感等を用いた告知	霊感等の合理的に実証することが困難な特別な能力による知見を用いて、消費者に対して重大な不利益を与える事態が生じる旨を示し不安をあおり、契約によってその不利益を回避できる旨を告げることによって消費者が困惑した場合
過量取引	事業者が消費者契約の締結について勧誘する際、その契約の目的となるものの分量や回数、期間が通常の分量等を著しく超えるものであると知りながら勧誘し、消費者が契約の申込みまたは意思表示をした場合

② 取消権の行使の方法・行使期間

消費者が取消権を行使する方法に定めはなく、相手方に対し意思表示を取り消す旨を伝えればよい。

取消権は、追認することができる時から 1 年間行使しないとき、または消費者契約の締結時から 5 年を経過したときに消滅する。ただし、霊感などによる告知を用いた勧誘に対する取消権は追認できるときから 3 年、契約の締結から10年を経過すると消滅する。

③ 取消しの効果

消費者が取消権を行使した場合、当初にさかのぼって契約が無効であったこととなる。

(2) 契約の無効

消費者契約法では、消費者の利益を一方的に害する次のような条項を無効としている。

- ・事業者の損害賠償の責任を免除する条項等
- ・消費者の解除権を放棄させる条項等
- ・事業者に対し後見開始の審判等による解除権を付与する条項
- ・消費者が支払う損害賠償の額を予定する条項
- ・消費者の利益を一方的に害する条項（事業等の重大な過失を除く過失による行為にのみ適用されることを明らかにしていないものは無効）

(3) 金融サービス提供法との関係

金融サービス提供法の第 2 条と消費者契約法は、いずれも民法の特

用語

追認
取消しのできる契約において、その契約の成立をあらためて認めることである。
以後、取り消すことはできなくなる。

則として機能するため、同じ行為であっても両方の法律で重複して対象となるものもある。消費者の側で有利な方を選択することができる。

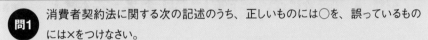

本番得点力が高まる! 問題演習

問1 消費者契約法に関する次の記述のうち、正しいものには○を、誤っているものには×をつけなさい。

① 事業者が消費者契約の締結について消費者を勧誘する際、事業者が重要事項について事実と異なる告知をしたことにより、消費者がその内容を事実と誤認した場合、それが事業者の故意であった場合に限り、消費者はその契約を取り消すことができる。

② 事業者が消費者契約の締結について消費者を勧誘する際、消費者が住居または業務を行っている場所などから退去するよう事業者に対し意思表示したにもかかわらず、退去せず消費者が困惑した場合、消費者は契約を取り消すことができる。

③ 消費者契約法において、消費者が取消権を行使した場合は、当初にさかのぼって契約が無効であったこととなる。

 解答

①× 事業者が重要事項について事実と異なる告知をしたことにより、消費者がその内容を事実と誤認した場合、消費者はその契約を取り消すことができる。故意かどうかを立証する必要はない。

②○ なお、取消権を行使する方法には定めはなく、相手方に対し取り消す意思表示をすればよい。

③○ なお、取消権は、追認することができる時から1年間行使しないとき、または消費者契約の締結時から5年を経過したときに消滅する。ただし、霊感などによる告知を用いた勧誘に対する取消権は追認できるときから3年、契約の締結から10年を経過すると消滅する。

3. 個人情報保護法 （個人情報の保護に関する法律）

個人情報は法律で
守られているんだ!

重要度
★★☆

1 概要と趣旨

　個人情報保護法（個人情報の保護に関する法律）は、個人情報の適正な取扱いに関し、事業者が従うべき義務を定めた法律である。

　個人情報取扱事業者に該当する協会員は、顧客の個人情報の保護のため「個人情報保護法」「金融分野ガイドライン」「安全管理実務指針」に従い、個人情報取扱事業者の義務を遵守しなければならない。

2 適用対象とその範囲

　個人情報保護法が適用されるのは、「個人情報」「個人データ」「保有個人データ」「要配慮個人情報」「仮名加工情報」「匿名加工情報」「個人関連情報」である。「要配慮個人情報」については、その取得・利用・第三者提供等について厳格な取扱いが必要とされ、さらに「機微（センシティブ）情報」に規制が課せられるなど、個人情報保護法による規制に加えて一定の規制が上乗せされている。

　また、指紋・掌紋、虹彩の模様、マイナンバー、基礎年金番号等を「個人識別符号」として保護の対象としている。

3 個人情報に関する義務

(1) 個人情報に関する義務

　個人情報とは、生存する「個人に関する情報」であって、氏名、生年月日等により特定の個人を識別することができるもの、または個人識別符号が含まれるものをいう。

　個人情報には次の義務が規定されている。

● 個人情報に関する義務

利用目的の特定	個人情報取扱事業者は、個人情報を取り扱うにあたっては、利用目的をできる限り特定しなければならない。また、特定された利用目的の変更は、本人の同意を得ない場合には、変更前の利用目的と関連性があると合理的に認められる範囲内でしか認められない。
利用目的による制限	個人情報取扱事業者は、原則として、あらかじめ本人の同意を得ないで、特定された利用目的の達成に必要な範囲を超えて、個人情報を取り扱ってはならない。
取得に際しての利用目的の通知	個人情報取扱事業者は、契約締結に伴い契約書等に記載された個人情報を取得する場合などは、あらかじめ、本人に対し、その利用目的を明示しなければならない。また、これ以外の方法で個人情報を取得する場合、あらかじめその利用目的を公表している場合を除き、速やかに、その利用目的を本人に通知または公表しなければならない。

参考

「利用目的による制限」及び「第三者提供の制限」は、法令等に基づく場合や、人の生命、身体または財産の保護のために必要がある場合など一定の場合には、この制限は適用されない。

(2) 個人データに関する義務

　個人データとは、個人データベース等を構成する個人情報をいう。

　個人データについては、以下の義務が規定されている。

① 安全管理措置、従業者の監督、委託先の監督

　個人情報取扱事業者は、その取り扱う個人データの漏えい、滅失、き損の防止その他の個人データの安全管理のために必要かつ適切な措置（安全管理措置）を講じなければならない。また、個人情報取扱事業者は個人情報取扱事業者が取得、または取得しようとしている個人情報について、その個人情報取扱事業者が個人データとして取り扱うことを予定しているものの漏えい等を防止するために必要かつ適切な措置を行う。

② 第三者提供の制限

　個人情報取扱事業者は、原則として、あらかじめ本人の同意を取得しなければ、第三者に対し個人データを提供することはできない。

　ただし、法令等に基づく場合や、人の生命、身体または財産の保護のために必要がある場合など、一定の場合にはかかる制限は適用されない。

　また、個人データを共同利用する場合で、共同利用される個人データの項目、共同利用者の範囲、利用する者の利用目的等をあらかじめ本人に通知し、または本人が容易に知り得る状態（ウェブサイトで公表するなど）に置いている場合には「第三者」にあたらず、本人の同意なく個人データを提供することができる。

(3) 保有個人データに関する義務

保有個人データについては、以下のような義務が規定されている。

・個人情報取扱事業者は、保有個人データに関する事項の公表、本人から求められた場合の開示・訂正・利用停止・理由説明の義務がある。
・保有個人データの安全管理のために講じた措置等について原則として公表が必要である。また、保有個人データに関する開示についても本人の請求による方法での開示が原則として義務化され、第三者提供記録が開示請求の対象となり、保有個人データの利用停止・消去の請求、第三者提供の停止の請求ができる。

---

(4)「要配慮個人情報」及び「機微（センシティブ）情報」に関する義務

「要配慮個人情報」とは、本人の人種、信条、社会的身分、病歴、犯罪の経歴、犯罪により害を被った事実、その他、本人に対する不当な差別、偏見その他の不利益が生じないようにその取扱いに特に配慮を要するものである。

金融分野のガイドライン上においては、「要配慮個人情報」ならびに、「労働組合への加盟、門地、本籍地、保健医療及び性生活に関する情報」が「機微（センシティブ）情報」とされる。

金融分野における個人情報取扱事業者である協会員は、機微（センシティブ）情報について法令等に基づく場合や人の生命、身体または財産の保護のために必要がある場合などを除き、取得、利用または第三者提供を行うことは禁止されている。また、本人の同意があったとしても、機微（センシティブ）情報について取得、及び利用、第三者提供を行えない。

4 個人データ漏えい時の対応について

個人情報取扱事業者は、その取り扱う個人データの漏えい、滅失、毀損その他の個人データの安全の確保に係る事態であって個人の権利利益を害するおそれが大きいものとして個人情報保護委員会規則で定めるものが生じたときは、個人情報保護委員会規則で定めるところにより、当該事態が生じた旨を個人情報保護委員会に報告しなければならない。

5 法人情報・公開情報

① 法人情報

法人の情報は、個人情報保護法及び金融分野ガイドラインの対象では

ない。しかし、法人の代表者個人や取引担当者個人を識別できる情報
は、個人情報に該当するため注意が必要である。

② 公開情報

個人情報保護法では、公開・非公開を区別していないため、公開情
報であっても個人情報の定義に該当する限り、個人情報となる。

6 マイナンバー法

個人番号関係事務実施者である事業者は、法定書類に個人番号を
記載しなければならない。そのため、本人から個人番号の提供を受ける
必要があり、その際、その利用目的の通知または公表をするほか、提供
を受ける都度に所定の方法で本人確認を行うことが必要となる。

本番得点力が高まる! 問題演習

問1 個人情報保護法に関する次の記述のうち、正しいものには〇を、誤っているも
のには×をつけなさい。

① 個人情報保護法において、個人情報取扱事業者は個人情報を取り扱うにあたって、
利用目的をできる限り特定しなければならない。

② 個人情報取扱事業者は契約締結に伴い、契約書等に記載された個人情報を取得
する場合には、あらかじめ、本人に対しその利用目的を明示しなければならない。

③ 法人情報は個人情報保護法等の対象となる。

④ 個人情報とは、生存、死亡に関係なく、個人に関する情報で、氏名、生年月日等
により特定の個人を識別できるもの、または個人識別符号が含まれるものをいう。

解答

①〇 なお、個人情報取扱事業者は、原則として、あらかじめ本人の同意なく、
特定された利用目的の達成に必要な範囲を超えて、個人情報を取り扱っ
てはならない。

②〇 また、これ以外の方法で個人情報を取得する場合、あらかじめその利用
目的を公表している場合を除いて、速やかにその利用目的を本人に通知
または公表しなければならない。

③× 法人情報は個人情報保護法等の対象ではないが、法人の代表者個人
や取引担当者個人を認識できる情報は、個人情報に該当する。

④× 個人情報とは、生存する個人に関する情報である。

4.

金融機関は、犯罪に関わるお金を監視する義務があるんだ!

犯罪収益移転防止法
（犯罪による収益の移転防止に関する法律）

重要度
★★★

1 概要と趣旨

犯罪による収益の移転防止に関する法律（以下、犯罪収益移転防止法）は、資金洗浄（マネー・ローンダリング）の防止、収益の移転防止、テロリズムに対する資金供与の防止のために定められた法律である。テロに対する資金供与を防止し、国民生活の安全と平穏を確保し、経済活動の健全な発展に寄与することを目的としている。

用語

マネー・ローンダリング
犯罪や不正な取引で得たお金を別の口座へ移し、どのようなお金なのかをわからないようにすることである。

なお、金融商品取引業者が一定の取引を行う際には、取引時確認義務、確認記録の作成及び保存義務、取引記録等の作成及び保存義務、疑わしい取引の届出義務を課している。

2 取引時の確認義務

金融商品取引業者は、最初に顧客に有価証券を取得させる契約を締結する際に、本人特定事項等の取引時確認を行う必要がある。

取引時確認の事項	本人特定事項（氏名、住所、生年月日等）、取引を行う目的、職業等
本人確認書類の確認方法	本人確認書類の提示または送付を受けて、本人特定事項等を確認しなければならない。
本人確認書類の種類（個人）	運転免許証、個人番号カード、各種健康保険証、在留カード、特別永住者証明書　等
本人確認書類の有効期限（個人）	有効期限のある証明書については提示または送付を受ける日において有効なもの、有効期限のない証明書については提示または送付を受ける日の前6ヶ月以内に作成されたものに限られる。

代理人が取引を行う場合	本人に加えて代理人についても取引時確認が必要である。

取引を行おうとする顧客についてすでに取引時確認を行っており、かつ、その確認記録を保存している場合には、書類等の提示で、顧客が確認記録に記録されている者と同一であることを確認できれば、改めて取引時確認を行う必要はない（ハイリスク取引を除く）。

3 確認記録と取引記録

（1）確認記録の作成・保存義務

金融商品取引業者は、取引時確認を行った場合には、直ちに確認記録を作成し、当該契約の取引終了日及び取引時確認済み取引に係る取引終了日のうち後に到来する日から7年間保存しなければならない。

（2）取引記録等の作成・保存義務

金融商品取引業者は、顧客との間で、特定業務に係る取引を行った場合は、直ちに取引記録を作成し、原則として、当該取引の行われた日から7年間保存しなければならない。

（3）疑わしい取引の届出義務

金融商品取引業者は、受け取った財産が犯罪による収益である疑いがあり、または顧客が犯罪収益の取得や処分について事実を仮装したり、犯罪収益を隠匿している疑いがあると認められる場合には、速やかに行政庁に対して疑わしい取引の届出を行わなければならない。

4 体制整備義務

金融商品取引業者等は、取引時確認、取引記録等の保存、疑わしい取引の届出等の措置を的確に行うため、次のことが義務付けられている。

・取引時確認事項に係る情報を最新の内容に保つための措置を講ずること
・使用人に対する教育訓練の実施
・取引時確認等の措置の実施に関する規程の作成　等

用語

ハイリスク取引
なりすましや偽りが疑われる取引などのマネー・ローンダリングに用いられるおそれが特に高い取引をいう。その取引が200万円を超える財産の移転を伴う場合には、資産及び収入の状況の確認も必要となる。

参考

確認記録には、取引時確認を行った者の氏名、確認記録の作成者、本人確認書類の提示を受けた日付等、取引時確認を行った取引の種類、取引時確認を行った方法などを記載する必要がある。

本番得点力が高まる! 問題演習

問1 犯罪収益移転防止法に関する次の記述のうち、正しいものには〇を、誤っているものには×をつけなさい。

① 金融商品取引業者は、顧客から受け取った財産が犯罪による収益の疑いがある場合、当該顧客に確認のうえ、行政庁に対して疑わしい取引の届出を行わなければならない。

② 犯罪収益移転防止法において、本人特定事項等の取引時確認を行う際の本人確認書類は、有効期限のない証明書については、提示または送付を受ける日の前10ヶ月以内に作成されたものに限られる。

③ 犯罪収益移転防止法において、代理人が取引を行う場合、金融商品取引業者は本人に加え代理人についても取引時確認が必要である。

解答

①× 速やかに、行政庁に対して疑わしい取引の届出を行わなければならない。

②× 有効期限のない証明書については、提示または送付を受ける日の前6ヶ月以内に作成されたものに限られる。

③〇 代理人が取引を行う場合、金融商品取引業者は本人だけではなく代理人についても取引時確認が必要である。

第 **4** 章

経済・金融・財政 の常識

予想配点　20点／440点
出題形式
五肢選択方式…2問
（配点と出題形式はTACの予想です）

　証券外務員の業務において、社会経済についての知識は必須の項目となります。この章では、経済・金融・財政という3つの観点から基礎的な内容を学び、理解を深めていきましょう。

関連章　　第9章

人々の社会活動と密接に関わる証券業には、経済・金融・財政の知識は必要不可欠のものです。

様々な指標から経済の現状を正しく理解❶し、金融市場の全体像を見極め❷、その基盤となる財政❸が健全なものかを常に注視する必要があります。

活発で健全な市場を保つためにも、確実にこれらの知識を身に付けてください。

経済の動向を見る
のに欠かせないの
が指標です。

1. 経済の見方

1 経済成長とGDP

国内総生産（GDP）とは、国内のそれぞれの経済活動部門で1年間に生み出された付加価値の合計のことである。このGDPは、生産（付加価値）、分配（所得）、支出の3つの側面を持っており、3つのどの面から見ても等しいという意味で「三面等価の原則」が成り立っている。なお、「国内」という場合、外国企業の在日子会社は「国内」に含まれるが、日本企業の海外支店は「国内」に含まれない。

用語

付加価値

企業が新たに生み出した価値のことである。生産には、原材料やエネルギーという中間投入が必要となる。産出額（売上高）からこれらの中間投入額（原材料等）を差し引いた値が付加価値である。

生産面から
見たGDP ＝ 国内産出額 － 中間投入額

分配面から
見たGDP ＝ 雇用者
報酬 ＋ 営業余剰・
混合所得 ＋ 固定資
本減耗 ＋（間接税 － 補助金）

支出面から
見たGDP ＝ 国内総支出（GDE）

＝ 民間消費 ＋ 民間投資 ＋ 民間在庫変動 ＋ 政府支
出（政府消費 ＋ 公共投資）＋ 公的在庫変動 ＋ 輸
出 － 輸入

参考

国内総支出（GDE）は、国内総生産（GDP）と等しくなり、その需要項目のうち、最大のシェアが民間消費である。

(1) 名目GDPと実質GDP

GDPは、内閣府から四半期ごとに発表されており、名目GDPと実質GDPがある。

・名目GDP…その年の経済活動水準を市場価格で評価したもの。
・実質GDP…物価変動分を取り除いて評価したもの。
・GDPデフレーター…名目GDPを実質GDPで割ることによって求められる。

参考

GDPは四半期ごとに発表されており、この四半期ごとに速報が公表されるGDPをQE（Quarterly Estimates）という。QEは、前年同期比や、前期比年率で見る見方がある。

2 経済と景気

経済の動向は、「経済成長」と「景気循環」の2つに分けて考えることが有用である。

(1) 経済成長

経済成長をもたらす要因には、供給要因と需要要因がある。

供給要因	企業がモノを生産するために投入する資本(設備)、労働力、原材料といった生産要素をどのように手に入れるかということ。供給能力には、主に労働力、資本ストック、技術進歩の3つの要因がある
需要要因	企業が生産したモノがどのような要因で売れるかということ

また、潜在成長率とは、通常利用可能な労働力や資本の平均的な稼働率で実現できる成長率である。これは、一国の経済がどの程度の供給能力を有しているかという場合に用いることが多い。

(2) 景気循環

景気循環とは、経済状態を好況と不況が交互に繰り返す動きとしてとらえる見方のことである。

(3) 景気関連統計

景気関連統計には、景気動向指数や、日銀短観(全国企業短期経済観測調査)等がある。

① 景気動向指数

内閣府が作成し、毎月公表している。

景気動向指数には、景気に先行して動く先行系列、景気に一致して動く一致系列、景気に遅行して動く遅行系列の3つに区分され、これらの系列から計算された指数を先行指数、一致指数、遅行指数という。

参考

景気の拡張局面の始まりを景気の谷、後退局面の始まりを景気の山といい、1つの景気循環は、谷・拡張期・山・後退期の4つの局面で構成されている。

● 景気動向指数の採用系列

先行系列	①最終需要財在庫率指数 ②鉱工業用生産財在庫率指数 ③新規求人数 ④実質機械受注 ⑤新設住宅着工床面積 ⑥消費者態度指数 ⑦日経商品指数 ⑧マネーストック(M2) ⑨東証株価指数 ⑩投資環境指数 ⑪中小企業売上げ見通しDI
一致系列	①生産指数 ②鉱工業用生産財出荷指数 ③耐久消費財出荷指数 ④労働投入量指数(調査産業計) ⑤投資財出荷指数 ⑥商業販売額(小売業) ⑦商業販売額(卸売業) ⑧営業利益 ⑨有効求人倍率 ⑩輸出数量指数
遅行系列	①第3次産業活動指数 ②常用雇用指数 ③実質法人企業設備投資 ④家計消費支出 ⑤法人税収入 ⑥完全失業率 ⑦きまって支給する給与 ⑧消費者物価指数 ⑨最終需要財在庫指数

出所：内閣府(2024年5月時点)

　景気動向指数にはDI（Diffusion Index）とCI（Composite Index）がある。DIは採用系列のうち拡張した系列の割合を表した指標で、景気の波及度（度合い）を表す。一方、CIは各採用系列の変化率を合成することで作成された指標で、景気変動の大きさや景気の量感（テンポ）を表す。

② 日銀短観(全国企業短期経済観測調査)
　日銀短観では、業況、価格、設備、雇用、資金繰り等に関する各種DIや、売上、収益、設備投資等に関する各種計画を明らかとなる。日銀が３ヶ月に一度公表している。

(4) 各種統計

① 消費関連統計の見方

　日本経済の最終需要における民間最終消費の占める割合は6割近くに達し、需要項目としては最大となっている。

　家計における消費支出は次のような要因で増減する。

● 消費の決定要因

可処分所得	・家計が自由に使うことができる所得（手取り収入）のことをいう。 ・所得−所得税等−社会保険料等（健康保険料＋年金保険料＋雇用保険料等）
消費性向 （%）	・可処分所得のうち消費として支出される割合をいう。 ・消費支出÷可処分所得×100
家計貯蓄	・可処分所得から消費を差し引いたものをいう。 ・可処分所得−消費支出
家計貯蓄率 （%）	・可処分所得のうち家計貯蓄となる額の割合をいう。 ・家計貯蓄÷可処分所得×100

② 消費関連統計の種類と特徴

　消費関連統計には、GDP統計の家計最終消費支出（内閣府）、家計調査（総務省）、家計消費状況調査（総務省）などがある。また、消費全体の動向を捉える消費動向指数（CTI）がある。

③ 住宅関連統計の見方

　家計部門による住宅の購入は、GDPの需要項目の中で住宅投資として計上される。民間消費は景気に対して安定的に推移するが、住宅投資は景気の変動に対して敏感に反応する。

　住宅関連統計には、GDP統計の民間住宅投資、国土交通省「建築着工統計」における新設住宅着工などがある。GDP統計の民間住宅投資は「進捗ベース」であるのに対して、新設住宅着工は「工事着工ベース」となっている。よって後者は景気の変動に先行して動く傾向にあり、景気先行指標として利用される。

④ 雇用関連統計

雇用の調整と景気の良し悪しは深い関連がある。

● **雇用関連指標**

総実労働時間	・1人1ヶ月間の総労働時間である。 ・所定内労働時間＋所定外労働時間
労働力人口	・15歳以上の人口のうち、働く意思を持っている者の人口をいう。 ・就業者数＋完全失業者数
完全失業率 (%)	・労働力人口に占める完全失業者の割合である。完全失業者とは、調査期間中(月末の1週間)に就業者以外で、求職活動をしたが仕事をしなかった者のことをいう。 ・景気の動きに遅行する。 ・完全失業者数÷労働力人口×100
有効求人倍率 (倍)	・有効求人倍率が1を上回る場合は求人が見つからない企業が多く、1を下回る場合は仕事が見つからない人が多いことを意味する。 ・一般に、好況期には上昇し、不況期には低下する。 ・景気の動きに一致する。 ・有効求人数÷有効求職者数
労働生産性 (円)	・労働者1人当たりまたは1人1時間当たりの実質付加価値生産額 ・付加価値額÷労働者数

⑤ 物価関連統計

物価に関連する指標は、いろいろな財、サービスの価格の加重平均をとって基準年を100とする指標で表される。

● **物価関連指標**

企業物価指数 (CGPI)	・企業間で取引される財の価格水準を指数で示したもの。 ・企業物価指数には、国内企業物価指数、輸出物価指数、輸入物価指数の3つの基本分類指数がある。 ・日銀から発表される。 ・国内企業物価指数(PPI)は景気に敏感に反応する。

消費者物価指数 (CPI)	・家計が購入する約600品目の価格を各品目の平均 　消費額で加重平均した指数。 ・国内企業物価指数(PPI)の動きに遅行する。 ・総務省から発表される。 ・消費者物価指数では、税や社会保険料等の非消 　費支出、土地や住宅等の価格は対象としない。
企業向けサービス 価格指数 (SPPI)	・企業間サービスの価格を把握するための指数である。 ・CPIの動きに先行する。 ・日銀から発表される。
GDPデフレーター	・GDPに計上される財・サービスの価格を指数として表 　したものである。 ・名目GDP÷実質GDP×100

3 国際収支

　国際収支（IMF方式）は、一定時期における一国のあらゆる対外経済
取引を体系的に記録した統計である。経常収支、金融収支、資本移転
等収支からなり、その関係は次のようになる。

> 経常収支 ＋ 資本移転等収支 ― 金融収支 ＋ 誤差脱漏 ＝ 0

① 経常収支

　貿易・サービス収支、第一次所得収支・第二次所得収支の合計で、
一国の対外的な経済力を表す。

> 経常収支 ＝ 貿易・サービス収支 ＋ 第一次所得収支 ＋ 第二次所得収支
> ・第一次所得収支：雇用者報酬、投資収益などの収支
> ・第二次所得収支：食料、医療品などの消費財に係る無償資金援助、
> 　　　　　　　　　国際機関への拠出金、労働者送金などの収支

② 金融収支

　金融収支は、海外との資本の流れをとらえ、直接投資、証券投資、
金融派生商品、その他投資及び外貨準備の合計を表す。

本番得点力が高まる! 問題演習

問1 経済に関する次の記述のうち、正しいものには〇を、誤っているものには×をつ
けなさい。

① 東証株価指数は景気動向指数の先行指数である。

② 新設住宅着工床面積は、景気の変動に先行して動く傾向があり、景気先行指標として利用されている。

③ 家計貯蓄率とは、可処分所得のうち家計貯蓄となる額の割合をいう。

④ 有効求人倍率は、1を上回る場合は仕事が見つからない人が多く、1を下回る場合は求人が見つからない企業が多いことを表す。

⑤ 企業物価指数は、企業間で取引される中間財の価格水準を指数値で示したものである。

⑥ 消費者物価指数には、健康保険や公的年金の社会保険料は対象に含まれるが、税金は含まれない。

⑦ 物価関連指標のうち、GDPデフレーターは名目GDPを実質GDPで除して求める。

⑧ 完全失業率は、完全失業者数を労働力人口で除して求められる。

解答

①○　なお、景気動向指数には先行系列、一致系列、遅行系列の3種類がある。

②○　新設住宅着工床面積は、景気動向指数の先行系列に採用されている。

③○　家計貯蓄率は消費関連指数のひとつで、「家計貯蓄÷可処分所得」で算出する。

④×　有効求人倍率は、求人数を求職者数で除した比率で、1を上回る場合は求人が見つからない企業が多く、1を下回る場合は仕事が見つからない人が多いことを表す。景気動向指数の一致指数であり、一般に好況期に上昇し不況期に低下する。

⑤○　なお、企業物価指数には、国内企業物価指数、輸出物価指数、輸入物価指数の3つの基本分類指数がある。

⑥×　消費者物価指数は、税や社会保険料等の非消費支出、土地や住宅等の価格は対象としない。

⑦○　GDPデフレーターはGDPに計上される財・サービスの価格の指数であり、名目GDPを実質GDPで除して求める。

⑧○　完全失業率は、労働力人口に占める完全失業者数の割合で、景気の動きに遅行する。

2.

金　融

日本銀行は、日本の中央銀行なんだ。

重要度 ★★★

1 通貨

通貨には3つの基本的機能がある。それは、価値尺度（商品価値の計算単位）、交換手段（支払手段、決済手段）、価値の貯蔵手段である。

(1) マネーストック

マネーストックとは、国内の民間非金融部門が保有する通貨量のことである。マネーストックの指標は、対象とする金融商品の範囲等により複数の指標が存在する。

● マネーストックの指標

M1	現金通貨＋預金通貨
M2	現金通貨＋預け先が国内銀行等に限定された預金通貨・準通貨・CD
M3	M1＋準通貨＋CD
広義流動性	M3＋金銭の信託＋投資信託＋金融債＋銀行発行普通社債＋金融機関発行CP＋国債＋外債

2 通貨の値打ち

(1) 物価

通貨の値打ちは物価変動の影響を受ける。物価と通貨の価値との関係には注意が必要である。インフレは通貨の価値にとって大敵となり、以下のように通貨の基本機能を妨げる可能性もある。

● インフレと通貨の役割

価値尺度	インフレが起こると、通貨価値が不安定化し、商品価格も不安定になる。

参考

マネーストックとは、銀行等を除く一般の法人、個人、地方公共団体等が保有する通貨量のことで、国や金融機関が保有する通貨量は含まれない。

用語

準通貨
解約することでいつでも現金や預金となり決済手段として使える定期預金などの金融資産のことである。

交換手段	モノの価格が上昇すると、通貨との交換を拒むケースも生じ、交換手段としての機能を損なう。
価値の貯蔵手段	インフレが進行すると、通貨価値が低下し、現金や預金の価値が目減りする。

(2) 金利

金利を見る場合は、物価との関係に注意する必要がある。

名目金利	表面上の金利
実質金利	名目金利から物価上昇率を差し引いた金利

3 金融機関

金融機関は、資金余剰主体（資金が多くあるところ）と資金不足主体（資金が不足しているところ）との間に介在し、効率的な資金配分を可能にするという「資金仲介機能」を有する。

● **主な金融機関**

日本銀行	日本銀行法に基づいて設立された日本国の中央銀行であり、以下の3つの機能がある。 ・銀行券の独占的発行権を有する発券銀行 ・市中金融機関を対象に取引を行う銀行の銀行 ・政府の出納業務を行う政府の銀行
普通銀行	都市銀行や地方銀行などのことである。
その他民間金融機関	・証券金融会社は、金商法に基づき内閣総理大臣の免許を受けて、信用取引の決済に必要な金銭や有価証券を証券会社に貸し付ける「貸借取引」を中心に各種証券金融業務を行う。 ・短資会社は、コール市場等の短期金融市場における金融機関相互の資金取引の仲介業務を行う。

4 金融市場

金融市場は、資金の取引が行われる場である。一般には、金融資産の満期までの期間が1年未満の短期金融市場と1年以上の長期金融市場とに区別される。また、短期金融市場は、その参加者によりインターバンク市場とオープン市場に分けられる。

(1) インターバンク市場

インターバンク市場は、金融機関のみが参加する市場で、金融機関相互の資金運用・調達の場として利用されている。以下の2つの市場で構成される。

● **インターバンク市場の構成**

コール市場	・有担保コール、無担保コールがある。 ・取引されているのは、翌日物と各種期日物であるが、翌日物の取引が最も多い。 ・資金の最大の出し手は信託銀行(投資信託等を含む)であり、取り手は地銀や証券・証券金融会社の存在が大きい。
手形市場	・優良な企業が振り出した手形や銀行が公社債及び外貨手形を担保に振り出した手形が取引される。 ・取引の期間は原則自由である。

(2) オープン市場

オープン市場は、一般事業法人など非金融機関も参加できる市場である。

● **オープン市場の構成**

レポ市場 (現先・ 債券レポ)	契約形態により以下の3つに分けられる。 ・現先取引：あらかじめ一定期間後に一定の価格で売り(買い)戻すことを条件に、債券を買い(売り)付ける取引 ・債券レポ取引(レポ取引)：現金を担保とした債券の貸借取引 ・新現先取引：国際標準に則ったレポ取引
CD市場	・CDとは譲渡性預金証書のことである。 ・CDの期間は1〜3ヶ月のものが最も多い。 ・発行者は銀行など預金業務を行う金融機関に限られる。 ・預入者はCDの流通市場でのディーラーである金融機関及びその関連会社、証券会社、短資会社等が中心。
国庫短期 証券市場 (T-Bill市場)	・国庫短期証券は償還期限が1年以内の割引債(短期国債)である。 ・償還期間は2ヶ月、3ヶ月、6ヶ月、1年の4種類がある。
CP市場	・CPとはコマーシャル・ペーパーの略で、その法的性格は約束手形である。 ・割引方式で発行される。 ・期間は3ヶ月程度のものが多い。 ・企業が発行し、機関投資家等に販売される。 ・流通形態は、大部分が短期の現先取引。

第4章

経済・金融・財政の常識／金融

| 短期金利
デリバティブ
(OIS市場) | OIS取引とは、一定期間の無担保コール翌日物レートと固定金利を交換するデリバティブ取引である。 |

5 金利

金利は、資金の価格としての機能を果たし、以下のようなものがある。

(1) 基準割引率及び基準貸付利率 (旧:公定歩合)

基準割引率及び基準貸付利率とは、日銀が民間金融機関に資金を貸し出すときに適用される基準金利のことである。

(2) 預金金利

預金金利は、原則、自由金利である。短期金融市場の金利等を考慮しつつ、金融機関と預金者との個別の交渉によって決定される。

(3) 貸出金利

民間金融機関の貸出金利は、返済期間が1年未満の短期貸出金利と1年以上の長期貸出金利に分けられる。

6 金融政策

金融政策による日銀の使命は、物価の安定と金融システムの安定である。主に次の2つの政策があるが、実際には公開市場操作が政策の中心である。

● 代表的な金融政策

| 公開市場
操作
(オペレーション) | ・日銀が市場で国債などの売買を行い、民間金融機関が日銀に保有する当座預金残高を増減させることで、短期金利に影響を与える政策である。
・買いオペレーション:日銀が債券などを買い入れて資金を供給し、金利を低下させる。
・売りオペレーション:日銀が債券などを売却して資金を吸収し、金利を上昇させる。 |
| 預金準備率
操作 | 預金準備率の変更によって金融機関の支払準備額を増減させ、金融に影響を与える政策である。 |

用語

預金準備率
準備預金制度における銀行や信用金庫など金融機関の預金等に対して課せられる割合(一定比率以上を日銀に無利子で預け入れる比率)をいう。

7 金融市場の変貌

(1) BIS規制の導入

BIS規制とは、主要国の国際業務を営む銀行の自己資本比率などについての国際的な統一基準のことである。

(2) ペイオフ制度

ペイオフ (預金保険) 制度とは、金融機関が破綻した場合、預けてある預金等を、1金融機関ごと1名義当たり合算して元本1,000万円とその利息分を限度に預金保険機構が払い戻す制度である。ただし、決済用預金 (無利息、要求払い、決済サービスを提供できること、という3条件を満たす預金) については、全額保護されている。

(3) 資産の証券化

資産の証券化とは、金融機関等が保有する貸出債権やリース債権等の資産をその企業から分離し、分離した資産から生じるキャッシュフローを投資者に弁済する金融商品に作り替えることである。

用語

BIS (Bank for International Settlements)
世界の主要国中央銀行の出資によって設立された国際決済銀行のことであり、国際金融問題に関する協議・調査や中央銀行間の決済等を行っている。

第4章

経済・金融・財政の常識 〈金融〉

本番得点力が高まる! 問題演習

問1 金融に関する次の記述のうち、正しいものには〇を、誤っているものには×をつけなさい。

① 短期金融市場であるインターバンク市場には、コール市場と手形市場がある。

② 通貨の機能には、価値の貯蔵手段がある。

③ 一般的に、インフレが進行すると、実物資産に対して貨幣価値が上昇し、現金や預金の価値が上昇する。

④ 日銀の金融政策である公開市場操作の「買いオペレーション」とは、日銀が債券などを売却することで資金を供給することであり、短期金利に影響を与える政策をいう。

⑤ 日本銀行には、発券銀行、国民の銀行、政府の銀行の3つの機能がある。

⑥ オープン市場とは、金融機関相互の資金運用・調達の場として利用される市場である。

解答

①〇 なお、短期金融市場は、日本銀行の資金調達や金利政策の主な市場としての役割を担っている。

②〇 通貨の機能には、価値尺度、交換手段、価値の貯蔵手段という3つの基本的機能がある。

③× 一般的に、インフレが進行すると、実物資産に対して貨幣価値は下落し、現金や預金の価値は目減りする。

④× 買いオペレーションは、日銀が債券などを買い入れて資金を供給し、金利を低下させる政策である。

⑤× 日本銀行の3つの機能とは、発券銀行、銀行の銀行、政府の銀行である。

⑥× オープン市場とは、一般事業法人など非金融機関も参加できる市場である。

3. 財　政

重要度 ★★☆

1 予算

(1) 予算の成立

　予算の作成、国会への提出は内閣が行い、実際に予算案の編成を行うのは財務大臣である。

　国会における予算審議は、まず衆議院から始まる。予算案が衆議院で可決されると、参議院に送付され、参議院で予算案が可決されると予算が成立する。

　また、参議院が衆議院の可決した予算案を受け取ってから30日以内に議決しない場合は、予算は自然成立する。

　なお、参議院が衆議院の可決した予算案を否決した場合は、両院協議会を開き、両院協議会において意見が一致しない場合は、衆議院の議決が国会の議決となり予算が成立する。

(2) 一般会計予算と特別会計予算

　国の予算は一般会計予算と特別会計予算から構成される。

① 一般会計予算

　一般会計予算とは、国の財政活動において基本的な経費として使われる予算のことである。予算の種類には次のようなものがある。

● 一般会計予算の種類

本予算（当初予算）	年度に組まれた基本的な予算である。
暫定予算	予算成立までの期間の必要経費だけを計上した予算である。
補正予算	予算成立後、新たに追加したり、内容を変更するために修正された予算である。

② 特別会計予算

特別会計予算とは、以下の場合に設けられる予算である。

> ・国が特定の事業を行う場合
> ・特定の資金を保有してその運営を行う場合
> ・その他特定の歳入をもって特定の歳出に充てて一般の歳入歳出と区分して経理する必要がある場合

(3) 財政の範囲・大きさ

国民経済全体の中の財政の大きさを見る指標に国民負担率がある。国民負担率とは、国民所得に対する租税・社会保障負担の比率である。

2 政府支出

(1) 基礎的財政収支対象経費

一般会計の歳出から国債費の一部を除いたものを基礎的財政収支対象経費と呼ぶ。

● 主な基礎的財政収支対象経費の項目

社会保障関係費	基礎的財政収支対象経費のなかで最も金額の大きな経費で、年金、医療、介護、福祉等の4つに分類される。
地方交付税交付金	国税として集められた税金を地方公共団体に一般財源として配分するものである。
文教及び科学振興費	文教及び科学技術振興のための経費である。
公共事業関係費	社会資本の整備を行うための経費である。
防衛関係費	防衛は純粋公共財で、私的に供給することができない。そのため、その水準はGDP比約1％で推移。
新型コロナウイルス感染症及び原油価格・物価高騰対策予備費、ウクライナ情勢経済緊急対応予備費	新型コロナウイルス感染症対策予備費は、感染拡大状況に応じた政策対応を行うため、2020年度第1次補正予算から計上。
その他	食料安定供給関係費、経済協力費、エネルギー対策費、中小企業対策費などがある。

参考

防衛費の適正水準
2027年度に2022年度のGDPの2％に達するよう予算措置を講ずる予定。

(2) 国債費

　国債費は、一般会計のなかで社会保障関係費に次ぐ大きな支出で、過去に発行した国債の元利払いのための支出である。

3 租税と公債

　国の収入は、租税収入、公債金収入等から成り立っている。

(1) 租税

　納税は、国民の義務であり、様々な税法によって国民に課されている負担である。

　租税は、直接税と間接税、国税と地方税、所得課税と消費課税と資産課税などに分類することができる。

(2) 公債

　国の収入のうちの公債金収入とは、国の借金のことである。各年度の特例法によって、経常経費の財源確保のための特例国債 (赤字国債) が発行されている。

4 財政投融資

　財政投融資とは、政策的な必要性があるものの、民間では対応が困難な長期・固定・低利の資金供給や大規模・超長期プロジェクトの実施を可能とするための投融資活動 (資金の融資・出資) のことである。財政投融資計画では、国の予算と並行して審議され、国会で同時に承認される。

5 財政の役割

● 主な財政の役割

資源の 効率的配分	政府が公共財を提供することによって資源を効率的に配分する役割である。
所得再分配	所得分配が歪んでいる場合に政府が分配しなおすことで、社会全体の厚生水準を高める役割である。
経済安定化 効果	経済には好況・不況という景気循環があり、この景気循環の波をできるだけ小さくしてインフレなき完全雇用を維持する役割である。

参考

公平な税制には、所得の多い者ほど相対的に大きな税負担をすべきであり (垂直的公平)、所得が等しいならば税負担も等しくなければならない (水平的公平) という原則がある。

参考

地方公共団体の歳入は、地方税、地方交付税、地方譲与税、国庫支出金、地方債などがある。

6 財政赤字

　財政赤字とは、政府の歳出が歳入を上回ることである。

　財政状態を示す指標の1つに、政府が特に重視しているプライマリーバランス（基礎的財政収支）がある。プライマリーバランスとは、借金（公債金）以外の収入と利払費及び債務償還費を除いた支出との収支のことである。これが均衡していれば、国民生活に必要な財政支出と国民の税負担等が均衡していることになる。

本番得点力が高まる! 問題演習

問1　財政に関する次の記述のうち、正しいものには○を、誤っているものには×をつけなさい。

① 国民所得に対する租税負担の比率を国民負担率という。

② 国の予算は、一般会計予算と特別会計予算から構成されている。

③ 我が国の一般会計歳出予算で最も金額の大きなものは、文教及び科学振興費である。

④ 国の収入は、租税収入と公債金収入等からなりたっている。

⑤ プライマリーバランスとは、借金以外の収入と過去の借金の元利払いを除いた支出との収支のことである。

解答

①× 国民負担率とは、国民所得に対する社会保険料及び租税負担の比率である。

②○ 一般会計予算は、国の財政活動において、基本的な経費として使われる予算のことである。

③× 一般会計歳出予算で最も金額の大きな経費は、社会保障関係費である。

④○ なお、公債金収入とは、国の借金のことである。

⑤○ また、プライマリーバランスが均衡していれば、国民生活に必要な財政支出と国民の税負担等がちょうど均衡していることになる。

第 **5** 章

セールス業務

予想配点　8点／440点
出題形式
○×方式…4問
（配点と出題形式はTACの予想です）

　有価証券の売買を担う証券外務員には、業務を行う上で非常に高い倫理観を持つことが求められます。この章では、その詳細と必要性について解説していきます。

関連章　　第2章　第6章

証券外務員には、投資家の様々な要望に応える必要があります。そしてその為には高い倫理観❶を持つことが必須条件です。

国際的なルール❷も存在するので、コンプライアンスへの意識とそれを更新し続ける姿勢を強く持つことが大切です。

証券外務員が行うべき公正な取引の実現のため、常にその時勢に沿った対応が出来るように意識しましょう。

1.

高い倫理観を
持つことは、
外務員としての基本!

外務員の倫理観

重要度

1 外務員に求められる倫理観

外務員には、その責務の面から、高い職業倫理や法令遵守などの意識が求められる。

(1) 倫理観を持つことの必要性

外務員の職務権限は、所属する金融商品取引業者に代わって、有価証券の売買等に関し、一切の裁判外の行為を行うものとされている。よって、外務員は金融商品取引業に携わるプロフェッショナルとして、常に高い倫理観を求められる。これは、不適切または不公正な行為をしないというだけではなく、リスクや不正の除去のため積極的に行動する姿勢を強く求められているからである。また、ルールを守ることにとどまらず、たとえルールがなくても不適切な行為はしないという姿勢が必要である。

(2) 不正行為の禁止及び外務員としての自覚

外務員は、不正または不適切な行為をしてはならない。不正行為の一例として、外務員は顧客と共同で売買したり、損益を共にすることを約束して投資勧誘を行ったりしてはならない。外務員が不正行為を行った場合には、本人のみに損失をもたらすだけでなく、外務員の所属する会社や業界全体あるいは資本市場自体の信頼を大きく傷つける可能性があることを常に意識しなければならない。

● 外務員の仕事に取り組む姿勢

① 基本動作を大切にする
顧客の話をよく聞く、顧客の意向に沿った案内をする 等
② 信用を売るという自覚
投資家自らが最終判断を行うために、顧客のニーズに的確に対応する外務員という立場を利用して、自己の利益を図るなど、顧客の信用を損なう行為を行ってはならない。

③ 常に自己研鑽に励む
　　外務員は、投資家の信頼を得るために常に自己研鑽に励み、投資家のニーズにかなう投資アドバイスを行うことが重要である。そのためには常に最新かつ多くの情報を集め、投資家それぞれのニーズに最適な価値を有する商品・サービスを提供できるようにしておくことが重要である。
　　知識や技能など、常に自己研鑽に励み、より良いサービスを提供できるよう努めなければならない。

2 コンプライアンス

　コンプライアンスとは法令遵守のことである。外務員は、以下のような基本的な倫理規範に沿って行動する必要がある。

① 投資家の信頼と期待に応えられるように最善を尽くすこと
　　外務員は信頼と期待に応えられるよう知識技能の習得など自己研鑽に励み、高い倫理観をもって営業活動に当たらなければならない。
② 投資の最終決定者は投資家自身であること
　　投資の最終決定は投資家自身の判断と責任に基づいて行われなければならない。外務員は適切なアドバイスを提供しつつ、投資家の自己責任の原則について、はっきり伝える必要がある。
③ 正確かつ合理的根拠に基づく営業活動を行うこと
　　外務員は投資家に投資アドバイスを行う際は、正確な資料を使用し、合理的な根拠に基づき十分な説明を行う必要がある。
④ 投資方針、投資目的に配慮した投資アドバイスを行うこと
　　投資方針や投資目的、投資経験、資産など顧客の属性の把握に努め、その意向に沿った投資アドバイスを行う必要がある。また、顧客が投資方針や投資目的、資産や収入などに照らして明らかに不適切な投資を投資家が行おうとした場合には、外務員は投資家に対して再考を促すよう、適切なアドバイスが求められる。

問1 外務員の仕事やコンプライアンスに関する次の記述のうち、正しいものには○を、誤っているものには×をつけなさい。

① 外務員は、顧客と損益を共にすることを約束して投資勧誘を行ってはならない。

② 外務員は、常に最新かつ多くの情報を集め、投資家それぞれのニーズに最適な価値を有する商品・サービスを提供できるように自己研鑽に励む必要がある。

③ 外務員が顧客からの求めに応じて早急に投資勧誘を行う場合は、合理的な根拠に基づく十分な説明までは求められない。

④ 外務員は、顧客が投資方針や投資目的、資産や収入などに照らして明らかに不適切な投資を行おうとした場合であっても、その顧客に再考を促してはならない。

解答

①○ 外務員は、顧客と共同で売買したり、損益を共にすることを約束して投資勧誘を行ったりしてはならない。

②○ 外務員は、知識や技能など、常に自己研鑽に励み、より高いサービスを提供できるよう努めなければならない。

③× 外務員は投資勧誘・投資アドバイスを行う際には、合理的な根拠に基づき十分な説明を行う必要がある。

④× 外務員は、顧客が投資方針や投資目的、資産や収入などに照らして明らかに不適切な投資を行おうとした場合には、再考を促すよう適切なアドバイスが求められる。

外務員として
ちゃんと守ります!

2. 行為規範原則

重要度
★★★

1 IOSCO の行為規範原則

IOSCO（証券監督者国際機構）は、証券取引のグローバル化を背景に、国際的レベルで証券業者の行為原則を共通にする必要があるという考え方に基づいて、1990年11月に、7項目の行為規範原則を採択した。以下、IOSCOの行為規範原則を記す。

① 誠実・公正

業者は、その業務に当たっては、顧客の最大の利益及び市場の健全性を図るべく、誠実かつ公正に行動しなければならない。

② 注意義務

業者は、その業務に当たっては、顧客の最大の利益及び市場の健全性を図るべく、相当の技術、配慮及び注意を持って行動しなければならない。

③ 能力

業者は、その業務の適切な遂行のために必要な人材を雇用し、手続きを整備しなければならない。

④ 顧客に関する情報

業者は、サービスの提供に当たっては、顧客の資産状況、投資経験及び投資目的を把握するよう努めなければならない。

⑤ 顧客に対する情報開示

業者は、顧客との取引に当たっては、当該取引に関する具体的な情報を十分に開示しなければならない。

用語

IOSCO
世界各国の証券監督当局や証券取引所等から成り立っている国際的な機関のことで、証券監督に関する国際的なルール等を策定している。

第5章

セールス業務／行為規範原則

業者は、利益相反を回避すべく努力しなければならない。利益相反を回避
できないおそれがある場合においても、すべての顧客の公平な取扱いを確
保しなければならない。

⑦ コンプライアンス

業者は顧客の最大の利益及び市場の健全性を図るため、その業務に適用
されるすべての規則を遵守しなければならない。

2 金融サービス業におけるプリンシプル

　プリンシプルとは、法令等個別ルールの基礎であり、各金融機関等が
業務を行う際、また、金融庁が行政を行うにあたって尊重すべき主要な
行為規範・行動原則と考えられる。以下、金融庁による「金融サービス
業におけるプリンシプル」を記す。

1. 創意工夫をこらした自主的な取組みにより、利用者利便の向上や社
会において期待されている役割を果たす。
2. 市場に参加するにあたっては、市場全体の機能を向上させ、透明性・
公正性を確保するよう行動する。
3. 利用者の合理的な期待に応えるよう必要な注意を払い、誠実かつ職
業的な注意深さをもって業務を行う。
4. 利用者の経済合理的な判断を可能とする情報やアドバイスをタイムリー
に、かつ明確・公平に提供するよう注意を払う。
5. 利用者等からの相談や問い合わせに対し真摯に対応し、必要な情報
の提供、アドバイス等を行うとともに金融知識の普及に努める。
6. 自身・グループと利用者の間、また、利用者とその他の利用者の間
等の利益相反による弊害を防止する。
7. 利用者の資産について、その責任に応じて適切な管理を行う。
8. 財務の健全性、業務の適切性等を確保するため、必要な人員配置
を含め、適切な経営管理態勢を構築し、実効的なガバナンス機能を
発揮する。
9. 市場規律の発揮と経営の透明性を高めることの重要性に鑑み、適切
な情報開示を行う。
10. 反社会的勢力との関係を遮断するなど金融犯罪等に利用されない態
勢を構築する。
11. 自身のリスク特性を踏まえた健全な財務基盤を維持する。
12. 業務の規模・特性、リスクプロファイルに見合った適切なリスク管理を
行う。

13. 市場で果たしている役割等に応じ、大規模災害その他不測の事態における対応策を確立する。
14. 当局の合理的な要請に対し誠実かつ正確な情報を提供する。また、当局との双方向の対話を含め意思疎通の円滑を図る。

3 顧客本位の業務運営に関する原則

　金融庁が公表する「顧客本位の業務運営に関する原則」を金融機関が採択するうえで、次にある原則1に従い明確な方針を策定・公表する。

顧客本位の業務運営に関する方針の策定・公表等

原則1　金融事業者は、顧客本位の業務運営を実現するための明確な方針を策定・公表するとともに、当該方針に係る取組状況を定期的に公表すべきである。
　　　　当該方針はより良い業務運営を実現するため、定期的に見直されるべきである。

（金融庁）

問1 行為規範原則、金融サービス業におけるプリンシプルに関する次の記述のうち、正しいものには○を、誤っているものには×をつけなさい。

① IOSCOの行為規範原則には「業者は、その業務に当たっては、顧客の最大の利益及び市場の健全性を図るべく、誠実かつ公正に行動しなければならない」とある。

② IOSCOの行為規範原則には「業者は、その業務に当たっては、顧客の最大の利益及び市場の健全性を図るべく、相当の技術、配慮及び注意を持って行動しなければならない」とある。

③ IOSCOの行為規範原則には「業者は、サービスの提供に当たっては、顧客の資産状況、投資経験及び投資目的を把握するよう努めなければならない」とある。

④ IOSCOの行為規範原則には「業者は、顧客との取引に当たっては、当該取引に関する具体的な情報を十分に開示しなければならない」とある。

⑤ IOSCOの行為規範原則には、「業者は顧客の最大の利益及び市場の健全性を図るため、その業務に適用されるすべての規則を遵守しなければならない」とある。

解答

①○ IOSCOの「行動規範原則①　誠実・公正」の記述内容である。

②○ IOSCOの「行動規範原則②　注意義務」の記述内容である。

③○ IOSCOの「行動規範原則④　顧客に対する情報」の記述内容である。

④○ IOSCOの「行動規範原則⑤　顧客に対する情報開示」の記述内容である。

⑤○ IOSCOの「行為規範原則⑦　コンプライアンス」の記述内容である。

第 **6** 章

特別会員
論点

協会定款・諸規則

予想配点　44点／440点
出題形式
◯×方式…7問
五肢選択方式…3問
（配点と出題形式はTACの予想です）

　日本証券業協会は、協会員に対して健全な金融商品取引業を行うための自主規制規則が定められています。また、統一慣習規則、紛争処理規則、協会運営規則、その他の規則などの諸規則も存在します。この章では、これらの内容について紹介します。

関連章　　第2章　第5章　第8章　第9章

公正で健全な取引の実現を目指した自主規制機関が、日本証券業協会❶です。

協会はその目的の実現のため、証券会社などの協会員やその従業員を対象に様々な規則❷を定めています。

また、取り扱われる各金融商品にも様々な規則❸が存在します。これらの諸規則も重要なポイントとなります。

1. 協会定款・諸規則

投資者保護のために
自主規制規則などを
定めているのか。

重要度
★★★

1 日本証券業協会の概要

　日本証券業協会（以下、協会）は、内閣総理大臣の認可を受けた法人（認可金融商品取引業協会）である。

（1）協会員の種類

会員	第一種金融商品取引業を行う者
特定業務会員	第一種金融商品取引業のうち、特定店頭デリバティブ取引等、第一種少額電子募集取扱業務(株式投資型クラウドファンディング業務)、商品関連市場デリバティブ取引取次ぎ等に係る業務のみを行う者
特別会員	登録金融機関(銀行等)

　第一種金融商品取引業とは、主に金融商品取引業のうち次に挙げるいずれかの業務をいう。

● 該当する業務

①流動性の高い有価証券についての、売買・市場デリバティブ取引・外国市場デリバティブ取引、売買・市場デリバティブ取引・外国市場デリバティブ取引の媒介・取次ぎ・代理、売買・市場デリバティブ取引・外国市場デリバティブ取引の委託の媒介・取次ぎ・代理、有価証券等清算取次ぎ、売出し、募集・売出し・私募の取扱い
②商品関連市場デリバティブ取引の媒介・取次ぎ・代理、商品関連市場デリバティブ取引の委託の媒介・取次ぎ・代理、有価証券等清算取次ぎ
③店頭デリバティブ取引又はその媒介・取次ぎ・代理、有価証券清算取次ぎ
④有価証券の引受け
⑤PTS（私設取引システム）業務
⑥有価証券等管理業務

(2) 協会の目的

協会の目的は、協会員の行う有価証券の売買やその他の取引等を公正かつ円滑にさせ、金融商品取引業の健全な発展を図り、投資者の保護に資することである(定款6条)。

(3) 協会の諸規則

協会は、定款において、次の規則を定めている。

● 協会の諸規則の概要

自主規制規則	協会員の有価証券の売買等の取引に関する公正な慣習を促進し、不当な利得行為を防止し、取引の信義則を助長するために定める規則
統一慣習規則	協会員の有価証券の売買等の取引に関する慣習を統一して、取引上の処理を能率化し、その不確定不統一から生じる紛争を排除するための規則
紛争処理規則	協会員の業務に関する顧客からの苦情の解決等に関する顧客との紛争及び協会員相互間の紛争の解決を図るための規則

用語

信義則
信義に従い誠実に権利の行使や義務の履行を行わなければならないとする原則のことである。

2 協会員の投資勧誘、顧客管理等に関する規則

この規則は、協会員が行う有価証券の売買取引等に対して、勧誘・顧客管理などの適正化を図ることを目的としている。外務員の職務遂行上の基本準則となるものである。

(1) 業務遂行の基本姿勢

業務遂行の基本姿勢とは、協会員は、その業務を行う場合、常に投資者の信頼の確保を第一義とし、金商法等法令等を遵守し、投資者本位の事業活動に徹することである。また、協会員は、顧客の投資経験、投資目的、資力等を十分に把握し、顧客の意向と実情に適合した投資勧誘を行うよう努めなければならない(適合性の原則)。

(2) 自己責任原則の徹底

協会員は、投資勧誘の際に、投資は投資者自身の判断と責任において行うべきものであることを顧客に理解させなければならない。

用語

自己責任原則
投資は投資者自身の判断と責任において行うことである。

(3) 顧客カードの整備等

協会員は、顧客管理の適正化を図るという観点から、顧客カードを備え付けなければならない。顧客カードとは、協会員が有価証券の売買取引等を行う顧客(特定投資家を除く)について、次の事項を記載したもので

ある。なお、顧客カードの記載事項には、顧客の本籍地や家族構成は
含まれていない。

● **顧客カードに記載する事項**

> ・氏名または名称　　　・住所または所在地及び連絡先
> ・生年月日(個人のみ)　・職業(個人のみ)
> ・投資目的　　　　　　・資産状況
> ・投資経験の有無　　　・取引の種類
> ・その他各協会員が必要と認める事項

なお、顧客カードには顧客の資産状況等が記録されているため、協会
員は顧客に関する情報を漏えいしてはならない。

(4) 顧客情報の漏えい等の禁止

協会員は、顧客に関する情報(例えば、見込み顧客や引受部門、投資銀行
部門等の顧客に関する情報を含み、公知の情報を除く)を漏えいしてはならない。
また、協会員は、他の協会員の顧客に関する情報や金融商品仲介業
者のその顧客に関する情報を不正に取得してはならない。また、不正に
取得した顧客に関する情報を業務に使用・漏えいしてはならない。

(5) 勧誘開始基準

協会員は、次の販売の勧誘を行う際、勧誘開始基準を定め、基準に
適した顧客(個人に限り、特定投資家を除く)でなければ、勧誘を行うことが
できない。

● **勧誘開始基準を定める必要のある販売**

> ・店頭デリバティブ取引に類する複雑な仕組債に係る販売
> ・店頭デリバティブ取引に類する複雑な投資信託に係る販売
> ・レバレッジ投資信託に係る販売
> ・「社債券の私募等の取扱い等に関する規則」に規定する審査規定等対
> 　象社債券に係る販売

(6) 高齢顧客に対する勧誘による販売

協会員が高齢顧客に対して勧誘による販売を行う場合には、高齢顧
客の定義、販売対象となる有価証券等、説明方法、受注方法等に関す
る社内規則を定め、適正な投資勧誘に努めなければならない。

（7）取引開始基準

　協会員は、信用取引等のハイリスク・ハイリターンな取引を行う際、取引開始基準を定め、その基準に適合した顧客と契約を締結しなければならない。

● **取引開始基準を定める必要のある取引**

・信用取引
・外国株式信用取引
・新株予約権証券の売買その他の取引
・新投資口予約権証券の売買その他の取引
・有価証券関連デリバティブ取引等
・特定店頭デリバティブ取引等
・商品関連市場デリバティブ取引取次ぎ等
・店頭取扱有価証券の売買その他の取引
・株式投資型クラウドファンディング業務に係る取引等
・株主コミュニティ銘柄の取引等
・トークン化有価証券の売買その他の取引
・その他各協会員が必要と認める取引等

（8）信用取引の注文を受ける際の確認

　協会員は、顧客から信用取引の注文を受ける際は、その都度、制度信用取引（PTS制度信用取引を含む）、一般信用取引（PTS一般信用取引を含む）の別等について確認しなければならない。

（9）顧客からの確認書の徴求

　協会員は、顧客と次の取引契約を初めて締結する際は、契約締結前交付書面等を交付し、顧客から取引に関する確認書を徴求しなければならない。また、「確認書の徴求」に記載すべき事項について、電子情報処理組織を使用する方法、その他の情報通信の技術を利用する方法により提供することができる。

● **確認書の徴求が必要な取引**

・新株予約権証券または新投資口予約権証券、カバードワラントの売買その他の取引
・有価証券関連デリバティブ取引等または特定店頭デリバティブ取引等、商品関連市場デリバティブ取引取次ぎ等

（10）過当勧誘の防止等

　協会員は、顧客に対し、主観的または恣意的に特定銘柄の有価証券

や有価証券の売買に係るオプションの一律集中的推奨をしてはならない。

(11) 仮名取引の受託及び名義貸しの禁止

協会員は、顧客から有価証券の売買等の注文があった場合において、仮名取引と知りながら、注文を受けてはならない。

また、会員は顧客が株券の名義書換を請求するに際し、自社の名義を貸与してはならない。

(12) 内部者登録カードの整備等

協会員は、上場会社等の特定有価証券等に係る売買等を初めて行う顧客から、上場会社等の役員等に該当するか否かについて届出を求めなければならない。また、該当する者については、売買等が行われるまでに内部者登録カードを備え付けなければならない。

● 内部者登録カードの記載事項

・氏名または名称　　　　　　・住所または所在地及び連絡先 ・生年月日(個人のみ)　　　　・会社名、役職名及び所属部署 ・上場会社等の役員等に該当することとなる上場会社等の名称及び銘柄コード

(13) 取引の安全性の確保

協会員は、新規顧客、大口取引顧客等からの注文を受託する際、あらかじめ顧客から買付代金または売却しようとする有価証券の全部または一部の預託を受ける等、取引の安全性の確保に努めなければならない。

(14) 顧客の注文に係る取引の適正な管理

協会員は、有価証券の売買取引等を行う場合に、顧客の注文に係る取引と自己(協会員)の計算による取引を峻別しなければならない。また、顧客の注文に係る伝票を速やかに作成し、整理・保存しなければならない。

(15) 最良執行義務

協会員は、最良執行義務を適切に履行するために、十分な管理体制を整備しなければならない。

(16) 顧客に対する保証等の便宜の供与

会員は、顧客の資金や有価証券の借入れのために行う保証・あっせん等の便宜の供与をする際に、顧客の取引金額などに照らして過度にならないよう適正な管理を行わなければならない。

（17）顧客管理体制の整備

協会員は、有価証券の売買取引等に係る顧客管理の適正化を図るため、顧客調査、取引開始基準、過当勧誘の防止、取引一任勘定取引の管理体制の整備等に関する社内規則を制定し、これを役職員に遵守させなければならない。

3 協会員における法人関係情報の管理態勢の整備に関する規則

この規則は、協会員が業務上取得する法人関係情報に関して、その情報を利用した不公平取引を防止するために、定められたものである。

管理部門 明確化	協会員は、法人関係情報を統括して管理する部門（管理部門）を定める。
社内規則の 制定	協会員は、法人関係情報を取得した際の手続に関する事項などを規定した社内規則を定める。
法人関係 情報を取得した 際の手続	協会員は、法人関係情報を取得した場合、直ちに管理部門に報告する。
法人関係 情報の管理	協会員は、法人関係情報を取得する可能性が高い部門（法人関係部門）については、他の部門から物理的に隔離する、関係書類について他の部門から隔離しなければならない。

4 有価証券の寄託の受入れ等に関する規則

この規則の目的は、有価証券の寄託や顧客への報告などについて規定し、協会員の顧客管理の適正化を図ることである。

（1）寄託の受入れ等の制限

協会員が、顧客から有価証券の寄託の受入れ等を行うことができるのは、次のものに限られる。

単純な 寄託契約	顧客から有価証券の保管の委託を受け、顧客ごとに個別に保管すること。
委任契約	顧客から有価証券に関する常任代理業務に係る事務の委任を受けること。
混合 寄託契約	複数の顧客から預託を受けた同一銘柄の有価証券を混合して保管すること。その返還に当たっては、各自の寄託額に応じて混合物から返還する。

質権者である場合	信用取引等で有価証券を保証金の代用として、または立替金の担保として、預かっている場合など。
消費寄託契約	受託者が寄託物を消費し、後日それと同種同等、同量のものを返還することを約束すること。

(2) 保護預り契約の締結

用語

保護預り契約
保護預り約款に基づく有価証券の寄託に関する契約のことである。

会員等は、顧客から単純な寄託契約または混合寄託契約により有価証券の寄託を受ける場合、顧客と「保護預り約款に基づく有価証券の寄託（保護預り）に関する契約」を締結しなければならない。その際、顧客から保護預り口座設定申込書の提出を受け、申込みを承諾し、保護預り口座を設定し、その旨を顧客に通知しなければならない。

用語

抽選償還
定時償還の1つで、定期的に一定額を抽選の方法によって行うことである。抽選に当たった所有者は額面での償還に応じなければならない。

なお、抽選償還が行われることのある債券について顧客から混合寄託契約による寄託を受ける場合は、その取扱方法について社内規程を設け、顧客の了承を得る必要がある。

(3) 保護預り契約の適用除外

次に掲げる有価証券の寄託については、保護預りに関する契約を締結する必要はない。

用語

累積投資契約
協会員が顧客に有価証券を定期的・継続的に売り付け、取得させる契約である。

・累積投資契約に基づく有価証券
・常任代理人契約に基づく有価証券　等

(4) 保護預り約款

保護預り約款とは、有価証券の保護預りに関し、受託者である会員等と寄託者である顧客との間の権利義務関係を明確にしたものである。この約款では、保護預り証券の出納、保管等について、次のように規定している。

保護預り証券の保管	原則、会員が保管する ただし、金融商品取引所、または決済会社の振替決済に係る保護預り証券は、決済会社で混合保管する
保護預り証券の返還	各会員所定の手続きを経て行う

5 照合通知書及び契約締結時交付書面

会員は、取引の状況に応じて、顧客へ「照合通知書」や「契約締結

時交付書面」を交付しなければならない。

(1) 照合通知書による報告

　会員は、顧客に対する債権債務残高について、顧客の区分に従いそれぞれに定める頻度で、照合通知書により顧客に報告しなければならない。

● **照合通知書の報告頻度**

1 年に 1 回以上	有価証券の売買その他の取引がある顧客
1 年に 2 回以上	有価証券関連デリバティブ取引、特定店頭デリバティブ取引、商品関連市場デリバティブ取引がある顧客
随時	残高はあるが、取引や受渡しが1年以上ない顧客

　ただし、取引残高報告書を定期的に交付している顧客で、取引残高報告書に照合通知書に記載すべき項目を記載している場合は、照合通知書の作成・交付が免除される。

　残高がない顧客の場合は、直前に行った報告以後 1 年未満の期間において残高があった場合は、照合通知書により、現在残高のない旨を報告しなければならない。

用語

取引残高報告書
受渡決済の状況とその後の残高を顧客に報告するための書面である。

(2) 照合通知書の記載事項

　照合通知書に記載すべき事項は、次にあげる金銭または有価証券の直近の残高である。

・立替金、貸付金、預り金または借入金の直近の残高
・単純な寄託契約、委託契約、混合寄託契約または消費寄託契約に基づき寄託を受けている有価証券等の直近の残高
・質権の目的物としての金銭または有価証券の直近の残高
・信用取引に係る未決済勘定の直近の残高
・発行日取引に係る有価証券の直近の残高
・有価証券関連デリバティブ取引、特定店頭デリバティブ取引及び商品関連市場デリバティブ取引に係る未決済勘定の直近の残高

(3) 照合通知書の作成・交付

　照合通知書の作成は、会員の検査、監査または管理の担当部門で行うこととされる。

　照合通知書を顧客に交付する場合、顧客の住所や顧客が指定した場所に郵送することを原則とする。ただし、店頭で直接交付する場合や交

付方法について特に申し出があった場合は、協会が定める方法であれば郵送以外でもよい。

顧客から金銭や有価証券の残高について照会があったときは、会員の検査、監査または管理の担当部門が受け付け、遅滞なく回答を行わなければならない。

(4) 契約締結時交付書面の交付

契約締結時交付書面の交付についても原則郵送とする。ただし、店頭で直接交付する場合、または交付方法について特に申し出があった場合において、協会が定める方法による処理を行うときは、郵送以外の方法でもよい。

6 協会員の内部管理責任者等に関する規則

この規則の目的は、内部管理責任者の責務などを定め、協会員の内部管理態勢を強化し、適正な営業活動を行うことである。

(1) 内部管理統括責任者の登録と責務

協会員は、内部管理統括責任者を1名定め、協会が備える内部管理統括責任者登録簿に登録を受けなければならない。

内部管理統括責任者の責務は、役員または従業員に対し、法令諸規則の遵守の営業姿勢を徹底させ、営業活動や顧客管理が適正に行われるよう、内部管理態勢の整備に努めることである。

(2) 営業責任者及び内部管理責任者の配置

協会員は、営業単位（本支店等）の長を営業責任者に任命し、配置しなければならない。また、営業単位ごとに内部管理業務の管理職者を内部管理責任者に任命し、配置しなければならない。

7 広告等の表示及び景品類の提供に関する規則

この規則は、協会員が行う広告等の表示や景品類の提供に関し、その表示方法及び遵守すべき事項を定めている。

(1) 基本原則

協会員は、広告等の表示を行う場合、投資者保護の精神に則り、取引の信義則を遵守し、品位の保持を図り、的確な情報提供及び明瞭かつ正確に表示を行うよう努めなければならない。

また、景品類の提供を行うときは、取引の信義則を遵守し、品位の保持を図るとともに、その適正な提供に努めなければならない。

(2) 協会員の内部審査

協会員は、広告等の表示または景品類の提供を行う際、広告審査担当者を任命し、次の(3)禁止行為に違反する事実がないかどうかを審査させなければならない。

(3) 禁止行為

①取引の信義則に反するもの
②協会員としての品位を損なうもの
③金商法その他の法令等に違反する表示のあるもの
④脱法行為を示唆する表示のあるもの
⑤投資者の投資判断を誤らせる表示のあるもの
⑥協会員間の公正な競争を妨げるもの
⑦恣意的または過度に主観的な表示のあるもの
⑧判断、評価等が入る場合において、その根拠を明示しないもの

本番得点力が高まる！問題演習

問1 協会や協会員の規則に関する次の記述のうち、正しいものには○を、誤っているものには×をつけなさい。

① 協会員は、投資勧誘の際に、投資は投資者自身の判断と責任において行うべきものであることを顧客に理解させる必要はない。

② 協会員は、顧客の投資経験、投資目的、資力等を十分に把握し、顧客の意向と実情に適した投資勧誘を行うよう努めなければならない。

③ 顧客カードに記載しなければならない事項の一つに、本籍がある。

④ 協会員は顧客が株券の名義書換を請求するに際し、自社の名義を貸与してはならない。

⑤ 協会員は、大口取引顧客からの注文を受託する際には、あらかじめ顧客から買付代金または売却しようとする有価証券の全部または一部の預託を受ける必要はない。

解答

①× 協会員は、投資勧誘の際に、投資は投資者自身の判断と責任において行うべきものであることを顧客に理解させ、自己責任原則の徹底を行わなければならない。

②○ また、協会員は、投資は投資者自身の判断と責任において行うべきであることを、顧客に理解させなければならない。

③× 顧客カードには、氏名、住所、生年月日、職業、投資目的、資産状況、投資経験の有無、取引の種類などを記載するが、本籍や家族構成について記載の必要はない。

④〇 協会員の名義貸しは禁止されている。

⑤× 取引の安全性の確保のため、協会員は新規顧客及び大口取引顧客等からの注文を受ける際、あらかじめ買付代金、または売却する有価証券等の預託を受けなければならない。

 問2　協会定款・諸規則に関する次の記述のうち、正しいものには〇を、誤っているものには×をつけなさい。

① 累積投資契約に基づく有価証券の寄託を受ける際は、保護預りに関する契約を締結しなければならない。

② 会員は、金銭及び有価証券の残高のない顧客に対しても、直前に行った報告以後1年に満たない期間においてその残高があった場合は、照合通知書により、現在残高がない旨を報告しなければならない。

③ 照合通知書に記載すべき事項には、金銭の残高、有価証券の残高などがある。

④ 有価証券関連デリバティブ取引がある顧客には、照合通知書にて1年に1回以上、債権債務残高を報告しなければならない。

⑤ 会員は、顧客から金銭や有価証券の残高について照会があったときには、営業担当部門が受け付け、遅滞なく回答を行わなければならない。

⑥ 照合通知書を顧客に交付する場合は郵送でなければならず、店頭で直接交付することは禁止されている。

⑦ 会員は、契約締結時交付書面を交付する場合、顧客の住所や顧客が指定した場所に郵送することを原則とし、店頭で直接交付してはならない。

⑧ 協会員は、広告等の表示を行う場合、複数の従業員で確認を行えば広告等の表示を行うことができる。

解答
①× 累積投資契約に基づく有価証券の寄託については、保護預りに関する契約を締結する必要はない。

②〇 なお、会員は照合通知書を、顧客の区分、取引の種類等に従い、それぞれの定める頻度で交付しなければならない。

③〇 なお、照合通知書の作成や照会は、会員の検査、監査または管理の

担当部門で行う。

④× 有価証券の売買等がある顧客には1年に1回以上、有価証券関連デリバティブ取引等がある顧客には1年に2回以上、照合通知書にて、その顧客に対する債権債務残高を報告しなければならない。

⑤× 会員は、顧客から金銭や有価証券の残高について照会があったときには、検査、監査または管理の担当部門が受け付け、遅滞なく回答を行わなければならない。

⑥× 会員は、照合通知書を顧客に交付する場合、顧客の住所や顧客が指定した場所への郵送を原則とするが、店頭で直接交付する場合、または交付方法について特に申し出があった場合に協会が定める方法で処理を行うならば郵送以外でもよい。

⑦× 会員は、契約締結時交付書面を交付する場合、顧客の住所や顧客が指定した場所に郵送することを原則とするが、店頭で直接交付する場合や交付方法について申し出があった場合、協会が定める方法ならば郵送以外でもよい。

⑧× 広告等の表示を行う際は、広告審査担当者を任命し、禁止行為に違反する事実がないかどうかを審査しなければならない。

禁止行為は、
金融商品取引に
関する事故を防ぐ
ためなんだ。

2.

従業員、外務員に
関する規則

重要度
★★★

1 協会員の従業員に関する規則

　この規則は、金融商品取引業の公共性及び社会的使命の重要性から、協会員の従業員の服務基準等を定めるとともに、従業員に対する協会員の監督責任を明確化し、投資者の保護を目的として定められている。

　従業員（会員の場合）とは、出向によって受け入れた者を含む使用人で、国内の本社・営業所・事務所に勤務する者をいう。

（1）従業員の採用・照会

　協会員が、他の協会員の従業員を自己の従業員として採用することは禁止されている（出向によるものを除く）。

　また、協会員は、従業員を採用する際にその者が他の協会員の従業員や金融商品仲介業者等であった場合、不都合行為者かどうか協会に照会しなければならない。

（2）禁止行為

　この規則では、金融商品取引に関する事故の未然防止のために、次のような従業員の禁止行為を定めている。

● 従業員の禁止行為

・信用取引及び有価証券関連デリバティブ取引等の禁止
　従業員は、いかなる名義を用いているかを問わず、自己の計算において信用取引、有価証券関連デリバティブ取引、特定店頭デリバティブ取引または商品関連市場デリバティブ取引を行ってはならない（ただし、報酬の一部として所属協会員から給付されることが決定された株式、またはストック・オプションについては一定の要件のもと除く）
・仮名取引の受託の禁止
・顧客の損失の補塡または、これらについて生じた顧客の利益に追加するためその顧客または第三者に利益を提供することをその顧客等に申し込み・約束することの禁止
・顧客と損益を共にすることを約束して勧誘・実行することの禁止

用語

仮名取引
口座名義人本人以外からの有価証券の売買等の注文を受けることである。

・自己が相手方となる取引の禁止
・顧客の売買取引等について、自己、もしくはその親族等の名義または住所を使用させることの禁止
・自己の売買取引等について、顧客の名義または住所を使用することの禁止
・名義書換え等の手続きについて、所属協会員を通じないで手続きを行うことの禁止
・預託された金銭及び有価証券等を遅滞なく相手方に引き渡さないことの禁止
・預託された業務に関する書類を遅滞なく顧客に交付しないことの禁止
・顧客との金銭・有価証券の貸借の禁止
・広告審査担当者の審査を受けずに、従業員限りで広告等の表示または景品類の提供を行うことの禁止
・空売りであるか否かを確認せずに有価証券の売付け注文を受けることの禁止（ただし、「有価証券の取引等の規制に関する内閣府令（取引規制府令）」11条に規定する取引を除く）
・投資信託受益証券等の乗換え勧誘時、顧客に対して乗換えに関する重要事項の説明を行わないことの禁止　等
・役職員が協会員を退職する場合で、顧客に関する情報についてその協会員へ返却または消去しないことの禁止
・他の協会員の顧客に関する情報または金融商品仲介業者における金融商品仲介業の顧客に関する情報を不正に取得することの禁止
・禁止行為を通じて保持または取得している顧客に関する情報について、自らの職務に使用することの禁止。また、他者から提供を受けた顧客に関する情報について、その顧客に関する情報が禁止行為を通じて保持・取得されたもの、または他の協会員や金融商品仲介業者から漏えいしたものであることを知りながら自らの職務に使用することの禁止
・CFD取引契約（店頭CFD取引契約を除く）の締結について、その勧誘に先立ち顧客に対してその勧誘を受ける意思の有無を確認せずに勧誘することの禁止　等

(3) 不適切行為

　協会員は、次のような不適切行為を行うことのないよう、従業員を指導・監督しなければならない。

・有価証券の売買等において、銘柄・価格・数量・指値または成行の区別など、顧客の注文内容について確認を行わないまま注文を執行すること
・有価証券等の性質または取引の条件について、顧客を誤認させるような勧誘をすること
・有価証券の売買等において、有価証券の価格・オプションの対価の額の騰貴や下落などについて顧客を誤認させるような勧誘をすること
・有価証券の売買等に係る顧客の注文の執行において、過失により事務処理を誤ること

(4) 不都合行為者制度

協会による審査の結果、従業員等が退職・解雇に相当する社内処分を受けた者や、登録を取り消された協会員の従業員でかつその行為が金融商品取引業の信用を著しく失墜させるものと認めたときは、決定により、その者を不都合行為者として扱う。また、協会は、外務員資格、営業責任者資格、内部管理責任者資格を取り消す。

このうち、金融商品取引業の信用への影響が特に著しい行為を行ったと認められる者を一級不都合行為者とし、その他の者を二級不都合行為者とする。

2 協会員の外務員の資格・登録等に関する規則

この規則は、協会員の外務員の資質向上や投資者の保護などを目的に定められている。

(1) 外務員の種類

一種外務員	原則として、外務員の職務のすべてを行うことができる。
二種外務員	有価証券及び有価証券等清算取次ぎに係る外務員の職務を行うことができる。 なお、次の職務は行うことができない。 ・有価証券関連デリバティブ取引等 ・選択権付債券売買取引 ・信用取引・発行日取引※ ・新株予約権証券 ・新投資口予約権証券 ・カバードワラント ・店頭デリバティブ取引に類する仕組債、または投資信託 ・レバレッジ投資信託 ※ 信用取引・発行日取引については、所属協会員の一種外務員または信用取引外務員が同行して注文を受託する場合や、営業所内で一種外務員または信用取引外務員が二種外務員の営業活動を確認した場合には行うことができる。
信用取引外務員	二種外務員の職務のほか、信用取引・発行日取引に係る外務員の職務を行うことができる。
特例商先外務員	商品関連市場デリバティブ取引等に係る外務員の職務を行うことができる。

特例商先 外務員 (ディーリング限定)	協会員の計算による商品関連市場デリバティブ取引に係る外務員の職務を行うことができる。

（2）外務員の登録

● 外務員の登録と処分

外務員の 登録	協会員は、役職員に外務員の職務を行わせる場合、その者の氏名・生年月日等について協会に備える外務員登録原簿に登録を受けなければならない。
外務員の 処分	協会は、登録を受けている外務員が欠格事由に該当したときなどは、その外務員資格を取り消し、または2年以内の外務員の職務停止処分を行うことができる。

参考

有価証券の売買の勧誘のみを行う場合であっても、外務員の登録が必要である。

（3）外務員資格更新研修と社内研修

協会員は、次にあげる期間内に、協会の外務員資格更新研修を受講させなければならない。

● 資格更新研修の期間

登録を受けている 外務員	外務員登録日を基準として5年目ごとの日の属する月の初日から1年以内
新たに外務員登録を 受けた場合	外務員登録日後180日以内

なお、協会員は、登録を受けている外務員について、資格更新研修とは別に、毎年、外務員の資格向上のための社内研修を受講させなければならない。

本番得点力が高まる! 問題演習

問1 協会員の従業員規則に関する次の記述のうち、正しいものには〇を、誤っているものには×をつけなさい。

① 有価証券の売買等について、顧客と損益を共にすることを約束して勧誘、実行することは禁止されている。

② 協会員の従業員は、ストック・オプションなど一定の取引を除き、いかなる名義を用いているかを問わず、自己の計算において信用取引、有価証券関連デリバティブ取

第6章

協会定款・諸規則／従業員、外務員に関する規則

引、特定店頭デリバティブ取引、商品関連市場デリバティブ取引を行ってはならない。

③ 協会員の従業員は、有価証券の売買等の取引において、顧客との金銭・有価証券の貸借は禁止されている。

④ 協会員の従業員は、有価証券の売買等の取引において、顧客からの書面の承諾を受けた場合にのみ、自己が相手方となり売買を成立させることができる。

⑤ 協会員の従業員は、有価証券の売買等の取引において、空売りであるか否かの確認をせずに有価証券の売付け注文を受けることは、一切、禁止されている。

⑥ 景品類の提供については、常識の範囲内であれば従業員が自由に提供してもよい。

⑦ 協会員の従業員は、有価証券の売買等の取引において、銘柄・価格・数量・指値または成行の区別など、顧客の注文内容を確認することなく、注文を執行してはならない。

⑧ 協会員の従業員は、有価証券等の性質や取引の条件について、顧客を誤認させるような勧誘をしてはならないが、協会員にはその行為を監督する義務はない。

 解答

①○　また、顧客に対する損失補塡や利益の追加も禁止されている。

②○　従業員自らが過当投機におちいり、顧客や会社に損害を及ぼさないようにするための規定である。

③○　なお、協会員の従業員は、顧客の債務の立替え等においても、顧客との金銭・有価証券の貸借は禁止されている。

④×　協会員の従業員は、有価証券の売買等の取引の注文において、顧客からの書面の承諾を受けたとしても、自己が相手方となり売買を成立させることはできない。

⑤×　空売りであるか否かの確認をせずに有価証券の売付け注文を受けることは、原則、禁止されているが、「有価証券の取引等の規制に関する内閣府令（取引規制府令）」11条に規定する取引は除かれる。

⑥×　広告審査担当者の審査を受けずに、従業員限りで広告等の表示または景品類の提供を行うことは禁止されている。

⑦○　なお、協会員は、これらの行為を指導、監督しなければならない。

⑧×　協会員は、協会員の従業員が有価証券等の性質や取引の条件について、顧客を誤認させるような勧誘をすることのないよう、指導・監督しなければならない。

問2 外務員の資格・登録に関する次の記述のうち、正しいものには〇を、誤っているものには×をつけなさい。

① 二種外務員は、いかなる場合においても信用取引の注文を受託することはできない。

② 二種外務員は、投資信託の受益権の募集に係る外務員の職務を行うことができる。

③ 二種外務員は、所属協会員の一種外務員が同行して注文を受託する場合には、有価証券関連デリバティブ取引等に係る外務員の職務を行うことができる。

④ 二種外務員は、所属協会員の一種外務員の監督下であれば、新株予約権証券に係る外務員の職務を行うことができる。

⑤ 登録を受けている外務員は、外務員登録日を基準として5年目ごとに外務員資格更新研修を受講しなければならない。

 解答

①× 二種外務員は、所属会員の一種外務員または信用取引外務員が同行して注文を受託する場合や、営業所内で一種外務員または信用取引外務員が営業活動を確認することで、信用取引や発行日取引に係る職務を行うことができる。

②〇 二種外務員は、証券投資信託の受益権の募集など、有価証券に係る外務員の職務を行うことができる。しかし、有価証券関連デリバティブ取引、選択権付債券売買取引、新株予約権証券、カバードワラント等に係る外務員の職務は行うことはできない。信用取引、発行日取引については、一種外務員の同行等により注文を受託する場合は、行うことができる。

③× 二種外務員は、所属協会員の一種外務員が同行して注文を受託する場合でも、有価証券関連デリバティブ取引等に係る外務員の職務を行うことはできない。

④× 二種外務員は、所属協会員の一種外務員の監督下であっても、新株予約権証券に係る外務員の職務を行うことができない。

⑤〇 なお、協会員は、登録を受けている外務員について、外務員資格更新研修とは別に、毎年、外務員の資格向上のための社内研修を受講させなければならない。

3.

株式・債券・外国商品等関係

店頭有価証券等に関する規則については、試験においても頻出事項。

重要度
★★★

1 株式関係

　店頭有価証券の店頭取引や投資勧誘等に関しては、一定の規則が定められており、店頭有価証券等については次の図のとおりである。

● **店頭有価証券等の概念図**

取引所金融商品市場上場銘柄			
①店頭有価証券（いわゆる青空銘柄）			
②特定投資家向け銘柄制度（J-Ships）	③株式投資型クラウドファンディング	④株主コミュニティ	⑤店頭取扱有価証券 ⑥フェニックス銘柄（現在該当銘柄なし）

● **店頭有価証券と店頭取扱有価証券**

店頭 有価証券	法人が国内において発行する取引所金融商品市場に上場されていない株券、新株予約権証券及び新株予約権付社債券のこと
店頭取扱 有価証券	店頭有価証券のうち、有価証券報告書や会社内容説明書など一定レベルの情報開示を行っている法人が発行する株券、新株予約権証券及び新株予約権付社債券のこと

（1）店頭有価証券に関する規則

　この規則では、協会員が行う店頭有価証券の投資勧誘等について規定している。

① 店頭有価証券の投資勧誘の禁止

　協会員は、次の場合を除いて、顧客に対して店頭有価証券の投資勧誘を行ってはならない。

用語

会社内容説明書
内閣府令に規定されている有価証券報告書のうち企業情報の記載事項に準拠しているなどの発行会社が作成する企業の情報が記載された書類のことである。

- ・経営権の移転等を目的とした取引に係る投資勧誘や適格機関投資家への投資勧誘を行う場合
- ・企業価値評価等が可能な特定投資家に対し投資勧誘を行う場合
- ・店頭取扱有価証券の募集等の取扱い等を行う場合
- ・上場有価証券の発行会社の発行する店頭取扱有価証券の投資勧誘を行う場合
- ・「株式投資型クラウドファンディング業務に関する規則」の規定による場合
- ・「株主コミュニティに関する規則」の規定による場合

なお、適格機関投資家へ投資勧誘の際は、その有価証券に適格機関投資家以外への譲渡を行わない旨の譲渡制限を付さなければならない。

② 譲渡制限付き店頭取扱有価証券の投資勧誘

協会員は、顧客から店頭取扱有価証券の取引注文を受ける場合、そのつど、その有価証券が店頭取扱有価証券であると明示しなければならない。また、募集等の取扱い等を行う場合には、有価証券届出書、目論見書または会社内容説明書を取扱部店に置き、顧客の縦覧に供しなければならない。

(2) 店頭取扱有価証券の投資勧誘

協会員は、店頭取扱有価証券について募集等の取扱等に係る投資勧誘を行うことができる。

協会員は、顧客から店頭取扱有価証券の取引の注文を受ける際は、その都度、店頭取扱有価証券であることを明示し、募集等の取扱い等を行う場合には、有価証券届出書、目論見書または会社内容説明書を取扱部店に備え置き、顧客の縦覧に供しなければならない。

(3) 店頭有価証券等の特定投資家に対する投資勧誘等に関する規則

店頭有価証券等（店頭有価証券及び投資信託等）について、金融商品取引業者等を通じて特定投資家（プロの投資家）向けに発行・流通することを可能にする特定投資家向け銘柄制度（J-Ships）がある。この規則は、特定投資家に対し、私募もしくは特定投資家向け売付け勧誘等について定めている。

取扱協会員は、新たに特定投資家に対して投資勧誘を行おうとする店頭有価証券等について、その特性やリスクの内容を把握し投資勧誘を行うことがふさわしいか否か及び投資勧誘を行う特定投資家の範囲について検証をしなければならない。

用語

会社内容説明書
協会員などが店頭取扱有価証券の投資勧誘を行う際の説明資料のこと。

第6章

協会定款・諸規則／株式・債券・外国商品等関係

(4) 株式投資型クラウドファンディング業務に関する規則

① 株式投資型クラウドファンディング業務

　クラウドファンディングとは、新規・成長企業等と資金提供者をインターネット経由で結び付け、多数の資金提供者から少額ずつ資金を集めるしくみのことをいう。

　株式投資型クラウドファンディング業務とは、金融商品取引所に上場されていない株券または新株予約権のうち、発行価格の総額及び投資者の払込み額が共に次の少額要件を満たす銘柄に対して、インターネット等を利用して募集の取扱い等を行い、顧客から金銭の預託を受けることである（第一種少額電子募集取扱業務）。

② 発行者についての審査

　会員等は株式投資型クラウドファンディング業務を行うにあたっては、次の規則により策定した社内規則により発行者について厳正に審査しなければならない。

> ・発行者及びその行う事業の実在性
> ・発行者の財務状況
> ・発行者の事業計画の妥当性
> ・発行者の法令遵守状況を含めた社会性　　等

　会員等は、発行者の店頭有価証券の募集または募集額が少額要件を満たすものでなければ、株式投資型クラウドファンディング業務に係る店頭有価証券の募集等を行ってはならない。

　また、審査の内容、審査結果の判断に至る理由等についての記録を作成し、審査終了日から10年間保存しなければならない。

③ 勧誘手法併用の禁止

　会員等は、株式投資型クラウドファンディング業務に係る投資勧誘は、インターネットのウェブサイト及びウェブサイトの利用を前提に電子メールを利用する方法により行わなければならず、電話または訪問により投資勧誘を行ってはならない。

(5) 株主コミュニティに関する規則

　株主コミュニティ制度は、株主コミュニティに参加する投資家に限って投資勧誘を認める非上場株式の取引制度である。

　株主コミュニティとは、運営会員（証券会社）が店頭有価証券の銘柄ごとに株主コミュニティを組成し、これに参加する投資家に対してのみ投資

勧誘を認める店頭有価証券の流通や資金調達を行う仕組みのことである。

株主コミュニティの組成	会員は協会より運営会員(証券会社)としての指定を受けなければならない。また、株主コミュニティは銘柄ごとに組成する。
発行者についての審査	運営会員は、株主コミュニティを組成しようとする店頭有価証券につき、社内規則に従って、審査をしなければならない。 運営会員は、審査の内容、審査の結果の判断に至る理由、審査の過程において把握した問題点について記録を作成し、審査終了日、または株主コミュニティの解散日のうちいずれか遅い日から5年間保存しなければならない。
株主コミュニティへの参加及び参加に関する勧誘の禁止	運営会員は、投資者から株主コミュニティへの参加の申出を受けた場合を除き、参加への手続を行ってはならない。また、運営会員は、原則として、自社が運営会員となっている株主コミュニティの参加者以外の者に株主コミュニティ銘柄の投資勧誘を行ってはならない。

参考

株主コミュニティの組成
運営会員の取扱状況については、日本証券業協会ウェブサイトで確認できる。

(6) フェニックス銘柄に関する規則

① フェニックス銘柄

　フェニックス銘柄とは、店頭取扱有価証券のうち、金融商品取引所の上場廃止銘柄で流通の機会を提供する必要があると判断されたものであり、協会が指定したものである。取扱会員等以外の協会員は、顧客の計算によるフェニックス銘柄の売付けに係るものを除き、投資勧誘を行ってはならない。

② フェニックス銘柄としての指定にあたっての条件

　フェニックス銘柄は以下の条件をすべて満たしていなければならない。

・発行会社が株主名簿管理人に事務を委託していること
・指定日までにその有価証券の譲渡制限を行っていない
・発行会社が反社会的勢力ではないこと及びその発行会社に反社会的勢力を排除する仕組みが構築されていること
・発行会社の開示体制の不備などにより上場廃止となった場合において、開示体制等の不備などが改善、整備、解消されていること
・発行会社が破産手続、再生手続、更生手続を必要とするに至ったことにより上場廃止された場合において、これらの手続などが完了していること
等

第6章

協会定款・諸規則／株式・債券・外国商品等関係

③ 適時開示の同意等

フェニックス銘柄としての指定に当たっては、会社情報の適時適切な開示などに積極的に協力する旨を記載した発行会社の同意書をフェニックス銘柄としての指定の届出に添えなければならない。また、発行会社が反社会的勢力でないなどの旨を書面で確認し、その写しを協会に提出しなければならない。

④ フェニックス銘柄の届出及び指定

フェニックス銘柄としての届出は、取扱会員になろうとする会員が、その銘柄の気配提示を開始する日の 5 営業日前までに行わなければならない。

協会は提出書類に不備がない場合はフェニックス銘柄として指定し、その協会員を取扱会員として指定する。

⑤ 会社情報の開示

取扱会員は、フェニックス銘柄の発行会社の決算期終了後3ヶ月以内に、決算期ごとに作成する会社内容説明書、または有価証券報告書を協会に提出しなければならない。

協会が別途定める報告事項についてTDnetを利用して協会へ報告しなければならず、その内容はTDnetを通じて開示される。

また、取扱会員及び協会は、これらの書類を一定期間公衆の縦覧に供しなければならない。

⑥ 顧客への説明等

協会員は、フェニックス銘柄の取引を行う顧客に対し、その銘柄の性格や投資リスク等について契約締結前交付書面を交付し、初めて取引を行う顧客（売却する顧客以外）から、「フェニックス銘柄の取引に関する確認書」を徴求しなければならない。これらの交付や徴求はメール等の電磁的方法によることができる。

⑦ 気配及び売買の報告等

フェニックス銘柄は、その届出にあたり、気配の更新や売買の報告頻度を日次とするか週次とするかを選択して明示しなければならない。それぞれの場合、以下の頻度で取扱部店の店頭等で継続的に気配を提示しなければならない。

● 公表の頻度

日次公表の場合	毎営業日
週次公表の場合	週1回以上

(7) 上場株券等の取引所金融商品市場外での売買等に関する規則

① 売買価格等の確認及び記録の保存

協会員は、取引所外売買を行う際、売買の価格や金額が適当と認められるものであると確認し、その確認の記録を保存しなければならない。

② 認可会員によるPTS信用取引の取扱い

認可会員がPTS信用取引を取り扱う場合には、次の要件を定めたPTS信用取引取扱規則を作成・公表するとともに、自らの参加会員に遵守させなければならない。

- ・取り扱うことができる参加会員の範囲
- ・取り扱う時間
- ・PTS制度信用銘柄及びPTS貸借銘柄の選定基準
- ・規制措置の内容及び実施基準

また、会員は、顧客がPTS信用取引に係る信用取引口座を設定しようとするときは、顧客から東京証券取引所が定める信用取引口座設定約諾書に加え、PTS信用取引に係る合意書を受け入れる必要がある。

③ 報告及び公表

会員は、売買の申込み時や成立時には、銘柄名・価格・数量等を協会に報告しなければならない。

午前8時10分から午後4時59分までに行った申込みや成立した売買はそれぞれ5分以内に報告しなければならない。

(8) オーバーアロットメント

オーバーアロットメントとは、引受会員による株券等の募集や売出しの際、予定数量を超える投資者からの需要があった場合、引受会員が株主から株券等を借りるなどして予定数量を確保し、同一条件で追加的に売出しを行うことである。オーバーアロットメントの数量は、募集または売出しの国内における予定数量の15%が限度となる。

(9) 株券等の募集等の引受け等に係る顧客への配分に関する規則

協会員は、新規公開に際し、株券または外国株信託受益証券の個人顧客への配分に当たり、原則、個人顧客への配分予定数量の10%以上について抽選により配分を決定する必要がある。

ただし、事情により、抽選の割合を引き下げる、または抽選による配分を採用しない、もしくは中止することができる。

2 債券関係

(1) 私設取引システム(PTS)における非上場有価証券の取引等に関する規則

スタートアップ企業などの非上場の特定投資家向け有価証券は、PTSで取り扱うことができなかったが、2023年7月から解禁された。そのための環境整備が実施され、協会においても規則の整備が行われた。

取引の対象は、トークン化有価証券、特定投資家向け有価証券である店頭有価証券等である。

① 社内規則の制定等

非上場PTS運営会員は、非上場PTS運営業務を行うに当たり所定の事項を定めた社内規則を定めなければならない。非上場PTS取引協会員は、非上場PTS取引業務を行うに当たり、非上場PTS運営会員が社内規則で定める事項を遵守しなければならない。

② 業務内容の公表

非上場PTS運営会員は、自社が行う非上場PTS運営業務の内容について自社のウェブサイトに掲載する方法その他のインターネットを利用した方法により公表しなければならない。

③ 非上場PTS銘柄の適正性審査

非上場PTS運営会員が非上場有価証券を新たに非上場PTS銘柄に追加する場合に、あらかじめ、その非上場有価証券の適正性について審査しなければならない。

④ 特定投資家向け有価証券に係る特則等

非上場PTS取引協会員は、特定投資家以外の者である顧客から、私設取引システムにおける特定投資家向け有価証券の買付けの受託を行ってはならない。

(2) 社債券等の募集に係る需要情報及び販売先情報の提供に関する規則

会員が社債券等の募集の引受けにあたり、需要情報及び販売先情報の発行者への提供等について必要な事項を定めた規則である。

用語

非上場PTS運営会員
自社が開設するPTSにおいて、取引または媒介等を行う会員。

用語

非上場PTS取引協会員
他社が開設するPTSにおいて、取引または媒介等を行う協会員。

この規則の対象となる対象社債券等は、主として個人向けに取得勧誘を行う債券（いわゆるリテール債）を除く、主幹事方式で発行される債券（地方債、財投機関債、社債、投資法人債、サムライ債、本邦で発行されるソブリン債）である。

需要情報とは、個人以外の対象社債券等に係る発行条件ごとの顧客の名称や業態別の顧客数及びその需要額のことをいう。

① 需要情報の発行者等への提供

代表主幹事会員は、プレ・マーケティングにより取得した需要情報を速やかに発行者に提供しなければならない。なお、代表主幹事会員は、発行者の同意を得て、共同主幹事会員及び他の引受会員から直接発行者に対して需要情報を提供することができる。

② 販売先情報の発行者等への提供

販売先情報とは、個人以外の対象社債券等の販売先の顧客の名称、または業態別の顧客数及びその販売額のことをいう。代表主幹事会員は、販売先情報を遅滞なく発行者に提供しなければならない。

③ 情報提供が必要となる顧客の範囲等

主要な投資家及び需要額または販売額が10億円以上の者については、実名で発行条件ごとの需要額または販売額を発行者等へ提供する必要がある。

④ 社内規則の制定

引受会員は、対象社債券等の引受けにあたり、需要情報及び販売先情報の提供に関する社内規則を作成のうえ、次の項目を規定しなければならない。

・需要情報の取得・提供方法
・販売先情報の取得・提供方法
・需要情報及び販売先情報の作成に用いた根拠資料の保管・保存方法
・報道機関への適正な情報提供
・社内検査手続
・その他会員が必要と判断する事項

第6章

協会定款・諸規則／株式・債券・外国商品等関係

(3) 公社債の店頭売買の参考値等の発表に関する規則

公社債の流通は、ほとんどが店頭市場で行われている。そこで、協会は公社債の店頭売買取引を公正かつ円滑にするために必要事項を定めている。

①売買参考統計値の発表

協会は、公社債の店頭売買の参考となる売買参考統計値を毎営業日発表している。

②取引公平性の確保

協会員は、公社債の店頭売買の際、合理的な方法で算出された社内時価を基準として、適正な価格により取引を行わなければならない。

また、小口投資家（公社債の額面1,000万円未満の取引を行う顧客）との店頭取引では、より一層の取引の公正性に配慮し、取引所金融商品市場における取引と店頭取引との相違点についての説明を行わなければならない。

3 外国商品・取引関係

協会は、協会員が顧客との間で行う外国証券の取引や引受けについて、投資者保護を目的として協会員の遵守すべき規則を定めている。

(1) 契約の締結及び約款による処理

協会員は、顧客等から外国証券の取引注文を受ける場合、顧客と「外国証券の取引に関する契約」を締結しなければならない。また、協会員は、外国証券取引口座に関する約款を顧客に交付し、顧客等から約款に基づく取引口座の設定に係る申込みを受けなければならない。

協会員は、これらの申込みを承諾し口座の設定をした場合、顧客にその旨を通知しなければならない。

外国証券取引口座に関する約款は、顧客の注文に基づく外国証券の売買等の執行、売買代金の決済、証券の保管、配当・新株予約権その他の権利の処理等について規定したものである。外国証券の取引は、公開買付けに対する売付けを取り次ぐ場合を除き、約款の条項に従うこととされている。

(2) 資料の提供等

協会員は、顧客から国内で開示が行われていない外国証券の取引の注文を受ける場合、顧客にこの旨を説明しなければならない。また、協会員は顧客から保管の委託を受けた外国証券については、発行者から交付された通知書及び資料等を保管し、顧客の閲覧に供するとともに、顧客から請求を受けた場合には、発行者から交付された通知書及び資料等を交付しなければならない。

(3) 外国証券の国内店頭取引

① 取引公正性の確保

協会員が顧客との間で外国株券等、外国新株予約権証券や外国債券などの国内店頭取引を行う場合、「社内時価」を基準とした取引を行わなければならない。

なお、協会員は、顧客の求めがあった場合には、取引価格の算出方法等について、口頭または書面により、その概要を説明しなければならない。

② 小口投資家との取引公正性の確保

協会員は、外国株券等、外国新株予約権証券、外国債券などの取引を小口投資家（邦貨換算約定金額1,000万円未満）と国内店頭取引で行う場合、前記①のほか、「価格情報の提示」や「国内店頭取引の知識の啓発」に十分留意し、取引の公正性に配慮しなければならない。

(4) 外国投資信託証券の販売等

協会員が顧客に勧誘、販売等ができる外国投資信託証券は、それぞれ規定されている「選別基準」に適合しており、投資者保護上問題ないと協会員が確認した外国投資信託証券でなければならない。また、外国投資信託証券の国内販売にあたっては、代行協会員を定めなければならない。

> 店頭有価証券は、「取引所に上場していない」というところがポイント！　店頭取引や投資勧誘に関して、規則が定められているよ。

参考

協会員は、外国証券の発行者が公表した顧客の投資判断に資する重要な資料を顧客の閲覧に供するように努めなければならない。

用語

社内時価

社内における基準となる時価のことであり、協会員が合理的な方法で算出する。算出時には、入手方法や算出の継続性を考慮に入れなければならない。

用語

代行協会員

当該外国投資信託証券の指定会社であって、当該外国投資信託証券に関する資料の送付、基準価格の公表などを発行者に代わって行う協会員のことである。

第6章

協会定款・諸規則／株式・債券・外国商品等関係

127

問1 店頭有価証券の規則に関する次の記述のうち、正しいものには○を、誤っているものには×をつけなさい。

① 協会員は、原則、適格機関投資家を除く顧客に対して、店頭有価証券の投資勧誘を行ってはならない。

② 店頭有価証券とは、法人が国内において発行する取引所金融商品市場に上場されていない株券、新株予約権証券及び新株予約権付社債券のことである。

③ 株式投資型クラウドファンディング業務とは、非上場株券等のうち、発行価格の総額及び投資者の払込み額が共に少額要件を満たす銘柄に対して、インターネット等を利用して募集の取扱い等を行い、顧客から金銭の預託を受けることである。

④ 株主コミュニティ制度とは、株主コミュニティに参加する投資者に限って投資勧誘を認める非上場株式の取引制度である。

⑤ 協会員は、新規公開に際して行う個人顧客への株券の配分に当たっては、その方法をすべて抽選により配分先を決定しなければならない。

解答

①○ なお、適格機関投資家への投資勧誘の際は、その有価証券に適格機関投資家以外への譲渡制限を付さなければならない。

②○ なお、協会員が行う店頭有価証券の投資勧誘等について規則で規定されている。

③○ なお、少額要件とは、発行者が資金調達できる額が1年間に1億円未満、投資家が投資できる額が同一の会社につき1年間に50万円以下となることである。

④○ なお、株主コミュニティの運営会員は、原則として、投資者から株主コミュニティへの参加申出を受けた場合を除き、株主コミュニティへの参加勧誘を行ってはならない。

⑤× 協会員は、新規公開に際し、株券の個人顧客への配分に当たっては、原則、個人顧客への配分予定数量の10%以上について抽選により配分を決定する必要があるが、事情により、抽選の割合を引き下げる、または抽選による配分を採用しない、もしくは中止することができる。

問2 債券や外国証券に関する次の記述のうち、正しいものには○を、誤っているものには×をつけなさい。

① 協会員は、公社債の店頭売買の際、合理的な方法で算出された売買参考統計値を基準として、適正な価格により取引を行わなければならない。

② 外国証券取引口座に関する約款は、顧客の注文に基づく外国証券の売買等の執行、売買代金の決済、証券の保管、配当・新株予約権その他の権利の処理等について規定したものである。

③ 協会員は、顧客との外国証券の取引については、保護預り約款の条項に従って行わなければならない。

④ 協会員は顧客から保管の委託を受けた外国証券については、発行者から交付された通知書及び資料等を保管し、顧客の閲覧に供するとともに、顧客から請求を受けた場合には、発行者から交付された通知書及び資料等を交付しなければならない。

⑤ 協会員が顧客との間で外国株券や外国債券などの国内店頭取引を行う場合、「社内時価」を基準とした取引を行わなければならない。

⑥ 協会員は、外国証券の国内店頭取引において、顧客の求めがあった場合は、取引価格の算出方法等について、口頭または書面により、その概要を説明しなければならない。

 解答

①× 協会員は、公社債の店頭売買の際、合理的な方法で算出された社内時価を基準として、適正な価格により取引を行わなければならない。

②○ 協会員は、顧客から外国証券の取引注文を受ける場合、外国証券の取引に関する契約を締結し、外国証券取引口座に関する約款を顧客に交付しなければならない。

③× 外国証券の取引では、公開買付けに対する売付けを取り次ぐ場合を除き、外国証券取引口座に関する約款の条項に従って行わなければならない。

④○ 協会員は、外国証券の発行者が公表した顧客の投資判断に資する重要な資料を顧客の閲覧に供するように努めなければならない。

⑤○ なお、社内時価とは、社内における基準となる時価であり、協会員が合理的な方法で算出する。

⑥○ 外国証券の国内店頭取引の価格は、合理的方法で算出された社内時価をもとに算出されるが、顧客からの求めがあった場合は、その算出方法等について、口頭または書面により概要を説明しなければならない。

第 **7** 章

特別会員
論点

取引所定款・諸規則

予想配点 12点／440点
出題形式
○×方式…6問
（配点と出題形式はTACの予想です）

　有価証券の売買や市場デリバティブ取引を行う市場（金融商品市場）である「金融商品取引所」の基本的規則である定款や諸規則について見ていきます。今回は、株式会社東京証券取引所（東証）及び株式会社大阪取引所（OSE）における諸規則を中心に解説します。

関連章　　第8章

有価証券の売買をはじめとする取引を行う取引所の定款や規則❶について紹介します。

業務
規程

有価証券の上場に関する規程❷や業務規程❸などは基本知識として押さえておきたいところです。

また、取引参加者が有価証券の売買等を受託するための規則❹もあるので確実に理解しましょう。

1. 取引参加者規程

取引所で有価証券の売買を行うためには取引参加者とならなければならない。

重要度 ★★☆

1 取引資格の取得

　金融商品取引所での有価証券の売買等は、金融商品取引業者・登録金融機関などが取引参加者となり、顧客から取引を委託されて行う。金融商品取引所の取引資格を取得するためには取引資格の取得の申請を行わなくてはならない。

(1) 東証の取引参加者

用語

取引所取引許可業者
日本国内に支店等がない外国証券業者(リモート取引参加者)のことである。

● 取引参加者(東京証券取引所－東証)

名称	行える取引	取引参加者になれる者
総合取引参加者	有価証券の売買の取引	金融商品取引業者 取引所取引許可業者

(2) OSEの取引参加者

● 取引参加者(大阪取引所－OSE)

名称	行える取引	取引参加者になれる者
先物取引等取引参加者	国債証券先物取引、金利先物取引、指数先物取引、商品先物取引、有価証券オプション取引、国債証券先物オプション取引、指数オプション取引、商品先物オプション取引	金融商品取引業者 取引所取引許可業者
国債先物等取引参加者	国債証券先物取引、金利先物取引及び国債証券先物オプション取引	金融商品取引業者 取引所取引許可業者 登録金融機関

参考

OSEの取引所外国為替証拠金取引市場は休止中。

| 外国為替証拠金取引参加者 | 取引所外国為替証拠金取引 | 金融商品取引業者
登録金融機関 |

● **商品先物等取引参加者の種別**

名称	行える取引	取引参加者になれる者
商品受託取引参加者	商品指数先物取引 商品先物取引 商品先物オプション取引	金融商品取引業者 取引所取引許可業者 登録金融機関 商品先物取引業者 等
商品市場取引参加者	自己の計算による商品指数先物取引、商品先物取引及び商品先物オプション取引のみ	

● **商品先物等取引参加者の区分**

・貴金属部取引参加者
・ゴム部取引参加者
・農産物部取引参加者
・原油等部取引参加者

2 取引参加者の義務等

　取引参加者は、取引所の規則等を遵守することなどを承諾する取引参加者契約を取引所と締結しなければならない。

　取引参加者は、顧客から有価証券の売買などの委託を受ける際、あらかじめ顧客の住所、氏名等を調査しなければならない。

本番得点力が高まる! 問題演習

問1　金融商品取引所の取引参加者に関する次の記述のうち、正しいものには〇を、誤っているものには×をつけなさい。

① 取引所の取引資格を取得しようとする者は、取引資格の取得申請などの手続きは必要ない。

② 東証の取引参加者は総合取引参加者の1種類のみである。

③ 総合取引参加者となることができるのは、金融商品取引業者のみである。

④ 取引参加者は、顧客から有価証券の売買などの委託を受ける際、あらかじめ顧客の住所や氏名等を調査しなければならない。

解答
① × 取引資格を取得しようとする者は、取引資格の取得申請を行わなくてはならない。
② ○ 大阪取引所とのデリバティブ市場統合に伴い、東京証券取引所の取引参加者は総合取引参加者のみとなった。
③ × 総合取引参加者となることができるのは、金融商品取引業者または取引所取引許可業者である。
④ ○ なお、この規程は、事故の防止等を目的としている。

国債以外の有価証券は、発行者が申請しないと上場できないのか。

2.

有価証券上場規程

重要度
★★★

1 株券等の新規上場手続

(1) 上場の対象となる有価証券

金融商品取引所で売買の対象となる有価証券は、その取引所に上場されている有価証券である。上場の対象となる有価証券とは、金商法上の有価証券のみで、具体的には、株券、国債証券、地方債証券、社債券、転換社債型新株予約権付社債券などがある。

東証では国債証券を除き、発行者からの申請のない株券等は上場できない。

(2) 東証の市場区分

● 東証の市場区分

プライム市場	スタンダード市場	グロース市場
多くの機関投資家の投資対象になりうる規模の時価総額（流動性）を持ち、より高いガバナンス水準を備え、投資家との建設的な対話を中心に据えて持続的な成長と中長期的な企業価値の向上にコミットする企業向けの市場	公開された市場における投資対象として一定の時価総額（流動性）を持ち、上場企業としての基本的なガバナンス水準を備えつつ、持続的な成長と中長期的な企業価値の向上にコミットする企業向けの市場	高い成長可能性を実現するための事業計画及びその進捗の適時・適切な開示が行われ一定の市場評価が得られる一方、事業実績の観点から相対的にリスクが高い企業向けの市場

(3) 新規上場手続

東証に発行者が株券等の上場を申請する場合、東証所定の「有価証券新規上場申請書」と「新規上場申請に係る宣誓書」等を提出しなければならない。また、東証は、上場申請書を受理すると、審査基準に基づ

参考

企業が発行している株券の名前を銘柄というが、必ずしも企業名と一致するとは限らない。企業名と4桁の証券コードが割り当てられ、これに従って株価の表示や売買が行われている。

第7章 取引所定款・諸規則／有価証券上場規程

いて審査し、内閣総理大臣に上場を届け出る。

2 株券等の上場審査基準（スタンダード市場への新規上場）

(1) 内国株券等

　東証が行う内国株券等の上場審査は、次の「形式要件」のすべてに適合しなければならない。

● 形式要件（2023年4月1日時点）

①株主数、②流通株式、③事業継続年数、④純資産の額、⑤利益の額、⑥虚偽記載または不適正意見等、⑦登録上場会社等監査人による監査、⑧株式事務代行機関の設置、⑨単元株式数、⑩株券の種類、⑪株式の譲渡制限、⑫指定振替機関における取扱い、⑬合併等の実施の見込み

　さらに、形式要件に適合したものについて、次の発行者に関する「実質審査」が行われる。

● 実質審査（2022年4月4日時点）

企業の継続性及び収益性、企業経営の健全性、企業のコーポレート・ガバナンス及び内部管理体制の有効性、企業内容等の開示の適正性、その他公益または投資者保護の観点から東証が必要と認める事項

　なお、東証にすでに上場している株券等の発行者が同一種類の株券等を新たに発行する場合、原則として上場を承認するものとしている。

(2) 外国株券等

　外国株券等の上場審査は、内国株券等の上場審査制度を基準にして、外国株券等に特有な性質を配慮しつつ行われる。

3 適時開示等上場管理

　東証は、上場された株券等について、常時、次のような重要な決定等の開示を義務付けている。

・株式の発行、減資、合併など投資判断上重要な事項
・損害の発生、主要株主の異動、手形等の不渡りなど投資判断上重要な事実
・子会社に関する事実

また、東証は発行者に対して、公衆縦覧に供する同意の義務付け、及び発行者はTDnetを利用して会社情報の適時開示を行う。

用語

TDnet
東証の適時開示情報
伝達システム

4 市場区分の変更と上場廃止基準

（1）市場区分の変更

東証では、他の市場区分への市場区分の変更申請を受けた場合には、新規上場申請時と同様に審査を行う。

（2）上場廃止基準

上場されている内国株券が、上場廃止の基準項目のいずれかに該当する場合、上場が廃止される。

①上場維持基準への不適合、②銀行取引の停止、③破産手続、再生手続または更生手続、④事業活動の停止、⑤不適合な合併等、⑥支配株主との取引の健全性のき損、⑦有価証券報告書等の提出遅延、⑧虚偽記載または不適正意見等、⑨特設注意銘柄等、⑩上場契約違反等、⑪株式事務代行機関への不委託、⑫株式の譲渡制限、⑬完全子会社化、⑭指定振替機関における取扱いの対象外、⑮株主の権利の不当な制限、⑯上場会社による株式の全部取得、⑰株式等売渡請求による取得、⑱株式併合、⑲反社会的勢力の関与、⑳その他（公益または投資者保護）

なお、上場株券等が上場廃止基準に該当するおそれがある場合、または、発行者から上場廃止申請が行われた場合には、その事実を投資者に周知させるため、東証は、その株券等を監理銘柄や整理銘柄に指定し、売買を一定期間行わせることができる。

監理銘柄	上場廃止基準に該当するおそれがある、または上場廃止申請中の銘柄
整理銘柄	上場廃止決定の銘柄

外国株券等の上場廃止基準には、内国株券等の上場廃止基準に加え、預託契約等の終了、外国金融商品取引所等における上場廃止などの基準を設けている。

5 非参加型優先株及び子会社連動配当株の上場

非参加型優先株及び子会社連動配当株（以下、併せて優先株等）の上場申請は、株券等の新規上場手続とほぼ同様の手続きとなるが、上場

第7章

取引所定款・諸規則／有価証券上場規程

審査及び上場廃止については、異なった基準を設けている。

　なお、上場廃止基準については、以下のいずれかの基準に該当した場合に上場を廃止となる。

● **優先株等における上場審査及び上場廃止基準**

上場審査	形式要件	・その発行者が普通株を上場していること ・優先株等の所有者数、流通株式　等
	実質基準	・剰余金配当を行うに足る利益を計上する見込みがある ・株式の内容、企業内容等の開示を適正に行うことができる状況にある　等
上場廃止	発行者 基準	・優先株等に係る上場契約違反または優先株等に係る上場契約の当事者でなくなった場合 ・発行する普通株が上場廃止基準に該当した場合
	銘柄基準	・優先株等の所有者数、流通株式、優先株等としての存続期間満了　等

6 株券等以外における有価証券の上場

　取引所は、株券等以外の有価証券についても、上場審査基準を設けている。

(1) 債券の上場

　国債証券は発行者からの上場申請がなくても上場できるが、国債証券以外の有価証券（地方債証券、社債券など）を上場させるには、発行者からの上場申請と内閣総理大臣への届出が必要となる。

● **社債券の上場基準**

発行者 基準	東証の上場会社であること
銘柄基準	未償還額面総額、債券の消化件数、額面金額、指定振替機関の振替業における取扱いの対象であること

(2) 転換社債型新株予約権付社債券

発行者基準	東証の上場会社であること
銘柄基準	発行額面総額や新株予約権の行使条件が適当だと認められるものであること、指定振替機関における取扱いの対象であること　等

　転換社債型新株予約権付社債券等においては、発行者が発行する株券が上場廃止となった場合には、その発行者の発行する債券全銘柄が上場廃止される。

(3) ETFの上場

　ETFの上場については、投資信託委託会社等及び信託会社等から上場申請があったものについて、上場審査基準に基づき審査を行う。

管理会社の基準	投資信託協会の会員であること　等
銘柄基準	公社債投資信託以外の証券投資信託受益証券であること、約款記載事項、指定参加者の適格性等　等

(4) 不動産投資信託証券（REIT）の上場

発行者等の基準	資産運用会社、投資信託委託会社、信託会社等が投資信託協会の会員であること　等
銘柄基準	運用資産等のうち不動産等の額の比率、運用資産等のうち不動産等・不動産関連資産及び流動資産等の合計額の比率、上場口数　等

本番得点力が高まる！ 問題演習

問1　有価証券の上場に関する次の記述のうち、正しいものには○を、誤っているものには×をつけなさい。

① 　東証に新規上場する場合、例外なく、すべての株式等において発行者からの申請が必要となる。

② 　株券等の上場審査では、形式要件すべてに適合すれば、無条件で上場が承認される。

③　「監理銘柄」とは、上場廃止が決定した銘柄のことである。

④　優先株等の上場に際しては、その発行者の普通株が上場されていなければならない。

⑤　転換社債型新株予約権付社債券の上場審査には、発行者に対する基準と銘柄に対する基準とがある。

 解答

①×　国債証券においては申請の必要がない。

②×　株券等の上場審査では、形式要件すべてに適合したものについて、発行者に関する実質審査を行っている。

③×　「監理銘柄」とは、上場廃止基準に該当するおそれがある、または上場廃止申請中の銘柄のことである。

④○　よって、上場している普通株が、上場廃止基準に該当することとなった場合、その発行者が発行する優先株も同様に上場が廃止される。

⑤○　なお、転換社債型新株予約権付社債券を上場するには、その発行者の発行する株券等が既に上場されていても、発行者は新たに上場申請、上場審査を行わなければならない。

3. 業務規程など

普通取引は
3営業日目に
決済か。

業務
規程

1 有価証券の売買の種類

（1）有価証券の売買の種類

　取引所市場における有価証券の売買は、立会市場における売買と立会市場以外の市場（ToSTNeT市場）における売買に分けられる。

① 立会市場における売買

● 売買立会による売買

当日決済取引	売買契約締結の当日、決済を行う取引である。
普通取引	売買契約締結の日から起算して3営業日目の日に決済を行う取引である。
発行日決済取引	内国株券の株主有償割当や優先出資証券の優先出資有償割当を対象とした取引である。 取引は、原則として、権利落として定める期日から、新株券に係る新規記録日の2営業日前の日まで行い、決済は新株券の新規記録日に一括して行う。

参考

発行日決済取引とは、金融商品取引業者が顧客のために行う未発行の有価証券の売買等の取引である。

● 売買立会以外の売買

過誤訂正等のための売買	過誤等のため取引所市場で執行できなかった顧客の注文について、一定条件のもと自己（証券会社）が相手方になって行う市場内売買である。
立会外分売	顧客が大量の売付注文を委託した場合に、東証が分売条件を公表し、広く一般投資者の分売への参加を求める取引である。 大口注文の換金性を確保するとともに、株式の分布状況の改善を図るために、大株主の所有株を一般投資者に分散する手段として利用されている。

② 立会市場以外の売買(ToSTNeT市場)

　ToSTNeT市場における売買は、単一銘柄取引、バスケット取引、終値取引、自己株式立会外買付取引がある。

(2) 配当落、権利落等の売買

　配当落とは配当を受ける権利がなくなること、権利落とは株式の分割や新株を受け取る権利がなくなることをいう。

　株券の普通取引においては、配当金交付株主確定期日または新株予約権その他の権利確定期日の前日から配当落または権利落として売買が行われる。また、転換社債型新株予約権付社債券については、行使条件が変更される日の2営業日前の日から、新たな取得対価、行使条件により売買が開始される。

● 株券の配当落・権利落の例

3月28日	3月29日	3月30日	3月31日
3営業日前	2営業日前	1営業日前	権利確定日
	権利付・配当付最終売買日	権利落日配当落日	配当金交付日

2 信用取引と貸借取引

(1) 信用取引

　信用取引には、制度信用取引と一般信用取引がある。

● 信用取引の種類

制度信用取引	品貸料・弁済の繰延期限等について東証の定めに従い、東証が定める銘柄に限り行うことができる。
一般信用取引	品貸料・弁済の繰延期限等について顧客との間で合意した内容に従って行う。

(2) 貸借取引

　貸借取引とは、証券金融会社と金融商品取引業者との間に行われる資金や株券を貸借する取引のことである。

3 売買立会

(1) 呼値・売買単位

売買立会により売買を行うときは、呼値を行わなければならない。呼値とは売買を行うときの1株当たりの売り買いの値段のことである。また、売買単位は、売買を行う単位のことである。国債証券であれば、呼値の単位は額面100円につき1銭、売買単位は額面5万円である。

(2) 売買契約の締結

取引所市場における売買立会による売買は、売買注文を売り・買い別に市場に集中し、価格優先・時間優先の原則に従い、競争売買によって行われる。まずは価格優先の原則を適用し、同じ呼値が2つ以上あるときは、次に時間優先の原則を採用して順位を決定する。

● 価格優先・時間優先の原則

価格優先の原則	売呼値においては、低い値段の売呼値が高い値段の売呼値に優先し、買呼値においては、高い値段の買呼値が低い値段の買呼値に優先する。
時間優先の原則	同一値段の呼値の間では、呼値が行われた時間によって、先に行われた呼値が後に行われた呼値に優先する。

成行による呼値は指値による呼値より値段的に優先される。

また、東証は、有価証券の種類や価格によって1日の値幅を前日の終値から一定の範囲に制限している（制限値幅）。制限値幅について、株券の場合は価格によって区分されるが国債証券など債券（転換社債型新株予約権付社債券を除く）は、上下1円となっている。

(3) 約定値段の決定

約定値段の決定方法には、個別競争売買と板寄せの方法がある。

● 約定値段の決定方法

個別競争売買	ザラ場方式ともいい、通常の取引時間中の取引で行われる。 売呼値の中の最も低いものと、買呼値の最も高いものが値段的に合致したとき、その値段を約定値段とする。
板寄せ方式	売呼値と買呼値の一定数量が一定の値段で合致するとき、その値段を約定値段として売買を成立させる。 売買立会の始値を定める場合、売買立会終了時の終値を定める場合などに用いられる。

用語

成行
値段を指定しない注文方法。
指値
値段を指定する注文方法。

用語

ザラ場
板寄せ売買を除く寄付（一日の取引や後場の最初に成立する売買）と引け（前場・後場の最後に成立する売買）の間の時間及びその間の売買方法の総称。

参考

売買立会の開始後、最初に付いた値段（始値）のことを「寄り付き（よりつき）」、最後の値段（終値）のことを「引け」と呼んでいる。

143

(4) 板寄せによる価格決定手順

以下に板寄せによる価格決定手順を説明する。

● **始値直前の注文控（板）の状況**

売呼値	値段	買呼値
A 20,000株	成行	a　25,000株
F 2,000	501	
E 3,000	500	b　3,000
D 3,000	499	c　5,000
C 2,000	498	d　4,000
B 5,000	497	e　5,000
	496	f　6,000

① 成行注文が指値注文より優先されるため、成行の売呼値と買呼値を対当させる。

a 25,000株−A 20,000株＝a 5,000株の買呼値が残る。

② 残ったa 5,000株の買呼値と最も低い売呼値であるB 497円の5,000株の売呼値を対当させる（価格優先）。

497円の売呼値5,000株と成行a の買呼値5,000株はすべて売買成立するが、497円より高い呼値bcdがまだ残っているので、次に呼値の高い順から対当させる（価格優先）。

③ C 498円の売呼値2,000株とb 500円の買呼値3,000株
⇒b 500円の買呼値が1,000株残る

④ b 500円の買呼値1,000株とD 499円の売呼値3,000株
⇒D 499円の売呼値が2,000株残る

⑤ D 499円の売呼値2,000株とc 499円の買呼値5,000株を対当させる。

売呼値と買呼値の呼値が一致したところが約定値段となり、始値が決まる。

これまで対当させてきた株はすべて同一の値段499円で約定される。

4 有価証券の売買等の適正化措置

(1) 呼値の制限値幅

価格の急激な変動は、投資者に不測の損害を及ぼすことにつながる。その防止のため、東証は、有価証券の1日の売買における値幅を前日の終値から一定範囲に制限している。

● 主な有価証券の制限値幅

株券	その価格により34段階に区分
転換社債型新株予約権付社債券	発行会社の発行する行使対象上場株券の制限値幅に、転換比率を乗じて算出した額
(転換社債型新株予約権付社債券及び交換社債券を除く)債券	前営業日の終値から上下1円

参考

国債証券先物取引、指数先物取引、有価証券オプション取引、国債証券先物オプション取引及び指数オプション取引についても、OSEが呼値の制限値幅を定めている。

5 清算・決済規程

(1) 清算機関制度

市場において行われた取引の清算を一元的に行うための清算機関として、株式会社日本証券クリアリング機構がある。

清算機関は、証券・資金の効率的な授受のため、売り買いの数量・金額を相互に相殺して決済する「ネッティング」を行った上で、その結果の証券・資金の振替指図を決済機関に対して行っている。

(2) DVP決済

清算機関制度では、清算機関の介在により、有価証券と資金の授受を相互に条件付けることで元本リスクを排除した決済方式である「DVP決済」が実現されている。

用語

グロス決済

ネッティング決済に対して、売買の契約ごとに、売り買いの数量、金額をそのまま受渡して決済する方法をグロス決済という。

参考

証券の決済における「元本リスク」とは、証券の売方が買方に証券を引き渡したにもかかわらず、買方が代金の支払いを行わないこと、あるいは、証券の買方が売方に代金を支払ったにもかかわらず、売方が証券の引渡しを行わないことにより、証券や代金を元本ごと取りはぐれてしまう危険のことをいう。

第7章

取引所定款・諸規則／業務規程など

本番得点力が高まる！ 問題演習

問1 取引所の業務規程に関する次の記述のうち、正しいものには○を、誤っているものには×をつけなさい。

① 普通取引は、売買契約締結の当日に決済を行う。

② 株券の普通取引においては、配当金交付株主確定期日または新株予約権その他の権利確定期日の前日から配当落または権利落として売買が行われる。

③ 価格優先の原則により、売呼値においては、高い値段の売呼値が低い値段の売呼値に優先する。

④ 一般信用取引とは、品貸料、弁済の繰延期限等について、顧客との間で合意した内容に従って行う取引である。

⑤ 指値による呼値は、成行による呼値より値段的に優先される。

⑥ ザラ場とは、寄り付きと引けを除いた、通常の取引時間中の取引のことである。

⑦ 通常の取引時間中においては、板寄せ方式により約定値段が決定される。

⑧ 取引所市場で行われる有価証券の取引は、1日の値幅を前日の終値から一定範囲に制限しており、国債証券の呼値の値幅制限は、前日の終値から上下1円である。

⑨ 清算機関制度では、DVP決済が実現されている。

解答

①× 普通取引は、売買契約締結の日から起算して、3営業日目の日に決済を行う。

②○ 転換社債型新株予約権付債券については、行使条件が変更される日の2営業日前の日から、新たな取得対価、行使条件により売買が行われる。

③× 売呼値においては、低い値段の売呼値が高い値段の売呼値に優先し、買呼値においては、高い値段の買呼値が低い値段の買呼値に優先する。

④○ なお、信用取引には一般信用取引の他に、東証の定めに従い取引を行う、制度信用取引がある。

⑤× 成行による呼値が指値による呼値より値段的に優先される。なお、成行とは価格を指定しないで売買注文を出すことであり、指値とは価格を指定して売買注文を出すことである。

⑥○ ザラ場とは板寄せ方式で価格をきめる寄り付きと引けを除いた間の取引時間帯のことである。

⑦× 通常の取引時間中（ザラ場）の取引においては、価格優先・時間優先の原則に従い、個別競争売買により約定値段が決定される。

⑧○　転換社債型新株予約権付社債券及び交換社債券を除く上場債券の制限値幅は、原則、前日の終値の上下1円である。

⑨○　DVP方式とは、清算機関の介在により、有価証券と資金の授受を相互に条件付けることで元本リスクを排除した決済方式である。

受託契約準則
守ってくださいね。

4.

受託契約準則

1 取引の受託

　受託契約準則とは、取引所と取引参加者との間における取引所取引に関する契約内容を定めたものである。

　取引参加者は、取引所市場における有価証券の売買等を受託するにあたって、取引所の定める受託契約準則に従わなければならない。

　取引参加者の顧客もまた、取引参加者に取引を委託する場合、次の事項を遵守すべき義務がある。

● 有価証券の売買委託時の遵守事項

・住所・氏名等の通告。
・売買の種類、銘柄、売付け・買付けの区別、数量、値段の限度、売付けまたは買付けを行う売買立会時、委託注文の有効期間、空売り・信用取引により行う場合は、その旨を明確に取引参加者へ指示する。

2 発行日決済取引

　取引参加者の顧客は、発行日決済取引の売買を取引参加者に委託する場合、東証が定める様式の約諾書に所定事項を記載し、署名または記名押印して、取引参加者に差し入れなければならない。

　発行日決済取引が成立した場合、顧客は約定価額の30%以上の金銭を委託保証金として、売買成立の日から起算して3営業日目の日の正午までの取引参加者が指定する日時までに差し入れなければならない。

　委託保証金は有価証券で代用できるが、その代用価格は差し入れる日の前日の時価に代用掛目を乗じた額以下でなければならない。

　また、外国法人が発行し、かつ、国内の金融商品取引所に上場している円貨建外国債券も、発行日決済取引における代用有価証券として利

用することができる。

相場の変動等によって計算上損失額が生じ、そのために当初委託保証金の残額がその約定価額の20%を下回ることとなったとき、取引参加者は、顧客からその約定価額の30%を維持するに足る額を委託保証金として、損失計算が生じた日から起算して3営業日目の日の正午までの取引参加者が指定する日時までに追加差し入れさせる必要がある。

3 信用取引

(1) 信用取引の開始と売買

顧客は、売買の委託につき信用取引口座を設定しようとするときは、取引参加者に申し込み、承諾を受けた後、取引所が定める様式の信用取引口座設定約諾書に署名または記名押印して、取引参加者に差し入れなければならない。

また、取引参加者は、売買の委託の際に信用取引の指定が顧客からなかった場合、信用取引によることができず、反対売買による決済はできない。したがって顧客は、信用取引を行おうとするときは、必ずその売買の委託が信用取引であることをそのつど明示しなければならない。

信用取引による売付けまたは買付けが成立したとき、顧客は、一定の額以上の金銭を委託保証金として、売買成立の日から起算して3営業日目の日の正午までの取引参加者が指定する日時までに差し入れなければならない。

(2) 委託保証金

① 差入れの際、受入保証金がない場合

・約定価格に30%を乗じた額（以下、通常の最低限度額）が30万円以上のときは、通常の最低限度額。レバレッジ指標等に連動することを目的とする商品については、委託保証金率30%に当該一定の倍率（当該一定の数が0に満たないときは当該一定の倍率を0から差し引いた数）を乗じた率を委託保証金率とする。

・通常の最低限度額が30万円未満のときは、30万円。

② 差入れの際、受入保証金がすでにある場合

・受入保証金の総額と新たに行った信用取引の通常の最低限度額との合計額が30万円以上のときは、通常の最低限度額。

・その合計額が30万円未満のときは、その差額を通常の最低限度額に加算した額。

なお、信用取引の委託保証金についても、発行日決済取引の委託保証金代用有価証券と同様に、代用掛目によって代用することができる。

4 外貨による金銭の授受

有価証券の売買に係る顧客と取引参加者との間の金銭の授受は、すべて円貨で行うことが前提であるが、受託取引参加者が同意した場合、顧客の指定する外貨により行うことができる。

5 債務不履行

取引参加者は、顧客の債務不履行に対し、任意でその顧客の計算において、売付や買付契約を締結することができる。これによって取引参加者が損害を被った場合は、顧客のために占有している、または取引参加者の口座に記録している顧客の金銭や有価証券をその損害の賠償に充当し、なお不足があるときはその不足額の支払いを顧客に対し請求することができる。

● 有価証券の売買における顧客の債務不履行

・所定の時限までに売付有価証券または買付代金を取引参加者に交付しないとき
・所定の時限までに発行日決済取引につき預託すべき委託保証金または損失計算が生じた場合において損失額に相当する金銭を取引参加者に預託しないとき
・所定の時限までに信用取引に関し、取引参加者に預託すべき委託保証金または支払うべき金銭を預託しない、または支払わないとき
・所定の時限までに信用取引に関し、取引参加者に貸付けを受けた買付代金または売付有価証券の弁済を行わないとき

受託契約準則は、取引所を利用するための重要なルール。
「取引参加者」のほか、「顧客」もこのルールを守らなければいけない。

本番得点力が高まる！ 問題演習

問1 受託契約準則に関する次の記述のうち、正しいものには〇を、誤っているものには×をつけなさい。

① 受託契約準則は、取引参加者だけでなく、顧客についてもまた対等の契約を締結した者として熟知し遵守すべき義務がある。

② 発行日決済取引において、取引が成立した場合、顧客は委託保証金を売買成立日から4営業日目の日までに差し入れなければならない。

③ 顧客は、信用取引による売付けまたは買付けが成立したときは、一定額以上の金銭を委託保証金として、売買成立の日から起算して3営業日目の日の正午までの取引参加者が指定する日時までに差し入れなければならない。

④ 有価証券の売買に係る顧客と取引参加者との間の金銭の授受は、いかなる場合においても円貨で行わなければならない。

⑤ 外国法人が発行し、かつ、国内の金融商品取引所に上場されている円貨建外国債券は、発行日決済取引の委託保証金の代用有価証券とすることができる。

 解答

①〇 受託契約準則は、「取引参加者と顧客とは、あくまでも対等の立場で契約を締結するものである」という観点から定められているためである。

②× 発行日決済取引において、取引が成立した場合、顧客は約定価額の30％以上の金銭を売買成立日から起算して3営業日目の日の正午までの取引参加者が指定する日時までに委託保証金として差し入れなければならない。

③〇 なお、差し入れる委託保証金は、受入保証金の有無によって変わる。

④× 有価証券の売買に係る顧客と取引参加者との間の金銭の授受は、すべて円貨で行うことが前提であるが、受託取引参加者が同意した場合、顧客の指定する外貨により行うことができる。

⑤〇 なお、このほか、外国国債証券で国内の取引所に上場されている銘柄も、発行日決済取引の委託保証金の代用有価証券とすることができる。

第7章

取引所定款・諸規則　受託契約準則

第8章

株式業務

予想配点　52点／440点
出題形式
○×方式…6問
五肢選択方式…4問
（配点と出題形式はTACの予想です）

　株式取引の種類や売買の形態や有価証券の売買等の受託に必要な注意事項など、株式の売買取引をする際に必要な知識について学習します。また、株の値上がり益や配当金の受取りなどに必要な投資や信用取引に関わる計算についても解説します。

関連章　　第7章

株式について、その取引❶、売買❷、信用取引❹
❺❻などの基本情報をベースに紹介します。

また証券投資に関連する諸々の計算❸についても解説します。

信用取引に関する計算❼については頻出項目なので、しっかりと理解して正解を導き出せるようになっておくのが賢明です。

1.

株式の取引

株式は自由に
売買することが
できるけど、
ルールがあるんだ。

重要度
★★☆

1 取引の種類

　株式の取引は、株式が上場しているか否かや、売買される場所が取引所か取引所外かによって区分される。

● **株式取引の全体像**

● **株式取引の種類**

（1）取引所売買

　上場株式の売買で、金融商品取引所（以下、取引所）で行われる売買を取引所売買という。

　有価証券の現物の売買を行う取引所には、東京証券取引所（東証）、名古屋証券取引所（名証）、福岡証券取引所（福証）、札幌証券取引所（札証）がある。このほか、デリバティブに特化した大阪取引所（大証、OSE）がある。

① 売買立会時

　売買立会は、休業日を除いて、一定の時間に行われる。この時間を売買立会時という。

② 立会時間

	東証	名証、札証、福証
前場	9:00 ～ 11:30	9:00 ～ 11:30

| 後場 | 12:30 ～ 15:00 | 12:30 ～ 15:30 |

③ 売買単位

内国株券は、上場会社が単元株式数を定めているときは当該単元株式数、定めていないときは1株とされる。

(2) 取引所外売買

上場株式等の売買で、取引所外での売買を取引所外売買という。

(3) 店頭取引

非上場株式である店頭有価証券の売買を店頭取引という。

店頭有価証券は、一定レベル以上の開示が要求される「店頭取扱有価証券」と、「店頭取扱有価証券以外の店頭有価証券(いわゆる青空銘柄)」がある。

さらに、「店頭取扱有価証券」には、金融商品取引業者が気配提示を行った上で投資勧誘を行うことができるフェニックス銘柄がある。

2 売買の形態

株式の売買の形態は、次のように区別される。

● 株式売買の形態

株式の売買 (自己取引)	金融商品取引業者が自己の計算で行う売買のこと。取引所売買と、取引所を通さず金融商品取引業者自身が相手方となり、顧客の売買注文に応じる仕切取引がある。
株式の売買の取次ぎ (委託取引)	顧客からの売買注文を、顧客の計算において金融商品取引業者の名をもって行う取引のこと。顧客からの売買注文を取引所で執行する場合、多くがこの形態となる。
株式の売買の代理	顧客からの売買注文を、顧客の名をもって金融商品取引業者が代理人であることを明示して行う取引のこと。金融商品取引業者が顧客と代理人契約を結んで行われる。
株式の売買の媒介	株式の売買において、売り手と買い手の間に入って売買を成約させようとする行為のこと。金融商品取引業者が顧客からの要請により取引所外において売買の仲立ちを行うことなどが該当する。

参考

東証は2024年11月5日をめどに後場の取引終了時刻を15:30に変更する予定。
また、後場大引けに「クロージング・オークション」を導入予定(15:25～15:30の5分間)。直前約定値段等から更新値幅の2倍までの取引が成立可能となる。

参考

「自己の計算」とは、自分(金融商品取引業者)のお金」で「自分の名前」を取引相手に示して行う売買のこと。
一方、「取次ぎ」は、「他人(顧客)のお金」で「自分の名前」を取引相手に示し行う売買のこと。

3 売買の受託

有価証券の売買等の受託には、投資者保護及び不公正取引防止等のコンプライアンス上の観点から様々な確認義務が設けられている。

用語

コンプライアンス
法律や規則などに背くことなく企業活動を行うこと。

（1）売買等の受託にあたっての注意事項

① 顧客の住所、氏名等の調査と取引時確認及び個人番号の提示

金融商品取引業者は、有価証券の売買等を行う顧客について、氏名、住所及び連絡先等を記載した顧客カードの整備を義務付けられている。また、取引を開始する際には、顧客からの本人確認書類及び個人番号（マイナンバー）確認書類の提示を受けなければならない。

なお、口座開設の際は、反社会的勢力ではない旨の確約を受ける等が義務付けられている。

② 投資勧誘

金融商品取引業者は、投資勧誘にあたって、適合性の原則や自己責任原則の徹底、顧客に迷惑を覚えさせるような時間に電話や訪問での勧誘の禁止、契約締結前の書面交付義務の徹底などが求められている。

③ 不公正取引防止

内部者取引（インサイダー取引）の受託、仮名取引の受託及び名義貸しは禁止されている。

④ 空売り規制

空売りとは、保有していない有価証券の売却、または、有価証券を金融商品取引業者から借り入れて売却することをいう。

● **空売り規制の条件等**

借入れ有価証券の裏付けの確認等	金融商品取引所の会員等は、借入れ有価証券の空売りの委託については、決済措置が講じられていることが確認できないときは、その空売りを行ってはならない。
明示及び確認業務	・顧客から有価証券の売買注文を受ける場合、空売りであるか否かを確認しなければならない。 ・金融商品取引業者は、自己の計算による売付け、顧客から受託する売付けが空売りに該当する場合、市場で行う空売りは取引所に明示しなければならない。
空売りを行う場合の価格等	一定の条件を満たした銘柄についてのみ価格規制が適用される。これをトリガー方式という。 【価格規制の条件】

空売りを行う場合の価格等	空売りに係る銘柄の価格が、前日終値等を基礎として算出される基準価格から10%以上低い価格で約定が成立した場合(これをトリガーに抵触した場合という)価格規制が適用される。

⑤ 安定操作期間中の受託

　安定操作取引とは、相場を安定させるために行われる一種の相場操縦であり、本来は禁止されているが、有価証券の募集・売出し等を行う場合は一定の要件のもとで認められている。

　募集・売出し等の価格決定日の翌日から募集・売出しの申込最終日までの、安定操作取引ができる期間を安定操作期間といい、募集・売出し等の発表日の翌日から払込までの期間をファイナンス期間という。

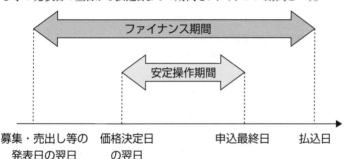

| 募集・売出し等の発表日の翌日 | 価格決定日の翌日 | 申込最終日 | 払込日 |

● 安定操作期間中の禁止行為

元引受金融商品取引業者	安定操作期間中に自己の計算による買付けが禁止されているため、自己対当を伴う取引を顧客から受託することはできない。ただし、株式累積投資及び株式ミニ投資については受託を行うことができる。
金融商品取引業者	安定操作取引またはその受託をした金融商品取引業者が、当該銘柄の株券等に関し、安定操作期間中に、顧客に対して安定操作取引が行われた旨を表示しないで買付けの受託等をすることは禁止されている。

(2) 注文の執行と決済 (受渡し)

① 株式の委託注文内容の確認

　顧客が金融商品取引業者に有価証券の売買の注文を出す際は、以下の事項をそのつど指示しなければならない。

①売買の種類、②銘柄、③売付けまたは買付けの区別、④数量(売買の単位)、⑤値段の限度、⑥売付けまたは買付けを行う売買立会時(寄付き、引け、ザラ場等)、⑦委託注文の有効期間(本日中など)、⑧現物取引または信用取引の別

② 注文伝票の作成

　金融商品取引業者は、顧客から売買を受託した場合、注文伝票を作成しなければならない。注文伝票の記載事項は、以下のとおりである。

①自己または委託の別、②顧客の氏名・名称、③取引の種類、④銘柄、⑤売付けまたは買付けの別、⑥受注数量、⑦約定数量、⑧指値または成行の別、⑨受注日時、⑩約定日時、⑪約定価格

③ 契約締結時交付書面の作成

　売買が成立した場合、金融商品取引業者は「契約締結時交付書面」を作成し、遅滞なく顧客に交付しなければならない。この目的は、以下のとおりである。

・顧客保護：注文が誠実に行われたかを顧客が速やかに確認するため
・金融商品取引業者の自己防衛：顧客に売買が成立したことを確認させ円滑な受渡しをはかるため

　なお、契約締結時交付書面に記載すべき事項は以下のとおりである。

①金融商品取引業者等の商号、名称または氏名、②営業所または事務所の名称、③契約、解約または払戻しの概要、④契約の成立、解約または払戻しの年月日、⑤手数料等に関する事項、⑥顧客の氏名または名称、⑦顧客が金融商品取引業者に連絡する方法、⑧有価証券の売買その他の取引等の共通記載事項、⑨その他特則　等

④ 受渡し

　受渡しとは、例えば、株式を売買したとき顧客が買付代金を渡して株券を受け取り、反対に株券を渡して売付代金を受け取り、決済することをいう。なお、上場株式は電子化されており株券は発行されないため、金融商品取引業者の振替決済口座に振替株式として記載（記録）される。

　取引所において普通取引で売買したときの受渡しは、売買成立の日から起算して3営業日目に行われる。

(3) 株式の売買に係る手数料

顧客が金融商品取引業者を通じて株式の売買を行う形態には、委託取引と仕切取引とがあり、株式の売買に係る手数料が次のように決められている。

● 委託・仕切取引における株式売買手数料

委託取引	金融商品取引業者は株式売買注文が成立したときに、顧客より委託手数料を受け入れる。手数料は、完全自由化され、金融商品取引業者と顧客との合意により定められる。
仕切取引	顧客との合意により定められた手数料を徴収する場合と、手数料相当分を含んだ売買値段で約定することにより手数料を別途徴収しない場合がある。

用語

委託取引
金融商品取引業者が売買を委託されて行う取引である。

用語

仕切取引
取引所外で金融商品取引業者が顧客と直接相対で売買する取引である。

本番得点力が高まる! **問題演習**

問1 株式の取引に関する次の記述のうち、正しいものには○を、誤っているものには×をつけなさい。

① 金融商品取引業者は、上場銘柄において空売りを行おうとする場合、いかなる場合も直近の価格以下の価格による空売りの禁止という価格規制が行われる。

② ファイナンス期間とは、募集・売出し等の発表日の翌日から振込日までの期間をいう。

③ 注文伝票に記載すべき事項のひとつに「手数料」がある。

④ 金融商品取引業者が顧客から売買を受託した際の注文伝票に書くべき事項には、自己または委託の別がある。

⑤ 顧客からの注文が執行された場合、売買成立の有無にかかわらず、金融商品取引業者は契約締結時交付書面を作成し、遅滞なく顧客に交付しなければならない。

⑥ 取引所における普通取引の受渡しは、売買成立の日から起算して3営業日目に行われる。

解答 ①× 空売りに係る銘柄の価格が、前日終値等を基礎として算出される基準価格から10%以上低い価格で約定が成立した場合（これをトリガーに抵触した場合という）、価格規制が行われる。

②○ なお、安定操作取引のできる期間は安定操作期間といい、募集・売出し等の価格決定日の翌日から募集・売出しの申込最終日までの期間をいう。

③× 手数料に関する事項は、契約締結時交付書面に記載すべき内容である。

④○ 注文伝票に書くべき事項は、自己または委託の別、顧客の氏名・名称、取引の種類、銘柄、売付けまたは買付けの別、受注数量、約定数量、指値または成行の別、受注日時、約定日時、約定価格がある。

⑤× 売買が成立した場合、金融商品取引業者は契約締結時交付書面を作成し、遅滞なく顧客に交付しなければならない。

⑥○ 取引所取引において、普通取引は最も一般的な取引である。

株式ミニ投資は、
10分の1の資金から、
株を買えるんだ。

2. いろいろな株式の売買

重要度 ★★☆

1 金融商品取引所における株式の売買

金融商品取引所における株式の売買は、決済日の違いによる区分、信用供与の有無による区分、売買立会市場によるか否か等の区分に分けられる。

(1) 決済日の違いによる区分

金融商品取引所における株式の売買は、決済日の違いにより、普通取引、当日決済取引、発行日決済取引の3種類に区分することができる。また、取引所における金融商品取引業者間の現物取引決済に、DVP決済が導入されている。DVP決済とは、資金と証券の同時または同日中の引渡しを行う決済のことであり、取引相手の決済不履行から生じる元本リスクを排除することができる。

(2) 信用供与の有無による区分

① 現物取引

現物取引とは、売買をする人（法人）が、自己の有価証券の売却または自己の資金で有価証券の買付けを行う取引である。

② 信用取引

信用取引とは、投資家が金融商品取引業者から、買付代金の貸付けを受けて有価証券の買付けを行う、または有価証券の貸与を受けて売付けを行う取引である。

(3) 売買立会市場によるか否かの区分

① 立会内売買（立会市場による売買）

立会内売買は、オークション方式で売買が行われる。オークション方式による売買とは、価格優先・時間優先の原則に従って、個別競争売買により行われる売買のことである。

用語

決済日
売買取引が完了する日のこと。

用語

現物
実在するモノのことであり、受渡しが可能な実物資産のこと。

161

② 立会外売買（立会市場以外の市場における売買）

立会外売買とは、取引所取引の一形態であり、対象銘柄・決算日・信用取引の利用等は通常の立会内売買と同様である。各取引所の電子取引ネットワークシステムを介して行われる売買制度であり、個別競争売買によらず、一般的には売方と買方が価格・数量・決済日等について合意の上、クロス取引にて約定を成立させる。

取引対象は、上場株式（内国株式及び外国株式）をはじめ、新株予約権付社債、ETF、J-REIT等も含まれる。

● 立会外売買の種類

立会外 単一銘柄取引	単一銘柄のクロス取引のこと。最低売買単位から取引することができる。
立会外 バスケット取引	複数の銘柄で構成されるポートフォリオをワンセットで売買する取引のこと。15銘柄以上で構成され、かつ、総額1億円以上のポートフォリオについて利用できる。
終値取引	終値あるいはVWAPに基づき行う取引のこと。
自己株式立会 外買付取引	買方を発行会社に限定した自己株式取得専用の取引である（東証）。

（4）発行日決済取引（発行日取引）

① 発行日決済取引

発行日決済取引とは、金融商品取引業者が顧客のために行う未発行の有価証券の売買その他の取引である。有価証券の発行日から一定の日を経由した日までに、その有価証券等をもって受渡しをするものをいう。

取引の対象となる銘柄は、既に取引所に上場されている国内会社による株主割当増資に伴い発行される新株式で、その会社が上場に必要な手続きを完了し、かつ取引所の承認を受けたものである。

2 株式の店頭取引

取引所に上場していない有価証券は、店頭有価証券とされている。さらに、店頭取扱有価証券とそれ以外の店頭有価証券に分類される。

これらの取引の方法については次のとおりである。

（1）店頭有価証券の売買

取引の方法には、委託や仕切りの形式があり、売買は協会員間・協会員と顧客との相対（相対売買）で行う。店頭有価証券では、非上場

PTS銘柄取引の場合を除き、成行注文の受託、信用取引、未発行店頭有価証券の店頭取引が禁止されている。

● **売買の方法**

委託形式の売買	顧客から委託された協会員が他の協会員に取り次ぐ等によって売買する方法
仕切取引	顧客の売買に対し、協会員の自己勘定(計算)で、約定を成立させる方法

(2) 店頭取扱有価証券

　店頭取扱有価証券及び上場有価証券の発行会社が発行した店頭取扱有価証券については、一定の要件のもと、適格機関投資家以外の顧客等に対しても、投資勧誘を行うことができる。

(3) 店頭取扱有価証券以外の店頭有価証券

　店頭取扱有価証券以外の店頭有価証券は、原則、顧客に対して、投資勧誘を行うことはできない。ただし、次の場合は投資勧誘ができる。

・経営権の移転等を目的とした一連の店頭有価証券の取引または取引の媒介の場合

　　なお、経営権の移転等を目的とした場合でも、買付者または買付者が指名した者が発行会社の代表者に就任することは求められない。

・少数 (50人未満) の投資家に対してのみ勧誘を行う場合で、自ら企業価値評価等が可能な特定投資家 (個人を除く) に対して行う場合

・株主コミュニティ規則に係る「株式コミュニティ銘柄」及びクラウドファンディング規則に係る「株式投資型クラウドファンディング業務に係る株券」の場合

・「店頭有価証券等の特定投資家に対する投資勧誘等に係る規則」の規定に係る店頭有価証券等

3 上場株券等の取引所金融商品市場外での売買

　取引所金融商品市場外 (取引所外) では、通常、金融商品取引業者の店頭において金融商品取引業者との相対交渉により売買を行う。したがって、取引所売買と取引所外売買では同一銘柄、同一時間に成立した売買であっても価格が異なることがある。

　取引所外売買は、機関投資家等からの大口の売り注文 (買い注文) を金融商品取引業者が相手方となって買付け (売付け) を行うような場合に

多く用いられる。

　なお、上場株券等の取引所外売買は、立会時間外だけでなく立会時間内（取引所が開いている時間内）でも取引を行うことができる。

● **対象となる上場株券等**

　・株券
　・出資証券
　・転換社債型新株予約権付社債券
　・交換社債券
　・新株予約権付社債券、新株予約権証券
　・投資信託受益証券、外国投資信託受益証券
　・投資証券、新投資口予約権証券、外国投資証券
　・外国株預託証券

(1) PTS（私設取引システム）

　PTS（私設取引システム）による売買は、取引所外売買の一形態である。PTSとは、原則、内閣総理大臣の認可を受けた金融商品取引業者が開設する電子取引の場であり、このPTSに投資家や金融商品取引業者が注文を出すことで取引が行われる。

　PTSにおいては、非上場の特定投資家向け有価証券の取扱いが認められている。

　PTSの売買価格決定方法には、①オークション（競売買）の方法、②上場されている取引所における売買価格を用いる方法、③顧客の間の交渉に基づく価格を用いる方法などがある。

参考

株式累積投資が、毎月一定日に特定の銘柄の株式等を買い付ける一方、株式ミニ投資は、任意の時に単元未満株のまま任意の銘柄を売買する制度である。ともに1売買単位に満たない株式を取引できるが、株式ミニ投資の方がより自由度が高い。

4 株式累積投資

　投資者から資金を預かり、毎月一定日に特定の銘柄の株式等を買い付ける制度を株式累積投資という。投資者が買い付けできる銘柄は金融商品取引業者が選定する銘柄（選定銘柄）となる。株式累積投資の特徴は、投資者が少額の資金で株式等の投資を行うことが可能な点である。一般に月々1万円から1,000円単位で投資できる。払込金額は、1顧客の1銘柄に係る買付金額は100万円未満である。

5 株式ミニ投資

　株式ミニ投資とは、取引所の定める1売買単位に満たない株式売買のことである。

(1) 株式ミニ投資の概要

株式ミニ投資契約の締結	取扱金融商品取引業者が、顧客と株式ミニ投資の契約を結ぶ場合には、あらかじめ、株式ミニ投資約款を交付しなければならない。また、取扱金融商品取引業者が、顧客から株式ミニ投資の注文を受ける際には、株式ミニ投資約款に基づく取引契約を締結しなければならない。
取引単位	取引単位は、取引所の定める1売買単位の10分の1単位である。顧客から受託できる株数は、同一営業日において、同一銘柄につき、1取引単位に9を乗じた単位までである。
取扱対象銘柄	上場されている株券の中から、取扱金融商品取引業者が選定する。
注文の方法	売買注文のつど、①銘柄、②買付けまたは売付けの区別、③数量を明示しなければならない。
約定日及び受渡日	顧客から注文を受託した日の翌営業日が約定日で、約定日から起算して3営業日目を受渡日とする。
約定価格	約定日の取引所の価格に基づき決定される。指値注文はできない。

用語

取扱金融商品取引業者
対象となる商品を取り扱っている金融商品取引業者のこと。

6 株式の上場

　株式の新規上場は、公募増資または売出し等により行われる。上場前の公募等の価格である公開価格の決定方法には、競争入札とブック・ビルディング方式の2種類がある。

競争入札	競争入札とは、上場前の公募等株数の50%以上の株式を一般投資者が参加する入札に付し、公開価格を決定する方法である。
ブック・ビルディング方式	ブック・ビルディング方式とは、上場予定会社の財政状態、経営成績及び専門家の意見などを総合的に勘案して決定された公開価格の仮条件を決定する。その後、投資者の需要状況、上場日までの株式相場の変動リスクなどを総合的に勘案して、公開価格を決定するものである。

参考

株式の上場のメリットは、資金調達力の拡大、社会的信用の向上、企業のPR効果、などが考えられる。

参考

ブック・ビルディング方式は、「需要積み上げ方式」とも呼ばれる。

7 外国株式の取引

　金融商品取引業者が顧客と外国証券の取引に関する契約を締結する

参考

ここでいう外国証券とは、外国株券、外国投資証券、外国預託証券等を指す。

場合、または、顧客から外国証券の取引の注文を受ける場合は、あらかじめ各金融商品取引業者が定める様式の外国証券取引口座に関する約款を顧客に交付し、約款に基づく取引口座の設定を申し込む旨記載された申込書を受け取る必要がある。

(1) 外国証券取引の形態

一般投資家が行うことができる外国証券取引は、国内委託取引、外国取引、国内店頭取引に区分される。

① 国内委託取引

国内委託取引とは、国内で上場している外国証券の取引である。

売買の種類	当日決済取引、普通取引の2種類のみである。
売買単位	売買単位は1,000株、500株、100株、50株、10株、1株がある。
決済・保管	決済は国内株券と同様。売買された証券は当該発行会社の現地の保管機関に証券保管振替機構(ほふり)名義で預託される。

② 外国取引

外国取引とは、金融商品取引業者が、顧客からの外国証券の委託注文を、外国の金融商品市場（店頭市場も含む）に取り次ぐ取引をいう。

約定日	海外市場への注文は時差があるため、約定日は執行地(海外)の売買注文の成立を金融商品取引業者(日本)が確認した日となる。
決済・保管	決済は国内株券と同様で、約定日から起算して3営業日目である。顧客の買い付けた証券は、金融商品取引業者の名義で金融商品取引業者の指定する現地の保管機関に保管される。

③ 国内店頭取引

国内店頭取引とは、外国証券の国内における店頭取引をいい、金融商品取引業者が投資家の相手方として仕切り売買する取引である。

取引価格	取引価格は、合理的な方法で算出された時価(社内時価)を基準とする適正な価格でなければならない。

本番得点力が高まる! 問題演習

問1 株式に関する次の記述のうち、正しいものには○を、誤っているものには×をつけなさい。

① 立会外売買とは、個別競争売買によらず、原則、売方と買方が価格・数量・決済日等について合意の上、クロス取引で約定させる売買である。

② ブック・ビルディング方式とは、最初に公開価格の仮条件を決定し、その仮条件を基に投資者の需要状況などを総合的に勘案して、上場前の公開価格を決定する方法である。

③ DVP決済とは、資金と証券の同時または同日中の引渡しを行う決済のことである。

④ 株式の立会外バスケット取引とは、複数の銘柄で構成されるポートフォリオをワンセットとして売買する取引のことで、15銘柄以上で構成され、総額5億円以上のポートフォリオについて利用できる。

⑤ 上場株式の売買取引の取引所外取引は、立会時間外のみ行うことができる。

⑥ PTS (私設取引システム) による売買の価格決定方法には、オークションの方法のみが用いられる。

⑦ 株式ミニ投資の約定価格は、約定日の取引所の価格に基づき決定されるため、顧客は株式ミニ投資の売買の注文をする際、指値注文をすることができない。

⑧ 金融商品取引業者が顧客から外国証券の取引の注文を受ける場合、あらかじめ外国証券取引口座に関する約款を顧客に交付し、外国証券取引口座設定に関する申込書を徴収しなければならない。

解答

①○ なお、クロス取引とは、同じ銘柄に対して、同じ数量、同じ価格での買い注文と売り注文をぶつける取引のことである。

②○ なお、株式の新規上場の際の公開価格の決定方法には、ブック・ビルディング方式と競争入札がある。

③○ よって、DVP決済は取引相手の決済不履行から生じる元本リスクを排除することができる。

④× 株式の立会外バスケット取引は、15銘柄以上で構成され、総額1億円以上のポートフォリオについて利用できる。

⑤× 上場株式の売買取引の取引所外取引は、立会時間外だけでなく、立会時間内でも行うことができる。

⑥× 私設取引システム (PTS) による売買の価格決定方法には、オークション

の方法、取引所の売買価格を用いる方法、顧客間の交渉に基づく価格を用いる方法などがある。

⑦○　なお、株式ミニ投資は単元未満株のまま売買できる制度だが、その約定日は、金融商品取引業者が顧客から注文を受けた日の翌営業日となる。

⑧○　なお、一般投資家が行うことができる外国証券取引は、国内委託取引、外国取引、国内店頭取引に区分される。

3.

重要な得点源!

証券投資計算

重要度
★★★

1 株式売買の受渡金額

　株式売買の代金は、約定日から起算して3営業日目に受渡しが行われる。この代金は、約定代金 (株価×株数) に、株式の売買注文を出した金融商品取引業者に支払う委託手数料と委託手数料に係る消費税相当額を加算 (売付けの場合は減算) したものとなる。

● 株式売買の受渡金額を求める公式

$$買付け時の受渡金額 = 株価 × 株数 + \left(委託手数料 + 委託手数料の消費税相当額 \right)$$

$$売付け時の受渡金額 = 株価 × 株数 - \left(委託手数料 + 委託手数料の消費税相当額 \right)$$

> **参考**
>
> 株式売買の受渡金額は、買付け時と売付け時で計算式が違うことに注意しよう。

--- 例 題 ---

　A社株式を成行注文で5,000株の買い注文を出したところ、同一日に500円で4,000株、520円で1,000株の約定が成立した。同一日に、同一銘柄が別々に約定した場合でも、一口注文として手数料を計算することとする。この場合の受渡金額はいくらになるか。なお、株式委託手数料は表1により計算し、小数点以下は切り捨てること。

● 〈表1〉

約定代金		委託手数料率
	100万円以下の場合	約定代金総額×1.150%
100万円超	500万円以下の場合	約定代金総額×0.900%＋2,500円
500万円超	1,000万円以下の場合	約定代金総額×0.700%＋12,500円

解答

A株式の約定代金＝（500円×4,000株）＋（520円×1,000株）

　　　　　　　＝2,520,000円

委託手数料　　＝2,520,000円×0.900％＋2,500円

　　　　　　　＝25,180円

委託手数料の消費税相当額＝25,180円×10％＝2,518円

A株式の受渡金額＝2,520,000円＋25,180円＋2,518円

　　　　　　　＝2,547,698円

2 権利付相場、権利落相場

　株式分割及び株主割当有償増資では、新株割当期日の2営業日前までの株価は、新株の割当てを受ける権利を持った価格で取引されるため、権利付相場という。新株割当期日1営業日前からは、その株は新株の割当てを受ける権利がなくなり、株価はその権利分の価値だけ値下がりをすることから、権利落相場という。

```
新株割当期日の2営業日        新株割当期日の1営業日
前までの株価を、権利付        前からの株価を、権利落
相場という。                相場という。

□            □            □
2営業日前     1営業日前    新株割当期日
```

● 権利付相場、権利落相場を求める公式

$$権利付相場 ＝ 権利落相場×分割比率$$

$$権利落相場 ＝ \frac{権利付相場}{分割比率}$$

例題1

　時価1,400円の株式が1:1.4の株式分割をすることになった場合、権利落相場はいくらと予想されるか。

解答 1

権利落相場＝1,400円÷1.4＝<u>1,000円</u>

例題 2

　1：1.5の株式分割を行うある株式の権利付相場は1,500円であるが、権利落後の値段が1,100円になったとすれば、権利付相場の1,500円に対していくら値上がりしたことになるか。

解答 2

権利付相場＝1,100円×1.5＝1,650円

1,650円－1,500円＝<u>150円</u>

---

3 株式利回り

　株式利回りとは、株価に対する年間の受取配当金の割合をいう。配当利回りともいう。一般的には、株式利回りが高い方が、株価は割安といえる。

参考

株式利回りを希望の利回りとして株価を算出すると、いくらで買えば希望の利回りが獲得できるかを知ることができる。

● **株式利回りを求める公式**

$$株式利回り（\%）＝\frac{1株当たり配当年額}{株価}×100$$

例題

今期1株当たり予想配当年額50円の株式の時価が2,500円であるとすれば、この株式の利回りはいくらか。

解答

株式利回り＝50円÷2,500円×100＝<u>2％</u>

---

4 株価収益率（PER）

　株価収益率（PER）とは、株価が、1株当たり利益（EPS）に対して何倍に買われているかを見る指標である。一般的には、PERが低い方が、株価は割安といえる。また、EPSが高いほどその企業の収益力が高いということになる。

● **株価収益率（PER）を求める公式**

$$1 株当たり当期純利益（EPS）= \frac{当期純利益（税引後）}{発行済株式総数}$$

$$株価収益率（PER）（倍）= \frac{株価}{1 株当たり当期純利益}$$

例 題

資本金200億円（発行済株式数5億株）、当期純利益（税引後）100億円、株価400円の会社の株価収益率は何倍か。

解 答

1 株当たり当期純利益＝100億円÷5億株＝20円

株価収益率＝400円÷20円＝<u>20倍</u>

5 株価キャッシュ・フロー倍率（PCFR）

株価キャッシュ・フロー倍率（PCFR）とは、株価が、1株当たりキャッシュ・フローに対して何倍に買われているかを見る指標である。一般的には、PCFRが低い方が、株価は割安といえる。

● **株価キャッシュ・フロー倍率（PCFR）を求める公式**

$$株価キャッシュ・フロー倍率（倍）= \frac{株価}{1 株当たりキャッシュ・フロー}$$

キャッシュ・フロー＝当期純利益（税引後）＋減価償却費

$$1 株当たりキャッシュ・フロー = \frac{キャッシュ・フロー}{発行済株式総数}$$

例 題

資本金500億円（発行済株式数5億株）、当期純利益（税引後）150億円、減価償却費50億円、株価1,400円の会社の株価キャッシュ・フロー倍率（PCFR）はいくらか。

解 答

キャッシュ・フロー＝当期純利益（税引後）＋減価償却費なので、

1 株当たりキャッシュ・フロー＝（150億円＋50億円）÷5億株

＝40円

キャッシュ・フロー倍率（PCFR）＝1,400円÷40円＝<u>35倍</u>

6 株価純資産倍率（PBR）

　株価純資産倍率（PBR）とは、株価が、1株当たり純資産（BPS）に対して何倍に買われているかを見る指標である。一般的には、PBRが低い方が、株価は割安といえる。

● **株価純資産倍率（PBR）を求める公式**

$$株価純資産倍率（PBR）（倍）＝\frac{株価}{1株当たり純資産}$$

参考

PBRが1倍の企業は、株価が資産価値（解散価値）と同水準ということである。

参考

純資産とは、企業の持っている全資産から借金などの負債を差し引いたもので、一般的に、BPSが大きいほど、企業の安定性が高いといえる。

例 題

　総資産600億円、総負債300億円、発行済株式数3,000万株、株価1,200円の会社の株価純資産倍率は何倍か。

解 答

　会社の純資産＝総資産－総負債＝600億円－300億円＝300億円

　1株当たり純資産＝300億円÷0.3億株＝1,000円

　株価純資産倍率＝1,200円÷1,000円＝<u>1.2倍</u>

---

7 自己資本利益率（ROE）

　自己資本利益率（ROE）は、株主の立場から見て、会社に投資した資金が、どれだけ利益をあげているのかを示すものである。一般的には、ROEが高い方が、投資対象として魅力的な企業といえる。

● **自己資本利益率（ROE）を求める公式**

$$自己資本利益率（\%）＝\frac{当期純利益（年換算）}{自己資本（期首・期末平均）}×100$$

※自己資本＝純資産－（新株予約権＋非支配株主持分）

例 題

　会社の決算期における自己資本（期末）と純利益（税引後）が以下であるとき、今期末の自己資本利益率はいくらか。

	自己資本（期末）	当期純利益（税引後）
前期	2,600	100
今期	3,000	140

解答

前期末の自己資本は今期の期首の自己資本となる。

自己資本（期首・期末平均）

＝（2,600百万円＋3,000百万円）÷2＝2,800百万円

自己資本利益率＝140百万円÷2,800百万円×100＝<u>5％</u>

8 総資産利益率（ROA）

　ROAは、自己資本利益率（ROE）と同じく、企業の活動内容をみるうえで使われる収益力指標の1つである。企業が事業活動に使った総資産（総資本）に対して毎年どれくらいの利益を生み出したかをみることができる。

● 総資産利益率を求める公式

$$総資産利益率（％）＝ \frac{当期純利益}{売上高} × \frac{売上高}{総資本（期首・期末平均）} × 100$$

$$＝ \frac{当期純利益}{総資本（期首・期末平均）} × 100$$

9 EV/EBITDA（イーブイ・イービットダー）倍率

用語

EBITDA
Earnings Before Interest（利払い前）、Taxes（税引き前）、Depreciation and Amortization（減価償却前の利益）の略称。

　EBITDA（イービットディーエー、イービットダー）は金利水準や税率、減価償却方法等の会計基準の違いを最小限に抑えた利益のことである。

　EV/EBITDA倍率は、国際的な収益力の比較をするために考えられた指標である。一般的には、EV/EBITDA倍率が低い方が、株価は割安といえる。

● **EV/EBITDA倍率を求める公式**

$$EV/EBITDA倍率（倍）= \frac{EV}{EBITDA}$$

EV（企業価値）＝ 時価総額 ＋ 有利子負債 － 現金預金 － 短期有価証券

EBITDA ＝ 税引前利益＋支払利息＋減価償却費

10 株式益回り

　株式益回りとは、株価収益率（PER）の逆数で、株価に対する税引後利益の割合をいう。

● **株式益回りを求める公式**

$$株式益回り（\%）= \frac{1株当たり当期純利益}{株価} \times 100$$

本番得点力が高まる！ 問題演習

問1 証券投資計算に関する次の記述のうち、正しいものには〇を、誤っているものには×をつけなさい。

① A社株式を、成行で2,000株の売り注文を出したところ、600円で2,000株の約定が成立した。約定代金が100万円超、500万円以下の場合の株式委託手数料は、約定代金総額×0.900％＋2,500円とすると、受渡金額は1,186,700円になる。

② 1：2の株式分割を行うある株式の権利付相場は2,000円で、権利落後の値段が1,050円となった場合、権利付相場2,000円に対して50円値上がりしたことになる。

③ 総資産500億円、総負債300億円、発行済株式数2,000万株、当期純利益（税引後）10億円、株価1,000円の会社のPBRは1.0倍、PERは20倍である。

④ 株価純資産倍率（PBR）は株価を1株当たり純資産で除して求める。

⑤ 当期純利益（税引後）100億円、減価償却費20億円、資本金200億円（発行済株式数2億株）、株価1,200円の会社のPERは24倍、PCFRは20倍である。

⑥ 会社の3月期末における自己資本が100億円（前期末・今期末で変動がないものとする）、純利益（税引後）が6億円であるとき、その年の3月期のROEは6％で

ある。

①× A株式の約定代金＝600円×2,000株＝1,200,000円、委託手数料
＝1,200,000円×0.900％＋2,500円＝13,300円、委託手数料の
消費税相当額＝13,300円×10％＝1,330円、A株式の受渡金額＝
1,200,000円－（13,300円＋1,330円）＝<u>1,185,370円</u>

②× 権利付相場＝1,050円×2＝2,100円、2,100円－2,000円＝<u>100円</u>
よって、100円値上がりしたことになる。

③○ 会社の純資産＝500億円－300億円＝200億円、1株当たり純資産＝
200億円÷0.2億株＝1,000円、PBR＝1,000円÷1,000円＝<u>1.0倍</u>、
1株当たり当期純利益＝10億円÷0.2億株＝50円、PER＝1,000円
÷50円＝<u>20倍</u>

④○ 株価純資産倍率（PBR）が低い方が株価は割安といえる。

⑤○ 1株当たり純利益＝100億÷2億株＝50円、PER＝1,200÷50円
＝<u>24倍</u>、1株当たりキャッシュ・フロー＝（100億円＋20億円）÷2億株
＝60円、PCFR＝1,200円÷60円＝<u>20倍</u>

⑥○ ROE＝6億円÷100億円×100＝<u>6％</u>

問2
資本金500億円、時価総額1,200億円、有利子負債1,000億円、保有現預
金300億円、短期有価証券100億円、税引前利益900億円、支払利息200
億円、減価償却費100億円であるときのEV/EBITDA倍率として正しいものはど
れか、1つを選びなさい。

① 1.2

② 1.5

③ 1.8

④ 2.0

⑤ 2.5

解答　正しいものは、②

基本的なEV/EBITDA倍率の計算である。公式は以下のとおり。

$$EV/EBITDA倍率 = \frac{EV}{EBITDA}$$

EV ＝ 時価総額 ＋ 有利子負債 － 現金預金 － 短期有価証券
EBITDA ＝ 税引前利益 ＋ 支払利息 ＋ 減価償却費

まずEVを計算する。

EV ＝ 時価総額 ＋ 有利子負債 － 現金預金 － 短期有価証券
　　＝ 1,200億円 ＋ 1,000億円 － 300億円 － 100億円
　　＝ 1,800億円

次にEBITDAを計算する。

EBITDA ＝ 税引前利益 ＋ 支払利息 ＋ 減価償却費
　　　　＝ 900億円 ＋ 200億円 ＋ 100億円
　　　　＝ 1,200億円

最後にEV/EBITDA倍率を計算する。

$$\frac{EV}{EBITDA} = \frac{1,800億円}{1,200億円} = 1.5$$

よって、②が正解となる。

4. 信用取引制度

信用取引は一般的な株式取引と比べ、手持ちのお金より多く投資できるんだ。

重要度 ★★☆

1 信用取引とは

信用取引とは、投資家がお金または有価証券を担保として出すことにより信用を得、自分の持っている資金以上の株式投資を行うことである。

金融商品取引法（以下、金商法）では、「金融商品取引業者が、顧客に信用を供与して行う有価証券の売買その他の取引」と定義されている。この信用の供与とは、顧客（金融商品取引業者も含まれる）に対する金銭または有価証券の貸付けまたは立替えのことである。

すなわち、顧客が有価証券の売買を行う際に、売付証券または買付代金を金融商品取引業者が顧客に貸し付け（信用供与）て受渡しを行い、現株または金銭を持たない者にもその売買を可能とした取引方法である。

2 信用取引の種類

信用取引は、制度信用取引と一般信用取引に区分されている。

（1）制度信用取引

制度信用取引とは、取引所に上場している株券等を対象とし、銘柄、品貸料及び返済期限、権利処理の方法が取引所の規則により一律に定められた信用取引である。金利については顧客と金融商品取引業者との間で自由に決定できる。

なお、制度信用取引は、貸借取引が利用できることで、一般信用取引と比べて取引量が多くなっている。

（2）一般信用取引

一般信用取引とは、取引所に上場している株券等を対象とするが、品貸料、返済期限及び金利は、顧客と金融商品取引業者との間で自由に決定できる信用取引である。しかし、この取引の決済のために、貸借取引を利用することはできない。

● 制度信用取引と一般信用取引の違い

	制度信用取引	一般信用取引
銘柄	取引所の 規定等により決まる	上場証券など
品貸料 返済期限 権利処理の方法		顧客と金融商品 取引業者との間で 自由に決められる
金利	顧客と金融商品取引業者との間で 自由に決められる	
貸借取引	使える	使えない

3 信用取引のしくみ

　信用取引は、顧客が一定の保証金（委託保証金）を担保として差し入れ、この普通取引の決済のために必要な資金または株券等を金融商品取引業者からの貸付けを受けて行う取引である。また、貸付けを受けた資金または株券などは、あらかじめ定められた期限までに返済することになる。返済の方法としては、反対売買による差金決済、あるいは、貸付けを受けた資金または株券等を引き渡して買付株券または売却代金を受け取る方法、いわゆる現引きまたは現渡しがある。なお、信用取引は、通常普通取引と同様の決済（決済日は売買成立日から起算して3営業日目）が行われる。

4 外国株式信用取引

　外国株式信用取引は、アメリカ合衆国の適格外国金融市場に上場している外国株券等のみが対象となり、それ以外は対象とならない。
　会員は外国株式信用取引による売付け又は買付けが成立したときは、委託保証金として約定日から起算して3営業日目の会員が指定する日時までに顧客から受け入れる。

● **国内株式の信用取引と外国株式信用取引の比較**

	国内株式の信用取引 (一般信用)	外国株式信用取引
対象となる株式	国内証券取引所上場株式等のうち証券会社が選定した銘柄	米国取引所上場株式等のうち、協会が定める銘柄選定等に係るガイドラインに適合する中から証券会社が選定した銘柄
取引に利用される口座	国内株式信用取引口座	外国株式信用取引口座 (国内株式信用取引口座とは別の口座)
最低保証金率	約定代金の30%※1	約定代金の50% (保証金府令が適用され、外国証券取引規則により50%と規定される)
最低保証金	30万円※1	会員が定める金額(米ドル)※2
最低保証金 維 持 率	約定代金の20% (取引所規則が適用される)	約定代金の30% (外国証券取引規則が適用される)

※1　保証金府令の適用対象
※2　30万円相当以上の米ドル

本番得点力が高まる! 問題演習

問1　信用取引に関する次の記述のうち、正しいものには〇を、誤っているものには×をつけなさい。

① 信用の供与とは、顧客や金融商品取引業者に対する金銭または有価証券の貸付けまたは立替えのことである。

② 制度信用取引とは、取引所に上場している株券等を対象とし、金利を含めすべての条件が取引所の規則により一律に定められた信用取引のことである。

③ 一般信用取引の品貸料、返済期限については、取引所の規則により一律に定められている。

④ 一般信用取引において対象となる有価証券には、取引所に上場していない株券も含まれる。

⑤ 信用取引に係る委託保証金の計算については、上場株式の約定価額が70万円であるときの必要保証金額は、30万円以上である。

⑥ 信用取引で貸付けを受けた資金または株券などの返済方法は、反対売買による差金決済、あるいは、現引きまたは現渡しがある。

⑦ 信用取引で対象となる外国株式については、日本国内の取引所金融商品市場に上場しているものに限られる。

解答

①〇 信用供与の対象は、顧客のみでなく、金融商品取引業者も含まれる。

②× 制度信用取引とは、銘柄、品貸料、返済期限、権利処理の方法は取引所の規則により定められているが、金利については、顧客と金融商品取引業者との間で自由に決定できる。

③× 一般信用取引においては、品貸料、返済期限及び金利は、顧客と金融商品取引業者との間で自由に決定できる。

④× 一般信用取引では、取引所に上場している株券を対象としている。

⑤〇 この場合の委託保証金は、約定代金の30%（70万円×30%＝21万円）で最低保証金の額は30万円であるため、必要保証金額は30万円となる。

⑥〇 返済方法では、差金決済、現引きまたは現渡しがある。

⑦× 外国株式については日本国内に上場しているものと、アメリカ合衆国に所在する適格外国金融商品市場に上場しているものに限り信用取引の対象となっている。

5. 上場銘柄の信用取引制度

重要度 ★★★

1 信用取引の実際

まずは、信用取引を始めるにあたっての一連の流れと、基本的な知識に触れていく。

(1) 信用取引の説明書の交付

金融商品取引業者は、金融商品取引契約を締結しようとするときは、あらかじめ、顧客に対し、法令に定める事項について記載された書面（契約締結前交付書面）を交付しなければならない。

(2) 信用取引開始基準の設定

協会では、信用取引利用顧客については、各金融商品取引業者に対し預り資産の規模、投資経験その他必要と認める事項による「信用取引開始基準」を定めることを義務付けている。

なお、金融商品取引業者の役員または従業員の信用取引の利用は禁止されている。

(3) 信用取引口座設定約諾書及び同意書

顧客が信用取引を行う場合には、金融商品取引業者に信用取引口座を設定する必要がある。設定の申し込みは口頭でもよいが、金融商品取引業者がこれを承諾したとき、顧客は「信用取引口座設定約諾書」を差し入れなければならない。

また、金融商品取引業者は、信用取引による約定が成立したときは、顧客から一定の委託保証金を受け入れなければならない。これは、有価証券で代用することができる。

(4) 信用取引の注文の指示

顧客が信用取引により売買注文の委託をする場合には、そのつどその旨を金融商品取引業者に指示しなければならない。この指示がない注文は、信用取引によることができない。また、顧客から信用取引の注文を

参考

信用取引は、クーリングオフの対象外である。

参考

金融商品取引業者が受け入れた代用有価証券を再担保に供するか、または他人に貸し付けるときは、当該顧客から書面による同意書を受けなければならない。

受ける際は、そのつど、制度信用取引（PTS制度信用取引を含む）、一般信用取引（PTS一般信用取引を含む）の別等について当該顧客の意向を確認しなければならない。

信用取引と明示しない取引は、普通取引とみなされるため、反対売買による差金決済を行ってはならない。

(5) 弁済期限（返済期間）

信用取引の弁済期限は、制度信用取引の場合には最長 6 ヶ月となり、一般信用取引の場合には金融商品取引業者と顧客との合意で決めることになる。

(6) 信用取引のできる銘柄（制度信用銘柄）

信用取引のできる銘柄は取引所で信用取引を禁止している新株予約権証券、出資証券（優先出資証券を除く）、新投資口予約権証券、上場廃止の基準に該当した銘柄でない上場株券などに限られる。また、一般信用取引は上場株券などであれば信用取引ができるが、制度信用取引の場合には上場株券などであっても、取引所が別途選定した制度信用銘柄に限られる。なお、立会外分売で行う売買取引は信用取引そのものが利用できない。

(7) 貸借銘柄

貸借銘柄とは、貸借取引により金銭及び有価証券の貸付けを受けることができる銘柄である。取引所は、制度信用銘柄のなかから、一定の基準を満たした銘柄を貸借銘柄として選定している。貸借銘柄に選定されていなくても、制度信用銘柄であれば証券金融会社からの融資を受けることができる。

(8) 信用取引の売買単位

信用取引の売買単位は、上場会社が定めた 1 単元（定めていない会社は1株）の株式数となっている。

2 信用取引の委託保証金

信用取引では、売買代金の全額の代わりに、一定の保証金をもって取引を行うことができる。

(1) 委託保証金の徴収

取引所では、保証金については、信用取引による売付けまたは買付けが成立したときは、売買成立の日から起算して 3 営業日目の日の正午までの金融商品取引業者が指定する日時までに、約定価額の30％以上

> **参考**
>
> 信用取引のできる銘柄は上場株券、国内に上場している外国株券、上場投資信託（ETF）や不動産投資信託（J-REIT）などである。

の委託保証金を顧客から徴収しなければならない、と定めている。

レバレッジ商品等の信用取引に係る委託保証金の率は、30%に当該レバレッジ指標の倍率を乗じた率となる。

なお、委託保証金の最低限度額は30万円である。

(2) 保証金代用有価証券

委託保証金は、現金が原則だが、有価証券で代用することができ、その現金換算率は代用有価証券の種類により異なる。

代用有価証券の評価は、差し入れた前日の時価に、それぞれの所定の現金換算率を乗じて得た額を超えない額である。

現金換算率は、取引所の規制や金融商品取引業者の自主ルールによって変更される場合がある。

● 代用有価証券

代用有価証券	代用掛目
① 国内の金融商品取引所に上場されている株券等	80%
② 国債証券	95%
③ 地方債証券	85%
④ 特別の法律により法人の発行する債券	
政府保証債	90%
その他のもの	85%
⑤ 国内の金融商品取引所の上場会社(外国法人を除きます。)の社債券(その発行に際して元引受契約が金融商品取引業者により締結されたものに限ります。)	85%
⑥ 国内の金融商品取引所の上場会社(外国法人を除きます。)の新株予約権付社債券(その発行に際して元引受契約が金融商品取引業者により締結されたものに限ります。)	80%
⑦ 国内の金融商品取引所に上場されている交換社債券(その発行に際して元引受契約が金融商品取引業者により締結されたものに限ります。)	80%
⑧ 国内の金融商品取引所に上場されている外国国債証券	85%
⑨ 国内の金融商品取引所に上場されている外国地方債証券	85%
⑩ 国際復興開発銀行円貨債券(世銀債)	90%
⑪ アジア開発銀行円貨債券	90%
⑫ 外国法人(前記⑧から⑪までの発行者を除きます。)が発行し、かつ、国内の金融商品取引所に上場されている円貨建外国債券	85%
⑬ 投資信託受益証券及び投資証券(国内の金融商品取引所に上場されているもの及び一般社団法人投資信託協会が前日の時価を発表するものに限ります。)	
公社債投資信託の受益証券	85%

			80%
⑭	米国1934年証券取引所法6条の規定により米国証券取引委員会に登録されている金融商品取引所に上場されている外国株券等（新投資口予約権証券及び投資法人債券に類する証券を除きます。）		60%
	そのうち時価が差入時の直近のもの		70%

(3) 追加保証金

　金融商品取引業者は、相場の変動により発生した計算上の損失額を差し引いた受入委託保証金の総額が、約定価額の20%を下回った場合には、その約定価格の20%に達するまでの金額を追加保証金として、顧客から徴収しなければならない。その期日は損失計算が生じた日から起算して3営業日目の日の正午までの金融商品取引業者が指定する日時である。

　この場合の20%を委託保証金の維持率という。

参考

追加保証金を一般に「追い証」という。

● 信用取引の委託保証金と追加保証金

	起算日	支払い期限	金額
委託保証金	売買成立の日	3営業日目の日の正午までの金融商品取引業者が指定する日時	約定価額の30%以上
追加保証金	維持率を下回った日		約定価額の20%に達するまで

例 題

　Hさんは、A株を1株2,000円で20,000株を信用取引で買い、委託保証金1,500万円を現金で差し入れた。

　その後相場が下がり、1,000万円の評価損が出た。Hさんの追加保証金額はいくらか?

解 答

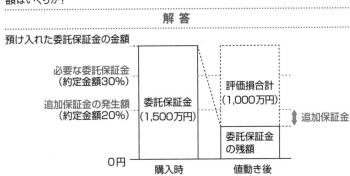

185

受入保証金残額　1,500万円－1,000万円＝500万円

維持するために必要な保証金額

4,000万円（約定金額）×20％＝800万円

追加保証金　　　800万円－500万円＝<u>300万円</u>

（4）保証金の引出し

　委託保証金は、信用供与の担保であると同時に、損失額の担保の機能をも有するが、所要の額を超える保証金を差し入れている場合は、その超過額を引き出すことができる。具体的には、「顧客の信用取引における受入保証金の総額」から「信用取引における有価証券の約定価額の30％の額（最低金額30万円）」を控除した額または有価証券を引き出せる。なお、相場の変動により生じた計算上の利益相当額について、金銭または有価証券を引き出したり、他の建株の保証金として充当することは、禁じられている。

3　信用取引の貸付けと金利

　顧客が信用取引を行う際には、金融商品取引業者から一定の貸付けを受けて取引を行う。また、その対価として一定の金利や信用取引貸株料を支払うことになる。

（1）信用の供与（貸付け）

　金融商品取引業者より実際の信用供与が行われるのは、売買成立の日より3営業日目の決済日（受渡日）である。売買の決済期日には、株券または代金の貸付けが行われる。

　なお、金融商品取引業者が顧客に貸付けるものは、顧客の差し入れた保証金と約定代金との差額ではなく、約定代金の金額または売付証券である。

（2）信用取引の金利、信用取引貸株料と品貸料

　顧客は、金融商品取引業者から信用供与を受ける場合には、金融商品取引業者が定める率で計算した金利や信用取引貸株料を授受する。

　また、貸借銘柄について、証券金融会社において株不足が生じ、この株券を調達するために費用がかかった場合には、品貸料を授受する。

① 金利

　顧客は、信用買い（買方）をする場合には、買付代金の融資に対する金利を金融商品取引業者に支払い、信用売り（売方）をする場合には、

売却代金に対する金利を金融商品取引業者より受け取ることになる。なお、この金利は、金融商品取引業者と顧客との合意によって決定される。

② 信用取引貸株料

　信用取引貸株料は、売方が株券の借入れに伴う費用として金融商品取引業者に支払うものであり、品貸料とは違って買方には支払われない。

③ 品貸料

　証券金融会社は、その銘柄の超過した貸株株数（不足株数）については、金融商品取引業者から融資の追加申込み、及び貸株返済などを受けて不足株数の解消に努めるが、これによってもなお不足の状態が解消しない場合には、品貸料を支払って他から調達し、貸し付ける。この品貸料を一般に逆日歩（ぎゃくひぶ）という。

　なお、品貸料は1株につき何銭という計算で行われ、売方（売建株）から徴収し、買方（買建株）に支払う。

● 逆日歩

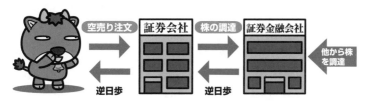

④ 金利・信用取引貸株料・品貸料の計算期間と計算方法

　金利及び信用取引貸株料と品貸料とでは計算期間が異なる。

　金利及び信用取引貸株料の場合は、新規売買成立の日より3営業日目の受渡日から弁済売買成立の日より3営業日目の受渡日まで両端入れで計算される。

　品貸料の場合は、新規売買成立の日より3営業日目の受渡日から弁済売買成立の日より3営業日目までの間の品貸料を累積したものが計算される。

● 金利・信用取引貸株料・品貸料を求める公式

$$\text{金利または信用取引貸株料} = \frac{\text{約定価額} \times \text{日数} \times \text{年利率}}{365}（\text{円未満切捨て}）$$

品貸料＝計算期間中の品貸料の累計×株数

参考

金融商品取引業者と証券金融会社の貸借取引で、融資株数（買建株）よりも貸株株数（売建株）が多くなった銘柄を貸株超過銘柄という。

用語

両端入れ（りょうはいれ）
初日と最終日の両方を日数に入れて数えること。

4 信用取引の期限と決済

信用取引によって受けた貸付けは、あらかじめ決められた期日までに返済をしなければならない。

(1) 信用取引の建株の繰延べ

信用取引による売付株券または買付代金の貸付けの弁済期限は、貸付けの日（約定の日から3営業日目の受渡日）の翌日とし、その2営業日前の日（約定日の翌日）までに顧客から金融商品取引業者に対し弁済の申し出がない場合には、順次これを繰り延べる。

ただし、制度信用取引においては、売買成立の日の6ヶ月目の応当日から起算して3営業日目の日を超えて繰り延べることはできない。

(2) 信用取引の弁済（決済）方法

顧客が信用取引の売建株または買建株を弁済する方法としては、反対売買（差金決済）による方法と、受渡決済（現渡しまたは現引き）による方法がある。

① 反対売買による方法

反対売買とは、売建株（売新規）については買戻し（売返済）により株券を返済し、買建株（買新規）については転売（買返済）により現金を返済し、それぞれを差金で受払いする方法である。

② 受渡決済による方法

受渡決済とは、売建株については現渡し（手持ちの当該株券を渡す）して売却代金を受け取り、買建株については現引き（手持ちの現金を渡す）して株券を受け取る方法である。

なお受渡日は、弁済の申し出の日から3営業日目である。

● 決済方法ごとの差引受払金額の計算式

反対売買	売建株を買戻し	差引受払金額 ＝ 差損益 － 委託手数料 ＋ 金利 － 信用取引貸株料 － 品貸料
	買建株を転売	差引受払金額 ＝ 差損益 － 委託手数料 － 金利 ＋ 品貸料
受渡決済	売建株を現渡し	差引受取金額 ＝ 売付金額 － 委託手数料 ＋ 金利 － 信用取引貸株料 － 品貸料
	買建株を現引き	差引支払金額 ＝ 買付金額 ＋ 委託手数料 ＋ 金利 － 品貸料

※委託手数料には、消費税が含まれる。

5 PTS信用取引

PTS信用取引は、認可会員（PTS運営業務の認可を受けた会員）が、取引所外取引として顧客に信用を供与して行うものをいい、PTS制度信用取引とPTS一般信用取引に分けられる。

(1) PTS制度信用取引

PTS制度信用取引には、品貸料及び弁済の繰越期限について市場外売買規則が定められているが、品貸料は銘柄ごとに東証が定める料率とし、弁済の繰越期限は会員による貸付けの日の翌日とし、その２営業日前の日までに弁済の申し出をしない場合は逐日、これを繰り延べる。なお、PTS信用取引による売付け・買付けが成立した日の６ヶ月目の応当日から起算して３営業日目の日を超えて繰り延べることはできない。

(2) PTS一般信用取引

PTS一般信用取引は、PTS信用取引のうち、品貸料及び弁済の繰越期限について、会員が顧客との間で合意した内容に従って行うものをいう。

(3) PTS貸借取引

PTS貸借取引は、次の取引の決済における認可会員の指定する証券金融会社から東証の開設する決済機構を利用して金銭または有価証券の貸付けを受ける取引である。

・PTS制度信用取引
・参加会員が自己の計算において行う有価証券の売買

なお、PTS貸借銘柄は、東証が選定した貸借銘柄のうち、認可会員及び証券金融会社が定める選定基準に適合した銘柄となる。また、認可会員が選定するPTS制度信用銘柄のうちPTS貸借銘柄以外の銘柄はPTS貸借融資銘柄となる。

参考

PTS信用取引の東証での取扱時間は、午前９時から午前11時30分まで及び午後0時30分から午後3時までが、午前９時から午前11時30分まで及び午後0時30分から午後3時30分までに変更される（2024年11月5日予定）。

問1 信用取引に関する次の記述のうち、正しいものには○を、誤っているものには×をつけなさい。

① 上場銘柄の信用取引制度において、金融商品取引業者は、信用取引を利用する顧客に対して、信用取引開始基準を定めなければならない。

② 上場銘柄の信用取引制度において、金融商品取引業者が顧客に貸し付ける金銭の額は、顧客の差し入れた保証金と約定代金との差額である。

③ 信用取引の弁済期限は、制度信用取引の場合には最長6ヶ月となっている。

④ 上場銘柄の信用取引制度において、金利は、新規売買成立の日より4営業日の受渡日から弁済売買成立の日より4営業日目の受渡日まで、両端入れで計算される。

⑤ 金融商品取引業者は、顧客からの受入委託保証金の総額が規定を下回った場合には、損失計算が生じた日から起算して3営業日中に、顧客から追加保証金を徴収しなければならない。

⑥ 国債証券は、上場銘柄の制度信用取引制度において、保証金代用有価証券とすることができる。

⑦ 委託保証金において、投資者は、相場の変動により生じた計算上の利益相当額について、引き出すことは禁止されている。

⑧ 信用取引貸株料は、売方が株券の借入れに伴う費用として買方に支払うものである。

⑨ 上場銘柄の信用取引制度において、顧客は、信用売りをする場合には金利を金融商品取引業者に支払い、信用買いをする場合には金利を金融商品取引業者から受け取る。

⑩ 制度信用取引における金利は、顧客と金融商品取引業者との間で合意によって決定することができる。

⑪ 上場銘柄の信用取引制度において、株不足が生じた場合、証券金融会社は品貸料を支払い、他の金融商品取引業者から調達する。

⑫ PTS信用取引において取引ができるものは、PTS一般信用取引にのみとなっている。

解答 ①○ 金融商品取引業者は、信用取引を利用する顧客に対して、預り資産の規模、投資経験その他必要と認める事項による信用取引開始基準を定めなければならない。

②× 上場銘柄の信用取引制度において、金融商品取引業者が顧客に貸し付ける金銭の額は、顧客の差し入れた保証金と約定代金との差額ではなく、約定代金の金額である。

③〇 なお、顧客は信用取引の注文をする際に、制度信用取引か一般信用取引かを選択する必要がある。一般信用取引であれば、弁済期限は当事者間で自由に決めることができる。

④× 上場銘柄の信用取引制度において、金利は、新規売買成立の日より3営業日の受渡日から弁済売買成立の日より3営業日目の受渡日まで、両端入れで計算される。なお、信用取引貸株料も同様である。

⑤× 金融商品取引業者は、損失計算が生じた日から起算して3営業日目の日の正午までの金融商品取引業者が指定する日時までに、追加保証金を顧客から徴収しなければならない。追加保証金は、有価証券で代用することができる。

⑥〇 なお、地方債証券、外国地方債証券や国内の取引所に上場されている新株予約権付社債券も保証金代用有価証券とすることができる。

⑦〇 委託保証金は決済日前の引出しが可能である。引出可能額は、信用取引における約定価格の30%の額（最低30万円）を控除した額までである。ただし、相場の変動により生じた計算上の利益相当額については、引き出すことはできない。

⑧× 信用取引貸株料は、売方が株券の借入れに伴う費用として金融商品取引業者に支払うもので、買方には支払わない。

⑨× 上場銘柄の信用取引制度において、顧客は、信用買いをする場合には金利を金融商品取引業者に支払い、信用売りをする場合には金利を金融商品取引業者から受け取る。

⑩〇 金利については、制度信用取引及び一般信用取引において、顧客と金融商品取引業者との間で合意によって決定することができる。

⑪〇 なお、この品貸料を一般に逆日歩という。

⑫× PTS信用取引においては、PTS制度信用取引とPTS一般信用取引がある。

6. 証券金融会社とその他の取引制度

重要度 ★★☆

1 金融商品取引業者と証券金融会社

　信用取引を行うにあたって重要な役割を持つ証券金融会社の主な業務には、信用取引の決済に必要な金銭または有価証券の貸付業務などがある。

(1) 証券金融会社の機能

　証券金融会社は、信用取引に必要な資金や株券を金融商品取引業者へ円滑に供給するための専門機関として設立されている。

(2) 証券金融会社とは

　証券金融会社は、内閣総理大臣の免許を受けて、金融商品取引業者に対し信用取引の決済に必要な金銭または有価証券を、その取引所の決済機構を利用して貸し付ける業務を営む金商法上の特殊金融機関である。

● 証券金融会社と金融商品取引業者の役割図

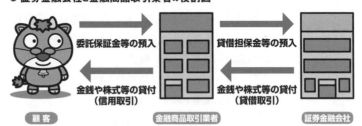

　金銭または有価証券の貸付条件の決定や変更は、すべて内閣総理大臣に届け出なければならない。また、これらが一般の経済状況からみて適正を欠くとみられる場合は、内閣総理大臣はその変更を命じ得るものとされ、兼業については届出制がとられている。

(3) 証券金融会社の貸付け（貸借取引）

　金融商品取引業者と証券金融会社との制度信用取引に関する貸付け

を貸借取引という。金融商品取引業者は、証券金融会社と取引する場合は、あらかじめ約諾書を差し入れなければならない。

貸借値段は、貸付申込日（貸付日の2営業日前の日）の最終値段を基準として定める。

金融商品取引業者が貸付けを受けるには、貸付けを受けようとする日の2営業日前の定められた時限までに、銘柄、株数その他所定の事項について、証券金融会社に申し込む。

(4) 貸借担保金の差入れ・授受・返済

第8章

株式業務─証券金融会社とその他の取引制度

差入れ	・金融商品取引業者は、貸付株券または貸付金額に一定の率を乗じて算出された貸借担保金を貸付けが行われる日の正午までに差し入れなければならない ・貸借担保金は有価証券をもって代用できる
授受	・貸し付けられる株券・金銭は、金融商品取引業者と証券金融会社とで直接授受されない ・すべて取引所の決済機構を通じて普通取引決済に付随して行われる ・受渡期日に貸付けが実施される
返済	・貸借取引参加者との貸借取引の返済期限は貸付日の翌日となる ・返済の申し出をしなかったときは、自動的に返済申込、新規借入申込を行ったもとのとされるため、貸借値段が変われば、貸借取引参加者との間で差額(更新差金または品貸更新差金)の授受を行う ・貸借段階で融資、貸株を毎日更新して差額の受払いをすることを「値洗い」という

用語

貸借担保金
貸借取引をする際に、日証金等の証券金融会社に対して金融商品取引業者が差し入れる担保のこと。
顧客が金融商品取引業者に預託する委託保証金と同じ性格のものであり、取引所が信用取引の規制措置を行えば、証券金融会社も同様に貸借取引の規制措置を行うことになる。

● 値洗いによる調整

貸借値段上昇：貸株を受けた売方から貸借値段の差額に株数を乗じた金額を徴収し、融資を受けた買方へ交付
貸借値段下落：融資を受けた買方から貸借値段の差額に株数を乗じた金額を徴収し、貸株を受けた売方へ交付

用語

値洗い (ねあらい)
所有する株式等を時価で再評価すること。信用取引の場合、毎日この値洗いが行われ委託保証金の再計算を行う。

2 信用取引の権利処理

信用取引を行っている最中に、配当落や株式分割などによって株価が下落することがある。これは特殊要因による値下がりなので、適正な処理を行って、売方と買方との間の損益の調整を図らなければならない。

(1) 配当落の場合

金融商品取引業者は、顧客の売建株または買建株が未決済の状態で配当落となった場合には、発行会社が支払う配当金確定後、その税引配当金相当額を配当落調整額として、売方より徴収して、買方に支払う。

(2) 株式分割等による株式を受ける権利を付与される場合

金融商品取引業者は、制度信用取引において、取引期間中に株式分割等があった場合、取引所が定めるその権利に相当する額（権利処理価額）を割当期日現在の信用買顧客に支払い、信用売顧客から徴収する。

3 信用取引の規制

取引所は、信用取引制度の健全な運営を図るため、次のような管理運営を行っている。

(1) ガイドライン（日々公表基準）の設定及び運用

取引所は、信用取引の利用状況等の行き過ぎを未然に防止するため、日々公表基準を設け、取引所がこの基準に該当すると判断した銘柄については、日々公表銘柄として指定し、信用取引残高とともに公表している。

(2) 売買監理銘柄制度と信用取引残高の公表

取引所は売買監理銘柄制度を実施し、この制度により指定された銘柄が信用取引を行うことができる銘柄である場合には、その信用取引残高を日々公表することとしている。

(3) 信用取引の規制

信用取引の過度の利用により、株価の急激な乱高下など、行き過ぎが認められた場合、これらを是正するため委託保証金の徴収率の引上げなど、担保を引き上げる措置がとられる。

4 信用取引の違約の場合の措置

顧客が以下のような信用取引の違約を行った場合、金融商品取引業者は任意に顧客の計算において反対売買を行うことができる。

① 委託保証金を定められた期日までに預託しない場合

② 追加預託を行わない場合

③ 信用取引に関する貸借関係の返済を行わない場合

本番得点力が高まる！ 問題演習

問1 信用取引に関する次の記述のうち、正しいものには○を、誤っているものには×をつけなさい。

① 金融商品取引業者が貸借取引で貸付けを受けるには、それを受けようとする日の2営業日前の定められた時限までに、証券金融会社に申し込まなければならない。

② 金融商品取引業者は、当該貸付株券または貸付金額の価額に一定の率を乗じて算出された貸借担保金を貸付けが行われる日の3営業日前の正午までに差し入れなければならない。

③ 金融商品取引業者は、顧客の買建株が未決済の状態で配当落となった場合には、配当落調整額として、税引配当金相当額を買方より徴収し、売方に支払わなければならない。

④ 金融庁は、信用取引の利用状況等の行き過ぎを未然に防ぐため、日々公表基準を設け、日々公表銘柄として信用取引残高を日々公表している。

⑤ 顧客が信用取引の違約を行った場合、金融商品取引業者は、任意に金融商品取引業者の計算において反対売買を行うことができる。

解答

①○ 貸借取引の申込み期限は、貸付けを受けようとする日の2営業日前の定められた時限までである。

②× 金融商品取引業者は、貸借担保金を、貸付けが行われる日の正午までに差し入れなければならない。

③× 金融商品取引業者は、配当落調整額を売方より徴収し、買方に支払う。

④× 日々公表基準を設け、日々公表銘柄として信用取引残高を公表しているのは、取引所である。

⑤× 顧客が信用取引の違約を行った場合、金融商品取引業者は、顧客の計算において反対売買を行うことができる。

7. 信用取引業務における計算演習

試験で出題されやすい信用取引上の計算問題をマスターして得点アップ。

重要度

例題 1　委託保証金の計算

時価1,000円の株式を5,000株信用取引で買う場合に、委託保証金を取引所上場株式で代用する。株式の最低時価はいくらか。

（注）保証率30%、上場株式の現金換算率（代用掛目）を80%とする。

解　答

約 定 代 金　1,000円×5,000株＝5,000,000円

必 要 保 証 金　5,000,000円×30%＝1,500,000円

株式の最低時価　1,500,000円÷80%＝1,875,000円

例題 2　追加保証金の計算①

ある顧客（居住者）が、時価300円の上場銘柄A社株式5,000株を制度信用取引で新たに買い建て、委託保証金として時価400円の上場銘柄B社株式2,000株を差し入れた。

その後、ある日の終値で、A社株式が250円に、B社株式が250円になった場合の委託保証金に関する文章のうち、正しい番号を1つ選びなさい。

（注）委託保証金は30%、上場株式の現金換算率（代用掛目）は80%とし、立替金は考慮しないものとする。

1　追加差し入れは必要ない。

2　5万円以上の追加差し入れが必要である。

3　10万円以上の追加差し入れが必要である。

4　15万円以上の追加差し入れが必要である。

5　20万円以上の追加差し入れが必要である。

解　答

正しいものは、4

【考え方】

　最初に、ここで問われている「追加差入れ」とは、追加保証金のことであることを理解しよう。

　計算の手順は、まず必要な委託保証金と追加保証金の発生額を算出し（ステップ1）、次に預け入れた代用有価証券の評価額（委託保証金の額）を算出し（ステップ2）、最後に値動き後の委託保証金の残額を計算する（ステップ3）。

　この値動き後の委託保証金の残額と追加保証金の発生額との差額が、問われている追加差し入れの金額ということになる。

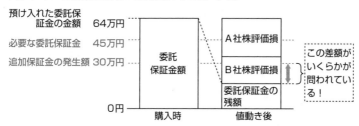

ステップ1：必要な委託保証金の額、追加保証金の発生額を計算する

　まず、最初に、A社株式について、委託保証金の残額がいくらを下回ると追加保証金が必要になるかを判断するため、必要な委託保証金の額、追加保証金の発生額（委託保証金の維持率である20%の額）を算出する。

・必要な委託保証金

　　A社株式300円×5,000株×30%＝45万円

・追加保証金の発生額

　　A社株式300円×5,000株×20%＝30万円

　以上の計算から、委託保証金の残額が30万円を下回ると追加保証金が必要になるとわかる。

ステップ2：代用有価証券の評価額を計算する

　次に、委託保証金を代用有価証券で預け入れているため、必要な委託保証金に対して、正確にはいくら預け入れているのか（当初の代用有価証券の評価額はいくらなのか）を知る必要がある。

　よって、預入時の代用有価証券の評価額を算出する。

・代用有価証券の評価額

　　B社株式400円×2,000株×80%＝64万円

以上の計算から、必要な委託保証金が45万円であるのに対して、当初64万円分の委託保証金を預け入れていることがわかる。

ステップ3：評価損を計算する

　最後に、B社とA社の値下がりによる評価損を計算する。

・B社株の評価損

　　B社株式（400－250）×2,000株×80％＝24万円

・A社株の評価損

　　A社株式（300－250）×5,000株＝25万円

　ここで、当初の代用有価証券の評価額から値動きによる各評価損を差し引くことで、値動き後の委託保証金の残額が求められる。

・委託保証金の残額

　　64万円－24万円－25万円＝<u>15万円</u>

【結　論】

　したがって、追加保証金の発生額30万円に対し、委託保証金の残額は15万円なので、差額の15万円以上の追加差し入れが必要となる。

　正しいものは、選択肢4の「15万円以上の追加差し入れが必要である」となる。

例 題 3　追加保証金の計算②

　ある顧客（居住者）が、時価800円の上場銘柄A社株式3,000株を制度信用取引で新たに買い建て、委託保証金代用有価証券として時価500円の上場銘柄B社株式2,000株を差し入れた。

　その後、B社株式が450円となった場合、買い建てたA社株式がいくらを下回ると維持率を割って追加保証金が必要となるか、正しい番号を1つ選びなさい。

（注）委託保証金率は30％、上場株式の現金換算率（代用掛目）は80％とし、立替金は考慮しないものとする。

1　A社株式が780円を下回ったとき

2　A社株式が760円を下回ったとき

3　A社株式が740円を下回ったとき

4　A社株式が720円を下回ったとき

5　A社株式が700円を下回ったとき

解　答

正しいものは、4

【考え方】

維持率は、「保証金額－建玉評価損＝約定代金×20%」の関係にある。

建玉の評価損をXとすると、

450円×2,000株×80%－X＝800円×3,000株×20%

72万円－X＝48万円

X＝24万円

以上の式から、建玉の評価損が24万円を超えると維持率を割るということが

わかる。

800円×3,000株－24万円＝216万円

216万÷3,000株＝<u>720円</u>

【結　論】

したがって、A社株式の価格が720円を下回ると、追加保証金が必要と

なる。

信用取引の計算は、「委託保証金」
と「保証率」が重要ポイント！
そして、委託保証金には、「現金」
を預け入れるほか、「有価証券」
でも「代用」できる。

第9章

債券業務

予想配点　40点／440点
出題形式
○×方式…5問
五肢選択方式…3問
（配点と出題形式はTACの予想です）

債券投資に欠かせない債券の特徴や種類・発行条件などについて学んでいきましょう。また、債券の投資計算、債券の種類や取引により異なる計算方法についても解説します。

関連章　　なし

債券業務の基本として、債券の基礎❶、発行や流通❷などについて見ていきます。

また、株式への切り替えが可能な特殊な債券❹についても学習します。

売買❸や投資計算❺などの債券業務の実務に関する内容も重要な論点です。

1. 債券の基礎

国債、地方債、外国債いろいろあるのね。

1 債券の特徴

　債券とは、国や企業等が投資者に渡す借用証書のようなものである。投資対象としての債券には、収益性・安全性・換金性という3つの特徴がある。

(1) 収益性

　債券は、償還までの全期間に決められた利率の利子が支払われる固定利付債が一般的である。計画的な資金運用の手段として優れ、金利低下時では利子のほかに債券本体の値上がり益が得られるが、その反面、金利上昇やインフレ（物価上昇）に弱いともいえる。

(2) 安全性

　債券は、償還期限が到来すれば元本が返済される。ただし、発行者が財政難や業績不振に陥った場合、債券の利払いが遅延したり元本の償還が不能（デフォルト）になることがある。

　債券には、万一の事態に備え、保証や担保が付く場合もあるが、無担保発行のものも多く存在する。

● 債券に付く保証や担保

政府保証	元利金の支払いについて政府の保証が付いた債券
一般担保	発行者の全財産から、他の債権者に優先して弁済を受けられる一種の優先弁済権が付いた債券
物上担保	発行者の保有する土地・工場・船舶など特定の財産を担保に付けた債券

(3) 換金性（流動性）

　債券は、売却することによって途中換金することが可能である。ただし、変動する市場相場により回収できる債券の元本は変わる。

2 主な債券の種類

債券は、発行者の業態・募集方法・担保の有無などによって分類できる。

● **債券の種類**

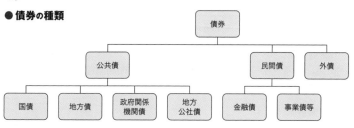

（1）国債

国債とは、国の発行する債券で、信用度はすべての債券の中で最も高い。

① 国債の種類

種類	特徴
超長期国債	期間20年、30年、40年の利付国債。20年債、30年債は価格競争入札による公募入札方式、40年債はイールド競争入札による公募入札方式で発行される。
長期国債	期間10年。債券市場の中心的銘柄である。 価格競争入札による公募入札方式により発行される。
中期国債	現在は期間2年と5年の2種類がある。 価格競争入札による公募入札方式により発行される。
国庫短期証券	期間は2ヶ月、3ヶ月、6ヶ月、1年。割引方式により発行される。
物価連動国債	元金額が物価の動向に連動して増減し、償還額は償還時点での想定元金額となり、利子の額は利払い時の想定元金額に表面利率を乗じて算出する。
変動利付国債	期間15年。利率が年2回、市場実勢に応じて変動する債券。利率は10年利付国債の平均落札価格から算出される基準金利から財務省が設定したαを差し引いて算出される。

● 個人向け国債

	期間３年 固定金利型	期間５年 固定金利型	期間10年 変動金利型
利払い	年2回(半年ごと)		
中途換金	発行から1年経過後であれば、いつでも可能		
中途換金時に 差し引かれる 利子相当額	直前2回分の各利子(税引前)相当額 × 0.79685		
発行頻度	毎月		

● 新型窓口販売方式国債

	新型窓口販売方式国債 固定金利
利払い	年2回(半年ごと)
中途換金	市場でいつでも売却が可能 (売却損益が生じる)
中途換金時の 換金金額	市場価格
発行頻度	毎月発行

● **脱炭素成長型経済構造移行債（GX経済移行債）**

　GX投資を官民協調で実現するために創設された債券。カーボンプラ
イシング（化石燃料賦課金など）導入の結果として得られる将来の財源を裏
付けとして2023年度から2032年度まで発行され、カーボンニュートラル
の達成目標年度が2050年度であることに鑑み買換債を含み、2050年度
までに償還される。

● **ストリップス国債**

　元本部分と利子部分を分離して別々にゼロクーポン債として流通させる
ことができる債券。米国財務省が発行する国債が一般的だが、日本国
債においては2003年より発行が可能となった。

② 発行根拠法による国債の主な種類

実際の国債は、発行根拠法の違いにより、商品性や信用力が変わることはない。

種類	発行根拠
建設国債 （財政法）	国の資産形成をするものとして、公共事業費、出資金及び貸付金の財源に充てるために発行される。
特例国債 （各年度における特例法）	いわゆる「赤字国債」。税収及び税外収入等に加えて、建設国債を発行してもなお歳入不足が見込まれる場合に、公共事業費等以外の歳出に充てる資金調達を目的として発行される。
借換債 （特別会計に関する法律）	各年度の国債の整理または償還のための借換えに必要な資金を確保するために発行される。
財政投融資 特別会計国債 （特別会計に関する法律）	いわゆる「財投債」。財政融資資金において運用の財源に充てるために発行される。

（2）地方債

地方債とは、都道府県、市町村などの地方公共団体が発行する債券である。

● 地方債の種類

種類	特徴
全国型市場公募地方債	証券会社、銀行などを通じて広く一般に公募される債券である。一部の都道府県とすべての政令指定都市が発行できる。
銀行等引受地方債	特定の市中金融機関など少数の者に直接引き受けてもらう債券である。
住民参加型市場公募地方債	一部自治体により発行される債券で、主に個人向けである。
交付地方債	地方公共団体の行う事業に必要な用地買収などに際し、地主などに現金に替えて交付する。

（3）政府関係機関債（特別債）

政府関係機関債（特別債）とは、独立行政法人や地方共同法人、政

府関係の特殊会社などが、特別の法律に基づいて発行する債券である。

● 政府関係機関債の種類

種類	特徴
政府保証債	元利払いにつき政府の保証が付いて発行される。
非公募特殊債	縁故関係のある特定の金融機関などに直接引き受けてもらう。
財投機関債	政府保証は付いていないが公募形式で発行される。

(4) 地方公社債

参考

クーポン(利札)が付いている債券を「利付債」と呼ぶ。
クーポンがない債券を「割引債」と呼ぶ。
割引債は、発行価額を額面より安くすることで償還差益が利子代わりとなる。

　地方公社債は、地方公共団体が設立した公社が発行する債券である。

(5) 金融債

　金融債は、特定の金融機関が特別の法律に基づいて発行する債券で、期間1年以上の「利付金融債」がある。

　発行方式は法人消化を主体とした募集発行と、個人向けの売出発行の2通りである。

(6) 事業債 (社債)

　民間事業会社が発行する債券を事業債(社債)という。NTT債(電信電話債)、電力債、一般事業債、銀行債などがある。

(7) 外債

　外債は、発行体、発行市場、通貨のいずれかが外国の債券のことである。

● 外債の種類

用語

ユーロ市場
ユーロマネー(自国以外の金融機関に預けられている自国通貨等のこと)を対象にした各種取引が行われている世界中の市場のことである。

参考

ユーロ円債の「ユーロ」は、欧州統一通貨の「ユーロ」とは関係ない。

種類	特徴
円建外債	・国際機関や外国の政府、法人(非居住者)が日本国内市場において円貨建てで発行する債券 ・通称「サムライ債」
ユーロ円債	・日本国外(ユーロ市場)において発行される円建債
外貨建債	・外貨建てで発行される債券 ・為替の変動によるリスクを伴うが、国際的な金利差の追求や国際的な分散投資ができるなどのメリットがある。

(8) その他の金融商品

コマーシャル・ペーパー (国内CP)	優良企業が無担保で短期の資金調達を行うために割引方式で発行される有価証券で、約束手形の性格も有する。
譲渡性預金証書 (CD)	金融機関が発行する譲渡可能な預金証書のことであり、自由金利商品である。

3 債券の発行条件

債券には、発行者が投資家に約束する発行条件がある。

参考
アンダーパーで購入した債券において償還時に発生する差益のことを償還差益、オーバーパーで購入して償還時に発生する差損のことを償還差損という。

① 債券の主な発行条件

額面 (振替単位)	発行体から交付されている書類に「各債券の金額」として定められている(10万円、100万円など)。
単価	額面100円当たりの価格 ・単価が100円超のものをオーバーパー ・単価が100円未満のものをアンダーパー
利率 (クーポン・レート)	額面に対する1年当たりの利子の割合 (日本の債券は大半が年2回利払い)

② 債券の償還

最終償還	債券の最終期限に償還すること
期中償還	最終償還期限の前に債券の一部を償還すること ・定時償還…発行時に期中償還の時期や金額が決められている。 ・任意償還…発行者の都合で償還する。

③ 債券の利回り

利回りとは、投資元本に対する収益の割合である。通常、最終利回りを意味する。債券の単価が上昇すれば利回りが低下し、単価が低下すれば利回りが上昇する。

本番得点力が高まる! 問題演習

問1 債券に関する次の記述のうち、正しいものには〇を、誤っているものには×をつけなさい。

① GX経済移行債を除く国債については、財政法などの発行根拠法の違いにより、

商品性や信用力が異なる。

② 債券は途中換金が可能であるが、その場合、回収できる債券の元本は市場相場により変動する。

③ 中期国債には3年利付国債及び5年利付国債の2種類が発行されている。

④ 建設国債とは、国の資産形成をするものとして、公共事業費、出資金及び貸付金の財源に充てるために発行される債券である。

⑤ 独立行政法人や政府関係の特殊会社などが特別な法律に基づいて発行する政府関係機関債には、政府保証債が含まれる。

⑥ サムライ債は、国際機関や外国の政府、法人（非居住者）が日本国内市場において円貨建てで発行する債券である。

⑦ ユーロ円債とは、日本国外で発行される円建債のことである。

 解答

① ✕ 実際の国債（GX経済移行債を除く）は、発行根拠法別に販売されるのではなく、その違いにより、商品性や信用力が変わることはないため、異なることはない。

② ◯ 債券を途中換金した場合、回収できる金額が元本を下回る場合もある。

③ ✕ 中期国債は2年利付国債及び5年利付国債の2種類があり、ともに価格競争入札による公募入札方式により発行されている。

④ ◯ なお、建設国債は財政法に基づき発行される債券である。

⑤ ◯ 政府保証債は、元利払いにつき政府の保証が付いて発行される債券である。

⑥ ◯ なお、日本国内で、外国法人が日本人投資者向けに外貨建てで発行するものを通称「ショーグン債」という。

⑦ ◯ ユーロ円債とは、日本国外（ユーロ市場）において発行される円建債のことである。

 問2 債券の発行条件等に関する次の記述のうち、正しいものには◯を、誤っているものには✕をつけなさい。

① 物価連動債とは、元金額が物価の動向に連動して増減する債券である。

② アンダーパーで発行された債券を償還時まで保有した場合、償還差損が発生する。

③ 額面に対する1年当たりの利子の割合を利回りという。

④ 期中償還とは債券の最終期限の前に債券の一部を償還することである。

解答

① ○ なお、物価連動債の利子の額は、利払い時の想定元本金額に表面利率を乗じて算出する。

② × 償還差益が発生する。なお、単価が100円未満で発行されることを、アンダーパーという。

③ × 利回りとは、投資元本に対する収益の割合（利子のほかに償還差益なども含んだ収益の割合）のことである。

④ ○ なお、期中償還には、発行時に期中償還の時期や金額が決められた定時償還と、発行者の都合で行う任意償還がある。

 問3

次の文章は、国債の発行根拠法による分類についての記述である。（　　）に入る語句の組み合わせのうち、正しいものはどれか、1つ選びなさい。

（　イ　）は、財政法に基づき、国の資産形成するものとして、公共事業費、出資金及び貸付金の財源に充てるために発行される。

（　ロ　）は、各年度の特例法に基づき、税収及び税外収入等に加え、（　イ　）をもってもなお歳入不足が見込まれる場合に発行される。

（　ハ　）は、特別会計に関する法律に基づき、各年度の国債の整理または償還に係る財源を調達するために発行される。

① イ：借換債　　ロ：建設国債　　ハ：特例国債
② イ：借換債　　ロ：特例国債　　ハ：建設国債
③ イ：建設国債　ロ：特例国債　　ハ：借換債
④ イ：建設国債　ロ：借換債　　　ハ：特例国債
⑤ イ：特例国債　ロ：建設国債　　ハ：借換債

解答

正しいものは、③

・建設国債は、財政法に基づき、国の資産形成するものとして、公共事業費、出資金及び貸付金の財源に充てるために発行される。

・特例国債は、各年度の特例法に基づき、税収及び税外収入等に加え、建設国債をもってもなお歳入不足が見込まれる場合に発行される。

・借換債は、特別会計に関する法律に基づき、各年度の国債の整理または償還に係る財源を調達するために発行される。

2. 発行市場と流通市場

金利が上がると、債券価格は下がるんだな。

1 発行市場

日本の債券発行市場は、発行者・投資者・引受会社・社債管理者等（銀行、信託銀行等）の4者によって担われている。

(1) 引受会社

引受会社は、有価証券の発行に際し、買取引受けまたは残額引受けの契約をする会社である。通常、引受責任の分散のために複数の会社が集まって引受シンジケート団を組織する。

● 債券の種類と引受シンジケート団

地方債・政府保証債	銀行等の金融機関と金融商品取引業者(証券会社)
事業債等	金融商品取引業者(証券会社)のみ

(2) 社債管理者

社債発行会社は原則として社債管理者を設置することが会社法により義務付けられている。

社債管理者は、社債権者のために弁済を受けるなどの業務を行うのに必要な一切の権限を有する会社である。社債管理者となることができるのは銀行、信託銀行、担保付社債信託法による免許を受けた会社、会社法施行規則で定める者に限る。なお、金融商品取引業者は社債管理者にはなれない。

各社債の金額（社債の最低売買単位の金額）が1億円以上の場合は、社債管理者ではなく、財務代理人（元利払いなどを行う金融機関）が置かれる。また、社債権者自らが管理することが可能な場合は、社債管理者になることができる者または弁護士及び弁護士法人を社債管理補助者として社債の管理の補助を委託することができる（社債管理補助者制度）。

用語

買取引受け
有価証券の発行の際、売り出す目的をもって、その有価証券の発行者から全部または一部を取得すること。

用語

残額引受け
有価証券を取得する者がない場合、その残部を取得すること。

(3) 国債の発行市場

　国債の発行市場においては、①市中発行方式、②個人向け販売方式、③公的部門発行方式がある。

● 国債の発行方式

市中発行方式	公募入札を基本として、市場実勢を反映させた条件設定がされる。価格(利回り)競争入札、非競争入札、第Ⅰ非価格競争入札及び第Ⅱ非価格競争入札がある。
個人向け販売方式	金融機関において募集の取扱いにより下記の方法で販売される。 ・個人向け国債 ・市場性国債についての新型窓口販売方式 　募集取扱額に応じて財務省から募集取扱機関に手数料が支払われるが、募残引受義務はない。
公的部門発行方式 (日銀乗換)	日本銀行が保有している国債の償還額の範囲内で借換債を引き受ける場合に例外的に発行される。

(4) 社債の発行市場(起債方式の自由化)

　日本の社債発行には、かつて様々な規制が存在していたが、その後の規制緩和の流れのなかで、市場実勢に従い発行条件を決定する方式へと見直された。最近の起債方式としては、スプレッド・プライシング方式があり、投資家の需要調査を行う際に、利率の絶対値で条件を提示するのではなく、国債などの金利に対する上乗せ分(スプレッド)を提示する。

2 流通市場

(1) 流通市場の担い手

　流通市場も、流通面での参加者や仲介者などの多くの担い手により形成されている。参加者の売り買いの意向を統合して、売買を成立させるために仲介的役割を果たすのが債券ディーラーである。債券ディーラーは、主として証券会社やディーリング業務を行う登録金融機関で、流通市場における中心的な担い手である。

(2) 取引所市場と店頭市場

　債券の取引は、取引所市場と店頭市場で行われ、全売買量の99%以上を店頭取引が占めている。

● 取引所取引と店頭取引の違い

	取引所取引	店頭取引
対象銘柄	各金融商品取引所に上場している銘柄。	限定されない。
取引方法	金融商品取引業者等を通じて売買注文を行い取引所で集中的に売買を成立させる。	投資者と債券ディーラー、または債券ディーラー間で相対取引を成立させる。
受渡日	国債取引は原則として2営業日目決済である。また、転換社債型新株予約権付社債の受渡日は、普通取引により、3営業日目が原則である。	原則自由である(国債リテール取引及び一般債取引については3営業日目が受渡日である)。

(3) 売買参考統計値発表制度

　大量かつ複雑な債券売買を円滑に成立させるためには、店頭取引制度は有効な手段だが、価格公示の点では欠点がある。よって、日本証券業協会は、債券の流通市場における店頭取引の売買価格、レートを公示し、広く投資家に知らせる、売買参考統計値発表制度等を設けている。

(4) マーケットメイク

　流動性が低い政府保証債、地方債、事業債について、一定の証券会社及び銀行が一定の銘柄につき毎日売値と買値を公表すると同時に、顧客から引き合いがあった場合に応じるものである。

(5) 入札前取引と発行日前取引（WI取引）

　発行日前取引は、その国債が予定通りに発行されることを条件として発行前に約定を行い、発行日以後に受け渡しを行う売買取引である。

　その一形態である入札前取引は、財務省から債券の入札・発行予定日や発行予定額・償還予定額の条件について発表がされた時点から、入札における回号・表面利率等の発表時刻までに約定される取引のことである。

(6) 決済制度

　債券の決済制度は次のようになっている。

① 国債

　日銀が提供する国債振替決済制度に基づく、日本銀行金融ネットワークシステム（日銀ネット）によって決済されている。個別に随時決済を行う方

法（RTGS）に統一されている。

② その他の一般債

証券保管振替機構の一般債振替制度に基づく決済が行われる。

(7) 債券貸借取引

債券貸借取引は、借り入れた債券を受渡しに用い、借方は貸方に対して返済期限に同種、同量の債券を返済する取引（消費貸借契約）である。債券貸借取引市場は、債券の空売りを行った場合に、受渡日以前にその債券の買戻しを行わないとき、その債券を手当てすることを目的に行われる債券貸借取引の場である。

債券貸借取引は、次の3種類の取引がある。

・無担保債券貸借取引
・代用有価証券担保付債券貸借取引
・現金担保付債券貸借取引（貸借レポ取引）

3 債券市況の変動要因

債券市況の基本的な変動要因とされているものは次のとおりである。

一般 景気動向	〔金利動向〕 ・金利上昇→債券価格は下落（債券の利回りは上昇） ・金利低下→債券価格は上昇（債券の利回りは低下） 〔景気動向〕 ・景気拡大→物価上昇→金利上昇→債券価格は下落 ・景気下落→物価下落→金利低下→債券価格は上昇 ・一般的に債券は金利上昇やインフレに弱いとされる
金融政策	〔金融緩和〕 ・日銀が基準貸付利率を引き下げ、または、資金供給量を増やす政策 ・金融緩和→金利低下→債券価格は上昇 〔金融引締め〕 ・金融緩和の逆の政策 ・金融引締め→金利上昇→債券価格は下落

為替と海外金利	〔為替〕 ・円高→輸入物価の下落→インフレの鎮静化→金利低下→債券価格は上昇 ・円安→輸入物価の上昇→インフレ→金利上昇→債券相場は下落 〔海外金利〕(例：対米ドル) ・米国金利上昇→米国に資金が流れる→円安→金利上昇→債券価格は下落
クレジット・スプレッド	〔クレジット・スプレッド〕 ・ある国債と残存年数の等しいその他の社債等との利回り較差のこと ・発行体の信用力の上昇→クレジット・スプレッドが縮小→債券価格は上昇 ・発行体の信用力の低下→クレジット・スプレッドが拡大→債券価格は下落

本番得点力が高まる! 問題演習

問1 発行市場に関する次の記述のうち、正しいものには○を、誤っているものには×をつけなさい。

① 日本の債券発行には、かつて様々な規制が存在していたが、現在では、市場実勢に従い発行条件を決定する方式へと見直されている。

② 社債管理者となることができるのは、金融商品取引業者である。

③ 店頭取引の取引方法は、投資者と債券ディーラー（または債券ディーラー間）での相対取引である。

④ 事業債等の引受シンジケート団は、銀行等の金融機関と証券会社等の金融商品取引業者によって組織される。

解答

①○ 近年では、市場実勢や投資家の需要状況を正確に把握し、発行条件を決定する努力が続けられている。

②× 社債管理者となることができるのは銀行、信託銀行、担保付社債信託法による免許を受けた会社、会社法施行規則で定める者に限るとされる。金融商品取引業者はなることができない。

③○ なお、債券ディーラー間の売買だけを専門に取り扱う証券会社を債券ブ

ローカーという。

④× 事業債等の引受シンジケート団は、証券会社等の金融商品取引業者のみによって組織される。

 問2 流通市場に関する次の記述のうち、正しいものには〇を、誤っているものには×をつけなさい。

① 取引所取引における国債取引の受渡日は、原則として、売買成立の日から起算して3営業日目の日である。

② 長期国債を店頭売買で取引した場合の受渡日は、例外なく、約定日から起算して4営業日目である。

③ 債券貸借取引には、無担保債券貸借取引、代用有価証券担保付債券貸借取引、現金担保付債券貸借取引がある。

解答 ①× 国債取引は2営業日目の日が受渡日となる。

②× 店頭売買の受渡日は原則自由（国債リテール取引及び一般債取引については3営業日目）である。

③〇 債券貸借取引には、担保の有無により3種類の取引がある。

 問3 債券市況に関する次の記述のうち、正しいものには〇を、誤っているものには×をつけなさい。

① 金融引締めが行われると、債券価格は下落する。

② 短期金利が上昇すると、債券の利回りは下落し、債券価格は上昇する。

③ 為替が円高になると、債券価格は上昇する。

④ クレジット・スプレッドが縮小すると、債券価格は下落する。

解答 ①〇 金融引締めが行われると、金利上昇につながり、債券価格は下落する。債券市況にとってはマイナス要因となる。

②× 短期金利など市場金利が上昇すると、債券の利回りも上昇し、債券価格は下落する。

③〇 円高になると金利低下につながり、債券価格は上昇する。

④× 発行者の信用力が上昇しクレジット・スプレッドが縮小すると、債券価格は上昇する。

3. 債券の売買と実際

債券の売買の手法は、目的によって存在するのか。

重要度

★★★

用語

売切りと買切り
売切りとは、債券を売ること、買切りとは、債券を買うことである。

1 売切りと買切り

債券の売買で最も基本となる手法が単純な売切り、買切りである。そして、最も基本となる条件は最終利回りで、通常は売買レートといわれる。

2 入替売買

入替売買とは、同一の投資者がある銘柄を売るとともに別の銘柄を買うというように、同時に売り買いを約定する売買手法である。

● 代表的な入替売買

市況観に基づく入替え	・金利低下を予測するならば、短中期債から価格変動性の大きい中長期債へと長期化の入替えが有利。 ・金利上昇を予測するならば、短期債に入れ替えることで価格変動リスクを小さくする。
流動性アップ入替え	債券の資金化に備え、国債など流動性の高い銘柄で、価格変動リスクの小さい短期債に入れ替える。
直利アップ入替え	決算期ごとの期間収益を重視し、直接利回りをアップするために、より高い利率(クーポン・レート)の債券に入れ替える。
最終利回りアップ入替え	通常の状態(長期金利が短期金利より高い状態)であるかぎり、できるだけ利回りの高い長期債に入れ替える。
利回り較差運用(スプレッド売買)	多種多様な銘柄の中で一時的に利回り較差(スプレッド)が拡大・縮小することがある。これを機敏に捉えて売買する。

固定的ポートフォリオ運用	入替売買を機械的に行い償還期限のバランスを一定に保つ運用方法。 ・ラダー型ポートフォリオは、短期から長期までの債券を年度ごとに均等に保有し、毎期同じ満期構成を維持する。 ・ダンベル型(バーベル型)ポートフォリオは、流動性確保のための短期債と収益性追求のための長期債のみを保有する。

参考

ラダーとは、はしごの意味。

3 現先取引

　現先取引は、「債券等の条件付売買取引」ともいう。同種・同量の債券等を所定期日に所定の価額で反対売買することをあらかじめ取り決めて行うもので、資金調達したい売方と、資産運用したい買方との間で行われる。

　現先取引を開始する際は、あらかじめ顧客と契約をかわし、その契約書を整理・保管しなければならない。また、原則、顧客に約定のつど、明細書を交付しなければならない。

　現先取引ができる債券は、国債、地方債、政府関係機関債、社債、特定社債、投資法人債のほか、円建外債、外貨建債券がある。ただし、新株予約権付社債は除かれる。

　なお、現先取引の対象顧客は、上場会社またはこれに準じる法人であり、経済的、社会的に信用のあるものに限る。

● 現先取引の種類

委託現先	金融商品取引業者が売方と買方の仲介役になる
自己現先	金融商品取引業者自身が売方もしくは買方になる

4 着地取引

　着地取引とは、将来の一定の時期に一定の条件で債券の受渡しをあらかじめ取り決めて行う売買取引である。約定日から1ヶ月以上先に受渡しをする場合をいう。ただし、約定から受渡しまでの期間(着地期間)は、6ヶ月を超えてはならない。

　ただし、次に掲げる事項をすべて満たす着地取引を行う場合には、その期間を3年までとすることができる。

・その着地取引の顧客が適格機関投資家である場合
・その着地取引の売買対象債券等が国債証券または協会が別に定める債券である場合
・その着地取引に係る担保管理について、金融商品取引業等に関する内閣府令第123条第1項第21号の10イからホまでに準ずる行為を行う場合

5 ベーシス取引

　ベーシス取引とは、現物価格と先物価格との開きに注目して利ざやを得る取引のことである。現物と先物の価格差（ベーシス）が異常に拡大する場合、将来再び縮小することを見込んで、割高な方を売って割安の方を買う。そして、予想どおり価格差が縮小したら、反対売買により利益を得ることができる。価格差が異常に縮小したら逆の取引となる。

　例えば、先物の取引中心限月が交代する時期には、期近物でのヘッジ売りを手仕舞いし、期先物で新たにヘッジ売りを行う傾向があるため、期近物ではベーシスが急激に縮小し、期先物では急拡大することがある。

6 オプションを利用した売買手法

　オプションを利用した売買手法は、一般的には、希望する水準で債券を購入することを目的にプットオプションを売るターゲットバイイングと、保有債券の所有期間利回りを向上させるためにコールオプションを売ってプレミアムを受け取るカバードコールなどがある。

本番得点力が高まる! 問題演習

問1　次の文章は「債券の入替売買」の記述である。それぞれの（　）に当てはまる語句の組み合わせのうち、正しいものはどれか、1つを選びなさい。

（　イ　）は、決算期ごとの期間収益を重視する目的で、より高い利率の債券に入れ替える手法である。

（　ロ　）ポートフォリオとは、短期から長期までの債券を年度ごとに均等に保有し、毎期同じ満期構成を維持するポートフォリオである。

（　ハ　）ポートフォリオとは、流動性確保のための短期債と収益性追求のための長期債のみを保有するポートフォリオである。

① イ：最終利回りアップ入替え　　ロ：ダンベル型　　ハ：ラダー型
② イ：直利アップ入替え　　　　　ロ：ラダー型　　　ハ：ダンベル型
③ イ：最終利回りアップ入替え　　ロ：ラダー型　　　ハ：ダンベル型
④ イ：直利アップ入替え　　　　　ロ：ダンベル型　　ハ：ラダー型

 解答

正しいものは、②
入替売買とは、同一投資者がある銘柄を売るとともに別の銘柄を買うというように、同時に売り買いを約定する売買手法である。
各手法を解説すると次のとおり。

・最終利回りアップ入替え：通常は長期金利が短期金利より利回りが高いため、できるだけ利回りの高い長期債に入れ替え、最終利回りをアップする。

・直利アップ入替え：決算期ごとの期間収益を重視し、直接利回りをアップするために、より高い利率の債券に入れ替える。

・ダンベル型：固定的ポートフォリオの運用のひとつで、流動性確保のための短期債と収益性追求のための長期債のみを保有する。

・ラダー型：固定的ポートフォリオの運用のひとつで、毎期同じ満期構成を維持するため、短期から長期までの債券を年度ごとに均等に保有する。

 問2

債券の売買に関する次の記述のうち、正しいものには〇を、誤っているものには×をつけなさい。

① 現先取引ができる債券は、国債、地方債、新株予約権付社債などである。

② 現先取引とは、同種・同量の債券等を所定期日に所定の価格で反対売買することをあらかじめ取り決めて行うものである。

③ 現先取引の対象顧客は、金融商品取引業者に限られる。

④ ベーシス取引とは、債券の現物価格と先物価格との開きに注目して利ざやを取りにいく取引をいう。

⑤ 着地取引は、約定日から受渡日までの期間が1ヶ月以上3ヶ月以内でなければならない。

 解答

①× 新株予約権付社債は現先取引を行うことはできない。現先取引ができる債券は、国債、地方債、政府関係機関債、社債、特定社債、特定法人債、円建外債、外貨建債券などである。

②○　なお、現先取引は「債券等の条件付売買取引」ともいう。

③×　現先取引の対象顧客は、上場会社またはこれに準じる法人である。

④○　現物と先物の価格差（ベーシス）が異常に拡大または縮小した場合に利益を得る取引である。

⑤×　着地取引は、約定日から1ヶ月以上先に受渡しをする場合をいうが、約定日から受渡日までの期間は6ヶ月を超えてはならないとされている。なお、その着地取引の顧客が適格機関投資家である場合など一定の要件を満たした場合は、その期間を3年までとすることができる。

4. 転換社債型新株予約権付社債

債券のままか、株式へ転換するか…。

1 転換社債型新株予約権付社債の特徴

　転換社債型新株予約権付社債（以下、転換社債）とは、新株予約権が付いた社債であり、新株予約権の行使により、株価の上昇による利益を受けることができる。一定期間内に新株予約権を行使すれば発行会社の株式に転換でき、行使しなければ償還期限に額面で払い戻される社債である。なお、新株予約権を社債から分離して譲渡することはできない。

① 社債としての属性

発行価格	額面（額面100円当たり100円）が一般的だが最近では額面単価より高く設定されるものが増えてきている。
利率	新株予約権が付いているため、利率は普通社債より低めである（利率ゼロが主流）。
期間	短期から長期のものまで様々。5年前後のものが多い。
担保	最近ではほとんどが完全無担保債である。
券種	取引所での売買が円滑にできるよう、1銘柄につき1種。ほとんどの銘柄が100万円券である。
償還	ほとんどの銘柄が満期一括償還制である。ただし、発行会社が市場で自社の新株予約権付社債を買い入れて消却する場合や、一定の条件で繰上償還できるとする条項が付けられる場合がある。

② 転換社債の取引ルール

　転換社債の流通市場での取引は、取引所取引と取引所外取引があり、取引所取引には「立会内取引」と「立会外取引」に分けられる。

2 株式への転換

　株式へ転換する場合の1株当たりの発行価格のことを転換価額という。転換価額は、募集開始前の一定の日の株価終値を基準として、それより高い価格で決められている。転換価額が決定時点の株式時価を上回る率をアップ率という。

● 転換によって取得できる株数

$$\text{取得株数} = \frac{\text{社債権者が提出した社債の発行価額の総額}}{\text{転換価額}}$$

3 パリティ価格と乖離率

　転換社債は、債券部分の評価をする場合には、利回りをベースに評価する。一方、株式部分を評価する場合には、次に掲げるパリティ価格や乖離率に基づいて評価をするのが一般的である。

(1) パリティ価格

　パリティ価格とは、株価と転換価額から転換社債の理論上の価格を計るためもので、転換社債額面100円に対する理論価格である。

$$\text{パリティ価格（円）} = \frac{\text{株価}}{\text{転換価額}} \times 100$$

(2) 乖離率

　乖離率とは、転換社債の時価とパリティ価格との間にどの程度の差が生じているのかを率であらわしたものである。

$$\text{乖離率（％）} = \frac{\text{転換社債の時価－パリティ価格}}{\text{パリティ価格}} \times 100$$

　パリティ価格が転換社債の時価よりも小さい場合（プラス乖離）、転換社債のまま売却した方が有利である。また、パリティ価格が転換社債の時価より大きい場合（マイナス乖離）、株式に転換して売却した方が有利となる。

　なお、実際株式に転換する場合には、委託手数料や経過利息分などを考慮する必要がある。

4 転換社債の価格変動要因

転換社債の価格変動要因を分析すると、以下の4つのファクターが考えられる。

(1) 債券価格の考え方

金利の変動	金利の低下→債券価格は上昇 金利の上昇→債券価格は下落
社債クレジット・スプレッドの変動	クレジット・スプレッドの縮小→債券価格は上昇 クレジット・スプレッドの拡大→債券価格は下落

(2) オプション価格の考え方

株価の変動	株価の上昇→パリティ価格が上昇 株価の下落→パリティ価格が下落
ボラティリティの変動	ボラティリティとは、株価の日々の変動率を年率換算した数値、株価の変動性のことである。ボラティリティが高い株式は将来的に株価の居場所(上昇・下落)が大きく変わる可能性がある→債券価格は上昇

これらの要因をまとめると以下のようになる。

転換社債	金利	クレジット・スプレッド	株価	ボラティリティ
価格上昇	低下	縮小	上昇	上昇
価格下落	上昇	拡大	下落	下落

本番得点力が高まる! 問題演習

問1 転換社債に関する次の記述のうち、正しいものには〇を、誤っているものには×をつけなさい。

① 転換社債型新株予約権付社債は、権利行使しなければすべて償還期限で償還される。

② 転換社債型新株予約権付社債は、新株予約権を社債から分離して譲渡することができる。

③ 転換社債型新株予約権付社債の利率は、普通の社債よりも低めである。

④　転換社債型新株予約権付社債の転換価額は、募集開始前の一定の日の株価終値を基準として、それより低い価格で決められている。

⑤　パリティ価格が転換社債の時価よりも小さい場合、転換社債のまま売却した方が有利である（手数料などの諸費用は考慮に入れない）。

 解答
①×　転換社債型新株予約権付社債は、ほとんどの銘柄が満期一括償還制だが、一定の条件で繰上償還できるとする条項が付けられる場合がある。

②×　転換社債型新株予約権付社債は、新株予約権を社債から分離して譲渡することができない。

③○　転換社債型新株予約権付社債は新株予約権がついているため、その利率は普通の社債よりも低めである。

④×　転換社債型新株予約権付社債の転換価額は、募集開始前の一定の日の株価終値より高い価格で決められる。

⑤○　なお、パリティ価格が転換社債の時価よりも大きい場合は、株式に転換して売却した方が有利である。

問2　転換価額2,000円、行使対象となる株式の時価2,500円、額面100万円の転換社債型新株予約権付社債の新株予約権を行使した場合に得られる株数で、正しいものはどれか、1つを選びなさい。

① 　400株
② 　500株
③ 　600株
④ 　2,000株

 解答
正しいものは、②

転換価額2,000円、額面100万円なので、新株予約権を行使した場合の取得株数は以下のように計算される。

$$取得株数 = \frac{社債権者が提出した社債の発行価額の総額}{転換価額} = \frac{100万円}{2,000円} = 500株$$

 問3　転換価額1,000円、行使対象となる株式の時価1,100円、転換社債型新株予約権付社債の時価105円の転換社債型新株予約権付社債の乖離率で、正

しいものはどれか、1つを選びなさい（小数点第3位以下を切り捨てること）。

① 4.54%
② 4.76%
③ −4.54%
④ −4.76%

 解答

正しいものは、③

まずこの転換社債型新株予約権付社債のパリティ価格は、

$$パリティ価格 = \frac{株価}{転換価額} \times 100 = \frac{1,100円}{1,000円} \times 100 = 110円$$

よって乖離率は、

$$乖離率 = \frac{転換社債型新株予約権付社債の時価 - パリティ価格}{パリティ価格} \times 100$$

$$= \frac{105円 - 110円}{110円} \times 100 ≒ -4.54\% （小数点第3位以下切捨て）$$

問4 転換社債型新株予約権付社債の価格変動要因に関する次の問題のうち、誤っているものはどれか、1つ選びなさい。

① 金利が下落すると、債券価格は上昇する。
② クレジット・スプレッドが拡大すると、債券価格は下落する。
③ 株価が上昇すると、パリティ価格が上昇し、転換社債の価値が上昇する。
④ ボラティリティが下落すると、債券価格は上昇する。
⑤ 社債の信用リスクが高まると、債券価格は下落する。

 解答

誤っているものは、④

転換社債の価格変動要因をまとめると以下のようになる。

転換社債	金利	クレジット・スプレッド	株価	ボラティリティ
価格上昇	低下	縮小	上昇	上昇
価格下落	上昇	拡大	下落	下落

なお、社債の信用リスクが高まると、クレジット・スプレッドが拡大し、転換社債の価格は下落する。

5. 債券の投資計算

債券の投資計算は、頻出問題。利回り計算式は、「最終利回り」を軸に他の計算にも応用しよう。大きな得点源になるのでしっかりマスター。

1 債券の利回り計算

債券投資による収益の利回りには、最終利回り、応募者利回り、所有期間利回り、直接利回りの4種類がある。

(1) 債券の利回り計算

最終 利回り (%)	最終償還日まで所有した場合の利回り	$利率 + \dfrac{\dfrac{償還価格(100) - 購入価格}{残存期間(年)}}{購入価格} \times 100$
応募者 利回り (%)	発行時に購入し最終償還日まで所有した場合の利回り	$利率 + \dfrac{\dfrac{償還価格(100) - 発行価格}{償還期限(年)}}{発行価格} \times 100$
所有期間 利回り (%)	任意の所有期間での利回り	$利率 + \dfrac{\dfrac{売却価格 - 購入価格}{所有期間(年)}}{購入価格} \times 100$
直接 利回り (%)	債券価格に対する年間利子収入の割合	$\dfrac{利率}{購入価格} \times 100$

(2) 債券の単価計算

債券の売買では、希望する利回りから購入価格を求める必要がある。

$$購入価格（円）= \frac{償還価格 + （利率 \times 残存年数）}{1 + \left(\dfrac{利回り}{100} \times 残存年数 \right)}$$

2 債券の受渡代金

債券を売買する場合の受渡代金は、「経過利子」と「委託手数料（別途消費税がかかる）」を考慮する必要がある。

(1) 経過利子

経過利子とは、利付債を利子支払日以外に売買する場合に、直前の利払日の翌日から受渡日までの経過日数に応じて、買い手から売り手へ支払う利子である。

$$経過利子（円）＝額面（100円）当たりの年利子 \times \frac{経過日数}{365}$$

(2) 債券の売買における受渡代金

買付時の受渡代金＝約定金額＋経過利子＋（委託手数料＋消費税）
売付時の受渡代金＝約定金額＋経過利子－（委託手数料＋消費税）

店頭取引では債券価格に手数料相当分を含んでいるため手数料は考慮しない。

参考

買付時も売付時も経過利子は加算するので注意が必要である。

本番得点力が高まる！ 問題演習

問1 利率年2.0%、残存期間10年の利付国債を、最終利回りが3％となるように購入する場合の購入価格として、正しいものはどれか、1つを選びなさい（小数点以下を切り捨てること）。

① 90円

② 91円

③ 92円

④ 93円

解答 正しいものは、③

利付国債の最終利回りを考慮した購入価格の計算は、以下のように行う。

$$
購入価格（円）＝\frac{償還価格＋（利率×残存年数）}{1＋\left(\dfrac{利回り}{100}×残存年数\right)}
$$

$$
＝\frac{100円＋（2.0×10年）}{1＋\left(\dfrac{3}{100}×10年\right)}≒92円（小数点以下切捨て）
$$

問2 利率年2.0%、所有期間4年、購入価格99円、売却価格101円の利付国債の所有期間利回りとして、正しいものはどれか、1つを選びなさい（小数点第4位以下を切り捨てること）。

① 1.485%

② 1.515%

③ 2.475%

④ 2.525%

解答 正しいものは、④

$$
所有期間利回り（\%）＝\frac{利率＋\dfrac{売却価格－購入価格}{所有期間}}{購入価格}×100
$$

$$
＝\frac{2.0＋\dfrac{101円－99円}{4年}}{99円}×100
$$

$$
≒2.525\%（小数点第4位以下切捨て）
$$

問3 ある個人（居住者）が、2023年中に利率年2.4%、額面200万円の上場国債を取引所取引により売り付けた場合、経過日数が73日であるときの経過利子に関する記述として正しいものはどれか、1つを選びなさい。

① 経過利子9,600円が、売却代金から差し引かれる。

② 経過利子9,600円が、売却代金に加算される。

③ 経過利子7,649円が、売却代金から差し引かれる。

④ 経過利子7,649円が、売却代金に加算される。

解答 正しいものは、②

額面100円の経過利子は、

$$額面100円当たりの経過利子（円）= 2.4 \times \frac{73日}{365} = 0.48円$$

売買の額面総額（200万円）の経過利子は、

$$額面総額の経過利子（円）= 0.48円 \times \frac{200万円}{100円} = 9,600円$$

経過利子は、買い手から売り手へ支払う利子である。よって、経過利子9,600円が、売却代金に加算される。

- -

問4 ある個人（居住者）が、額面100万円の長期利付国債を取引所取引により単価98円で購入したときの受渡代金として、正しいものはどれか、1つを選びなさい。ただし、経過利子は6,400円、委託手数料は額面100万円につき2,000円（消費税相当額を考慮する）で計算すること。

① 975,760円

② 984,360円

③ 988,460円

④ 988,600円

解答 正しいものは、④

$$約定金額 = 額面金額 \times \frac{単価}{100円} = 100万円 \times \frac{98円}{100円} = 98万円$$

委託手数料は2,000円、委託手数料にかかる消費税 = 2,000円 × 10% = 200円

よって購入時の受渡代金は

受渡代金 = 98万円 + 6,400円 + （2,000円 + 200円）= 988,600円

第9章 債券業務 債券の投資計算

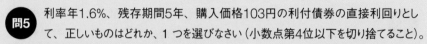

問5 利率年1.6%、残存期間5年、購入価格103円の利付債券の直接利回りとして、正しいものはどれか、1つを選びなさい（小数点第4位以下を切り捨てること）。

① 0.400%

② 0.825%

③ 0.850%

④ 1.553%

解答 正しいものは、④

$$直接利回り（\%）＝ \frac{利率}{購入価格} \times 100$$

$$＝ \frac{1.6}{103円} \times 100$$

$$≒ 1.553\%（小数点第4位以下切り捨て）$$

第 10 章

投資信託及び
投資法人に関する業務

予想配点　34点／440点
出題形式
○×方式…7問
五肢選択方式…2問
（配点と出題形式はTACの予想です）

　投信法（投資信託及び投資法人に関する法律）等に基づいて、設立・販売される投資信託について学びます。投資信託の概念から、種類や運用・販売、決算にいたる内容までを解説します。

関連章　　なし

投資信託の契約や、関連する会社の種類などをはじめとした投資信託の概要❶から学んでいきます。

投資信託の種類❷やしくみ❸、運用❹など実務に関する内容❺についても触れていきます。

また、J-REITなどを代表とした投資法人❻についても、ここで見ていきましょう。

1. 投資信託の概要

一人ひとりの資金は少なくてもまとめれば大きな金額になるね。

1 投資信託の概要

投資信託とは、多数の投資者から資金を集め、第三者である専門家が運用・管理する金融商品である。このしくみを集団投資スキームという。

● 投資信託の特徴

・少額の資金で分散投資が可能
・専門家による運用
・適切な投資者保護
・市場を通じた資金供給への寄与

2 投資信託の主なコスト

投資家が負担する投資信託のコストには、主に次のようなものがある。

費用名	発生時期	費用の内容
販売手数料	購入時	申込価額の数%を費用として販売会社に支払う。販売手数料のないものもある(ノーロード)。販売手数料は販売会社が決める。
運用管理費用（信託報酬）	保有時	投資信託財産の運用管理を行うための報酬で、投資信託委託会社と受託会社が投資信託財産から受ける。投資信託委託会社は、自らの報酬の一部を販売会社に支払う。所定の率で日割計算し、日々、投資信託財産から控除される。
信託財産留保額	換金時・購入時	ファンドの追加設定や換金請求などにはコストがかかる。既にファンドを保有している人と新たにファンドを購入、または解約する人とのコスト負担の公平性を保つため、手数料とは別に徴収され、信託財産に留保される。投資信託により、徴収されないものがある。

問1 投資信託に関する次の記述のうち、正しいものには○を、誤っているものには×をつけなさい。

① 集団投資スキームとは、多数の投資者から資金を集め、第三者である専門家が運用・管理するしくみである。

② 運用管理費用とは、投資信託の保有時にかかるコストで、投資信託財産に対し、所定の率で計算し、年末に投資信託財産から控除される。

③ 販売手数料の金額は、販売会社が決める。

④ 投資信託とは、多数の投資者から資金を募り、ファンドを組成し、専門家が運用することにより、一投資家には求めがたい利益を求めるスキームを提供することができる金融商品である。

解答

①○ なお、投資信託のしくみを集団投資スキームという。

②× 運用管理費用は、投資信託財産に対し所定の率で日割計算し、日々、投資信託財産から控除される。

③○ なお、販売手数料のない（ノーロード）ものもある。

④○ なお、投資信託には、少額の資金で分散投資が可能などの特徴がある。

2. 投資信託の種類

こんなに多くの
種類があるんだ…。

1 投資信託の全体像

投資信託の全体像は以下のとおりである。以降で、それぞれの投資信託の種類をみていく。

● 投資信託の全体像（純資産総額・ファンド本数）

(単位：百万円)

タイプ　　　　　　　　　　　　　　　項目	純資産総額	前月末純資産増減額	ファンド本数
投資信託合計	359,491,126	8,925,720	14,403
公募投信	239,127,976	8,571,232	5,980
契約型投信	227,041,104	8,518,416	5,917
証券投信	227,041,104	8,518,416	5,917
株式投信	211,047,618	8,784,935	5,832
単位型	648,764	▲ 5,878	85
追加型	210,398,853	8,790,812	5,747
ETF	89,569,673	4,200,372	295
その他	120,829,180	4,590,441	5,452
公社債投信	15,993,487	▲ 266,519	85
単位型	0	0	0
追加型	15,993,487	▲ 266,519	85
MRF	15,518,910	▲ 260,686	11
MMF	0	0	0
その他	474,576	▲ 5,833	74
証券投信以外の投信	0	0	0
金銭信託受益権投信	0	0	0
委託者非指図型投信	0	0	0
投資法人	12,086,872	52,816	63
証券投資法人	0	0	0
不動産投資法人※	11,943,451	52,922	58
インフラ投資法人※	143,421	▲ 106	5
私募投信	120,363,150	354,488	8,423
契約型投信	116,670,854	306,703	8,361
証券投信	116,669,230	306,696	8,360
株式投信	113,336,631	395,042	6,965
公社債投信	3,332,599	▲ 88,346	1,395
証券投信以外の投信	1,624	8	1
委託者非指図型投信	1,624	8	1
投資法人	3,692,296	47,785	62
証券投資法人	18,409	▲ 37	1
不動産投資法人※	3,673,887	47,822	61
インフラ投資法人※	0	0	0

※不動産投資法人及びインフラ投資法人は前月（ひと月遅れ）のデータ

出典：投資信託協会
（2024年3月末現在）

2 公募投資信託と私募投資信託

● 対象とする投資家の違いによる区分

公募 投資信託	不特定かつ多数(50名以上)の投資家を対象とする。
私募 投資信託	一定の限られた投資家を対象とする。次の2つに大別される。 ①少数の投資家を対象とする一般投資家私募 ②適格機関投資家または特定投資家のみを対象とする適格 　機関投資家私募等

3 契約型と会社型

● 投資家が拠出する基金に関する法的なしくみ(スキーム)の違いによる区分

参考

契約型投資信託の場合、委託者＝投資信託委託会社、受託者＝信託銀行である。

契約型 (投資信託)	委託者(投資信託委託会社)と受託者(信託銀行)が締結した投資信託契約に基づき基金(ファンド)が設立され、その信託の受益権を投資家が取得する。
会社型 (投資法人)	資産運用を目的とする法人が設立され、その発行する証券を投資家が取得する。

　契約型の場合はファンド自体には法人格はないが、会社型の場合には、法人格をもった投資法人となる。

4 委託者指図型投資信託と委託者非指図型投資信託

　契約型投資信託は、投資信託を運営する当時者の役割により、委託者指図型投資信託と委託者非指図型投資信託に分類される。

　なお、委託者非指図型投資信託を設定する際は、証券投資信託以外の投資信託としなければならない。

● 委託者指図型投資信託と委託者非指図型投資信託

	委託者指図型投資信託	委託者非指図型投資信託
定義	委託者と受託者が締結した信託契約に基づき、委託者が運用の指図を行い、その受益権を分割し複数の者が取得する。	1個の信託契約に基づき、受託者が複数の委託者との間で信託契約を締結し、委託者の指図に基づかず受託者自ら運用を行う。証券投資信託以外の投資信託としなければならない。
受益者	投資家	
委託者	資産運用会社 (投資信託委託会社)	投資家 (委託者兼受益者)
受託者	信託銀行	信託会社等
運用	資産運用会社 (投資信託委託会社)	信託会社等 (運用者兼受託者)
販売会社	金融商品取引業者・金融機関等	

● 委託者指図型投資信託のしくみ

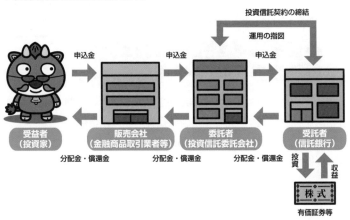

236

● 委託者非指図型投資信託のしくみ

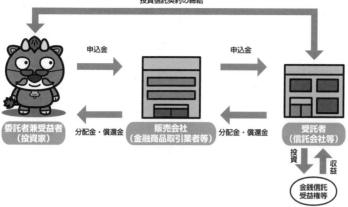

5 証券投資信託、不動産投資信託、証券投資信託以外の投資信託、インフラ投資信託

(1) 投資信託及び投資法人の投資対象 (特定資産)

　投資信託及び投資法人の主な投資対象 (投資資産) は、次の5種類の資産に区分される。

・有価証券及び有価証券関連デリバティブ取引に係る権利
・不動産、不動産関連の権利及び不動産関連商品
・有価証券以外の金銭債権、約束手形及び匿名組合出資持分・有価証券関連デリバティブ取引以外のデリバティブ取引に係る権利
・商品、商品投資等取引に係る権利
・インフラ設備(再生可能エネルギー発電設備及び公共施設等運営権)

---

(2) 投資対象における区分

　(1) のうち、何を投資対象とするかにより、以下のように区分される。

● 投資対象の違いによる区分

証券投資信託 (証券投資法人)	投資信託財産総額の2分の1を超える額を「有価証券及び有価証券関連デリバティブ取引に係る権利」に投資している委託者指図型投資信託をいう。投資信託協会においては、投資法人財産の総額の2分の1を超える額を「有価証券及び有価証券関連デリバティブ取引に係る権利」に投資して運用する投資法人を証券投資法人としている。

不動産投資信託 (不動産投資法人)	主たる投資対象が「不動産、不動産関連の権利及び不動産関連商品」である不動産投資信託及び不動産投資法人をいう。
証券投資信託以外の投資信託	主要投資対象が「有価証券以外の金銭債権、約束手形及び匿名組合出資持分並びに有価証券関連デリバティブ取引以外のデリバティブ取引に係る権利」「商品、商品投資等取引に係る権利」である投資信託をいう。
インフラ投資信託 (投資法人)	インフラ設備(再生可能エネルギー発電設備及び公共施設等運営権)が特定資産で、東京証券取引所に上場する。会社型(投資法人形式)で組成される。

6 公社債投資信託と株式投資信託

参考

MRFなどの日々決算型ファンドは、投資家の購入価格は常に単位あたりの元本価格(例10,000円)と同一である。

● 証券投資信託の分類

公社債 投資信託	投資信託約款で、投資対象が、国債、地方債、社債、コマーシャル・ペーパー、外国法人が発行する譲渡性預金証書、国債先物取引などに限定されている。
株式 投資信託	公社債投資信託以外の証券投資信託をいう。投資信託約款で、株式を組み入れることができる。

(1) 公社債投資信託

公社債投資信託の特徴は、以下のとおりである。

- ・決算の度ごとにファンドの純資産が元本額を超える額をすべて分配する
- ・決算日の基準価額でしか購入できない
- ・日々決算型ファンドでは基準価額が単位あたり元本価格以外のときは追加設定できない

7 単位型と追加型

● **追加資金受入れの有無による区分**

単位型	ファンドを設立した後は、追加の資金を受け付けない投資信託で、次の2種類がある。 ・ファミリーファンド・ユニット(定期定型投資信託) 　継続して定期的に同じしくみの投資信託を設定 ・スポット投資信託 　投資家のニーズなどに応じてタイムリーに設定
追加型	ファンドを設立した後も、追加の資金を募り続ける投資信託である(オープン型投資信託ともいう)。

8 オープンエンド型とクローズドエンド型

● **投資家が解約可能かどうかによる区分**

オープンエンド型	発行者が発行証券を買い戻すことができる(投資家が解約できる)ファンドで、絶えず基金の減少がある。 換金は純資産価格(基準価額)に基づいて行われる。
クローズドエンド型	発行者が発行証券を買い戻すことができない(投資家が解約できない)ファンドで、原則として基金の減少がない。 換金は市場で売却するしかなく、その価格は純資産価格(基準価額)とは必ずしも一致しない。

9 ETF

ETFとは、投資成果が株価指数や商品価格などの指標に連動するように設定された、取引所で取引される投資信託をいう。なお、海外の株価指数や外国投資信託の国内上場など商品として多様化されている。

● **ETFの特徴**

取引価格	取引所における市場価格で売買でき、指値注文、成行注文、信用取引が可能である。
取引単位	10口単位、1口単位など、ファンドごとに決まっている。
課税関係	分配金、譲渡損益に対する税制は、原則として上場株式と同様であり、普通分配金と特別分配金の区別はない。なお、分配金は、決算日の受益者名簿に記載された受益者に支払われる。

10 その他の投資信託の種類

● その他の主な投資信託

外国 投資信託	外国において外国の法令に基づいて設定された投資信託に類するものをいう。 通常、基準価額は外貨で表示される。 外国投資信託を日本で販売する場合には、日本で設定された投資信託と同様に金商法と投信法が適用される。
マザー ファンド	受益権をベビーファンド(投資信託委託会社が運用の指図をする他の投資信託)に取得させることを目的とした投資信託。 同一の投資対象・運用方法をしくみの違う複数のベビーファンドで利用したい場合などに用いられる(ファミリーファンド)。
ファンド・ オブ・ ファンズ	投資信託(投資法人)及び外国投資信託(外国投資法人)への投資を目的とする投資信託(投資法人)。
確定拠出 年金向け ファンド	確定拠出年金の運用商品として提供されるファンド。 ファンド名称に確定拠出年金の略称であるDCの文字が付されることがある。
毎月分配型	毎月決算を行い、毎月分配金が支払われる投資信託。 ただし、分配金が支払われない場合や、ファンドが得た収益を超えて分配金が支払われる場合、分配金が元本の一部払戻しに相当する場合などがある。
通貨選択型	株式や債券などの投資対象資産に加えて、為替取引の対象となる円以外の通貨も選択できる投資信託。
レバレッジ 投資信託	上場投資信託以外のものであり、基準価額の変動率を特定の指標または価格の変動率にあらかじめ定めた倍率を乗じた数値に一致させるように運用される投資信託。
複雑投信	店頭デリバティブ取引に類する複雑な仕組債(複雑仕組債)で運用する投資信託。
ノックイン 投資信託	複雑投信の一種。デリバティブ取引や仕組債を活用し目標とする投資成果や償還日が、特定の指標・価格で決まる。

参考

ファミリーファンドは複数のファンド(ベビーファンド)が1つのマザーファンドに投資する方式である。

用語

ノックイン
ノックインとは、株価指数など対象となる資産の価格が、あらかじめ決められた水準と等しくなるか、これを超えることをいう。

本番得点力が高まる！ 問題演習

問1 投資信託の種類や分類に関する次の記述のうち、正しいものには〇を、誤っているものには×をつけなさい。

① 会社型投資信託には、ファンド自体に法人格がある。

② 委託者非指図型投資信託を設定する場合には、証券投資信託以外の投資信託としなければならない。

③ 委託者指図型投資信託では、受託者が投資信託財産の運用指図を行う。

④ 投資信託の信託財産として、不動産及び不動産関連の権利を投資対象とすることができる。

⑤ 証券投資信託は、有価証券関連デリバティブ取引に係る権利に投資することができない。

⑥ 公社債投資信託は、株式を一切組み入れることができない証券投資信託である。

⑦ クローズドエンド型は、投資家が解約できるため、基金の減少が生じる投資信託である。

⑧ ETFは取引所における市場価格で取引され、信用取引を行うことができる。

⑨ 外国投資信託とは、外国において外国の法令に基づいて設定された投資信託に類するものをいう。

⑩ オープンエンド型の発行証券の買い戻しは、純資産価格に基づいて換金が行われる。

解答

①〇 なお、契約型投資信託には、ファンド自体に法人格はない。

②〇 委託者非指図型投資信託では、証券投資信託を設定することができない。

③× 委託者指図型投資信託で投資信託財産の運用指図を行うのは、委託者（資産運用会社）である。

④〇 投資信託及び投資法人の主たる投資対象（特定資産）として、不動産、不動産関連の権利及び不動産関連商品を投資対象とすることができる。

⑤× 証券投資信託は、投資信託財産の総額の2分の1を超える額を有価証券及び有価証券関連デリバティブ取引に係る権利に投資している投資信託である。

⑥〇 公社債を中心に運用するファンドであっても、投資信託約款の投資対象に株式があれば株式投資信託として扱われる。

⑦× クローズドエンド型は、投資家が解約できない投資信託であるため、原則として基金の減少がない。投資家は市場で売却し換金することになる。

⑧○ ETFは、取得換金する場合は上場株式等と同様の方法で行われ、信用取引、指値注文、成行注文も可能である。

⑨○ なお、外国投資信託を日本で販売する場合は、日本で設定された投資信託と同様に、金商法と投信法が適用される。

⑩○ オープンエンド型の投資信託は、投資家が解約できるファンドである。

3.

投資信託を設立す
るためのしくみをしっ
かり理解しよう。

証券投資信託のしくみ

重要度

★★☆

委託者指図型投資信託である証券投資信託は、投資信託約款に運営の基礎が定められており、関係者には運用会社（投資信託委託会社）、受託者（信託銀行）、受益者（投資家）、販売会社がいる。

1 投資信託契約

(1) 投資信託約款の締結

投資信託委託会社（＝委託者＝運用会社）が、受託者と投資信託契約を締結しようとするときは、あらかじめ、投資信託契約に係る投資信託約款の内容を内閣総理大臣に届け出なければならない。

● 投資信託約款の記載事項

- ・委託者及び受託者の商号または名称、その義務
- ・投資対象とする資産の種類その他信託財産の運用に関する事項
- ・投資信託財産の評価方法、基準及び基準日に関する事項
- ・信託の元本の償還及び収益の分配に関する事項
- ・信託契約期間、その延長、信託契約期間中の解約に関する事項
- ・信託の計算期間に関する事項
- ・受託者及び委託者の受ける信託報酬その他手数料の計算方法
- ・公募、適格機関投資家私募、特定投資家私募または一般投資家私募の別
- ・委託者が運用の指図に係る権限を委託する際は、その委託先の名称等及び委託に係る費用
- ・投資信託約款の変更に関する事項
- ・委託者における公告の方法

投資信託委託会社は、投資信託を取得しようとする者に対して、投資信託約款の内容を記載した書面を交付しなければならない。ただし、目論見書にその内容が記載されている場合など、一定の場合は交付しなくてもよい。

(2) 投資信託契約の変更

投資信託約款を変更する場合は、あらかじめその旨及び内容を金融庁長官に届け出る必要がある。また、その内容が重大な場合には、受益者への書面の交付または書面による決議が必要である。

(3) 投資信託契約の解約（ファンドの償還）

投資信託委託会社は、ファンドを償還し投資信託契約を解約する場合は、あらかじめ内閣総理大臣にその旨を届け出なければならない。

2 関係者

(1) 投資信託委託会社

投資信託委託会社になるには、金融庁長官から投資運用業の登録を受けなければならない。投資信託委託会社が自ら発行するファンドの受益権の募集を行う場合は、第二種金融商品取引業者として金融庁長官の登録を受ける必要がある（投資信託委託会社の直販業務）。投資信託委託会社の主な業務は次のとおりである。

- ・投資信託契約の締結、投資信託約款の届出・変更
- ・投資信託財産の設定
- ・投資信託財産の運用の指図(議決権の指図行使を含む)
- ・ファンドの基準価額の計算、公表
- ・目論見書、運用報告書などディスクロージャーの作成
- ・投資信託契約の解約(ファンドの償還)

(2) 受託会社

受託会社は、信託会社等（信託会社または信託業務を営む金融機関）でなければならない。主な業務は以下のとおりである。

- ・投資信託財産の管理
- ・ファンドの基準価額の計算(投資信託委託会社との照合)
- ・投資信託約款の内容及び内容の変更に関する承諾・同意

受託会社は投資信託財産の名義人となり、投資信託財産を分別保管し、自己の名で管理する。また、受託会社は、投資信託財産として保有する有価証券の議決権等について、投資信託委託会社から指示を受け、権利を行使する。

なお、現在、投資信託の受託業務については再信託会社で行われ、業務の効率化を図っている。

(3) 受益者（投資家）

　受益者とは、信託の利益を受ける権利（受益権）を有する者をいう。なお、分配金、償還金の受領については、受益者は、保有する受益権の口数に応じて、均等の権利を持っている。

(4) 販売会社

　投資信託の募集・販売は、投資信託委託会社の直販業務による場合を除き、金融商品取引業者、登録金融機関などの販売会社を通じて行われる。主な業務は以下のとおりである。

> ・投資信託の募集の取扱い及び売買
> ・分配金、償還金の支払いの取扱い
> ・受益者からの解約請求の取次ぎ
> ・目論見書、運用報告書の顧客への交付
> ・募集・販売に関する必要事項について、投資信託委託会社との相互連絡

問1 投資信託に関する次の記述のうち、正しいものには○を、誤っているものには×をつけなさい。

① 委託者指図型投資信託では、委託者である投資信託委託会社が投資信託財産の運用の指図を行う。

② 委託者指図型投資信託では、受託会社は投資信託財産の名義人となり、投資信託財産を分別保管し、自己の名で管理する。

③ 投資信託約款に記載すべき事項には、「委託者における公告の方法」は含まれない。

④ 投資信託委託会社が自ら発行するファンドの受益権の募集を行うには、第一種金融商品取引業者として金融庁長官の登録を受ける必要がある。

 解答

①○ なお、投資信託の受託者は、委託者の指図に従って投資信託財産の管理、保管を行う。

②○ なお、受託者である信託会社は、投資信託委託会社の指示により、投資信託財産として保有する有価証券の議決権の行使等も行う。

③× 投資信託約款に記載すべき事項には、「委託者における公告の方法」が含まれる。

④× 投資信託委託会社が自ら発行するファンドの受益権の募集を行うには、第二種金融商品取引業者としての登録を受ける必要がある。

4. 証券投資信託の運用

投資するなら
ここだな。

重要度
★★☆

1 証券投資信託の運用手法

(1) インデックス運用(パッシブ運用)とアクティブ運用

● 証券投資信託の運用手法

インデックス運用 (パッシブ運用)	東証株価指数(TOPIX)や日経平均株価などのインデックス指数をベンチマークとし、ベンチマークにできるだけ近い運用成果を目指す運用手法である。
アクティブ運用	経済、金利、企業の調査・分析結果などを基に、運用成果がベンチマークを上回るように運用する手法である。

(2) トップダウン・アプローチとボトムアップ・アプローチ

● アクティブ運用の方法

トップダウン・ アプローチ	マクロ経済に対する調査・分析結果に基づき、ポートフォリオを組成していく手法である。
ボトムアップ・ アプローチ	個別企業に対する調査・分析結果に基づき、ポートフォリオを組成していく手法である。

(3) グロース株運用とバリュー株運用

　株式のアクティブ運用は、ベンチマークを上回る収益の源泉をどこに見出すかによって、次のように分類できる。

● 株式のアクティブ運用のスタイル

グロース株 運用	企業の成長性から、株価が上昇すると予想される銘柄に投資する運用手法である。
バリュー株 運用	株式の価値と株価水準を比較し、割安と判断される銘柄に投資する運用手法である。

用語

東証株価指数
原則として、東京証券取引所プライム市場の全銘柄の時価総額を指数化したものである。

用語

日経平均株価
東京証券取引所プライム市場に上場している銘柄のうち、市場を代表する225銘柄の修正平均株価である。

用語

ベンチマーク
運用目標となる指標のことであり、株価指数や債券指数などが用いられる。

用語

マクロ経済に対する調査
経済を捉えるために、一国の経済全体を見ることをいう。

2 証券投資信託の投資対象と投資制限

(1) 投資対象

　投資信託の投資対象（特定資産）は、有価証券、デリバティブ取引に係る権利、不動産、不動産の賃借権、地上権、約束手形、金銭債権、匿名組合出資持分、商品、商品投資等取引に係る権利、再生可能エネルギー発電設備及び公共施設等運営権である。証券投資信託は、このうち、有価証券及び有価証券関連デリバティブ取引に係る権利に、原則として、投資信託財産の2分の1を超える額を投資しなければならない。

(2) 投資制限

　代表的な投資制限は次のとおりである。

● 証券投資信託の投資の際の制限事項

分散投資規制	同一の者に係る次の3つのエクスポージャーの信託財産の純資産総額に対する比率はそれぞれ10%、3つの合計では20%以内に制限されている。 ・株式等エクスポージャー ・債券等エクスポージャー ・デリバティブ等エクスポージャー ※一定の要件を満たせば、MRF、指数連動型ファンドなどは対象外 なお、投資対象に支配的な銘柄がある場合、交付目論見書の表紙に特化型運用を行うことを表示するなどの措置を講じることで、前述の10%、20%の制限をともに、35%とすることが可能である。
流動性リスク規制	公募投資信託の委託会社には、保有資産に係る売買条件等の性質、投資戦略、商品特性、市場動向・市場環境など、並びにそれらが流動性リスクに与える影響やストレステストの結果を踏まえた流動性リスク管理態勢の整備が求められる。
デリバティブ取引に対する制限	リスク管理の徹底が求められる。

3 証券投資信託の販売

(1) 販売に関する規制等

① 投資信託説明書（目論見書）及び契約締結前交付書面の交付

投資信託説明書（目論見書）には、投資信託を取得してもらう場合、あらかじめまたは同時に交付しなければならない投資信託説明書（交付目論見書）と、取得してもらうまでに交付の請求があったときには直ちに交付しなければならない投資信託説明書（請求目論見書）がある。

販売会社は投資信託を取得してもらう場合、あらかじめ投資家に対して契約締結前交付書面を作成し、交付しなければならない。

② 金融サービス提供法による説明義務

金融サービス提供法は、投資信託の販売業者が投資信託のもっているリスクなどの重要事項について顧客に説明する義務を定めている。

③ 顧客に対するトータルリターンの通知

日本証券業協会では、販売会社が顧客に対し投資信託のトータルリターンを通知する制度を導入した。トータルリターン情報とは、取得時の基準価額、計算基準日の利益・損失の価額、受取配当金の累計額などを考慮した、購入時から計算基準日までの全期間を通じたトータルの損益金額のことである。通知は年1回以上、販売会社が定めた基準日に行う。

(2) 単位型投資信託と追加型株式投資信託

● 単位型投資信託と追加型株式投資信託の販売の特徴

	単位型投資信託	追加型株式投資信託
募集	当初募集のみ。募集期間は2週間から1ヶ月程度	当初募集と追加募集がある。募集期間は当初募集は2週間から1ヶ月程度、追加募集はファンドの設定以後、信託期間中原則、毎営業日
募集価格	一般的には、1口当たり1万円	当初募集は1口当たり1円が主流。追加募集は基準価額に基づいた価格
募集単位	原則、販売会社が定める。	
募集（販売）手数料	販売会社が定める。よって、同じファンドでも販売会社により募集手数料は異なる場合がある。また、募集手数料が不要のファンド（ノーロードファンド）もある。	

(3) ブラインド方式

株式投資信託の追加取得・換金の申込は、国内資産を主な投資対

参考

実際の投資信託説明書（目論見書）では、募集（販売）手数料を購入時手数料、信託報酬を運用管理費用（信託報酬）と表記している。

用語

終値
売買立会による取引のいちばん最後に付いた値段のことである。

参考

ブラインド方式において、株式投資信託の追加設定の買い注文を受ける際には、申込代金を概算で受け取り、受渡日に代金を精算する。

象とするファンドについて、証券取引所の売買立会による取引終了時までに締め切られる一方、基準価額は当該取引所の終値で計算されるので、申込時点においては、追加取得・換金価格が明らかになっていない。この方式を、ブラインド方式という。

(4) 追加型公社債投資信託

当初募集については、単位型と同様となる。追加募集時については次のとおりである。

● **追加型公社債投資信託**の追加募集時の取扱い

	公社債投信	MRF
信託期間	無期限	
募集期間	決算日の基準価額でのみ追加設定を受け付ける。	毎営業日継続的に募集できる。
募集単位	「1万口(円)以上1万口(円)単位」など、ファンドごとに設定。MRFの場合は1口(円)以上1口(円)単位。	
募集価格	決算日の基準価額 (1万円)	取得日の前日の基準価額(1万円) 基準価額が1万円を下回ると募集できない。
募集(販売)手数料	なし	
決算	ファンドごとに約款に定められている	日々決算
収益分配	元本超過額を全額分配、自動再投資も可。	元本超過額を全額分配、毎月末に自動再投資。
換金	常時可能	
換金代金の支払い	4営業日目 (所定の解約手数料がかかる)	換金申込が午前の場合は当日、それ以外は翌営業日
キャッシング制度(即日引出)	なし	あり

参考

MRFの投資対象は、主に国内外の公社債や短期の金融商品である。

用語

キャッシング
換金申込日当日の支払いを可能とするため、翌営業日の換金代金の支払いまでの間、販売会社が換金代金相当額を立替払いすることである。

問1 次の文章は証券投資信託の運用に関する記述である。それぞれの（　）に当てはまる語句の組み合わせのうち、正しいものはどれか、1つを選びなさい。

　証券投資信託の運用手法には、アクティブ運用とインデックス運用がある。アクティブ運用において、マクロ経済に対する調査・分析結果に基づき、ポートフォリオを組成していく手法を（　イ　）といい、個別企業に対する調査・分析結果に基づき、ポートフォリオを組成していく手法を（　ロ　）という。また、株式のアクティブ運用において、企業の成長性から、株価が上昇すると予想される銘柄に投資する運用手法を（　ハ　）といい、株式の価値と株価水準を比較し、割安と判断される銘柄に投資する運用手法を（　ニ　）という。

① イ：ボトムアップ・アプローチ　　ロ：トップダウン・アプローチ
　　ハ：グロース株運用　　　　　　　ニ：バリュー株運用
② イ：トップダウン・アプローチ　　ロ：ボトムアップ・アプローチ
　　ハ：バリュー株運用　　　　　　　ニ：グロース株運用
③ イ：トップダウン・アプローチ　　ロ：ボトムアップ・アプローチ
　　ハ：グロース株運用　　　　　　　ニ：バリュー株運用

解答 正しいものは、③

問2 証券投資信託に関する次の記述のうち、正しいものには〇を、誤っているものには×をつけなさい。

① 請求目論見書は、金融商品取引業者が投資家に証券投資信託を販売する際、あらかじめまたは同時に交付しなければならない目論見書である。
② 目論見書、運用報告書の書面作成は、受託会社の業務である。
③ 追加設定で株式投資信託を購入する際、実際の精算価格は未定のため、投資者はまず推定額で支払い、受渡日に精算を行う。これをブラインド方式という。
④ MRFは、キャッシング制度を利用できない。
⑤ 投資信託の販売においては、金融サービス提供法は適用外となる。

第10章 投資信託及び投資法人に関する業務／証券投資信託の運用

解答

①× 設問は交付目論見書のものである。なお、請求目論見書は、取得してもらうまでに交付の請求があったときには直ちに交付しなければならない目論見書である。

②× 目論見書、運用報告書の書面作成は、投資信託委託会社の業務である。

③○ 株式投資信託の基準価額は、申込時点では、追加取得・換金価格が明らかになっていないため、このようなブラインド方式がとられている。なお、投資者は注文の際に口数を指定し、後に確定した金額を支払うか、あらかじめ金額を指定しその範囲内で購入可能な口数分の受益権を購入するかのいずれかの方法で購入する。

④× MRFは、キャッシング制度を利用できる。

⑤× 投資信託の販売においても金融サービス提供法が適用され、投資信託の販売業者は投資信託のもっているリスクなどの重要事項について顧客に説明する義務がある。

5. 証券投資信託の決算・収益分配・換金・償還等

分配金です!

重要度 ★★☆

ここでは、公募の証券投資信託（委託者指図型投資信託）に関する決算等について学ぶ。

1 証券投資信託の決算

投資信託の決算の計算期間は、ファンドごとに投資信託約款に定められている。決算では、信託財産ごとに財務諸表を作成し、経理の現状及び期間損益を明らかにするために行われる。

2 証券投資信託の分配

分配金は決算日ごとに決定され、投資家はこれを販売会社で受領する。この分配金には、投資信託協会のルールで上限額が定められている。分配が行われると、分配金の額だけ基準価額は下がる（分配落）。

● 分配金の上限額

単位型投資信託	決算期末の純資産総額が経費控除後、 ①元本額以上の場合、この超過額と期間中の配当等収益とのいずれか多い額の範囲内で分配を行うことができる。 ②元本に満たない場合は、配当等収益の範囲内で分配することができる。
追加型株式投資信託	経費控除後の配当等収益の全額に加え、期中の実現売買損益と期末時価で評価替えした評価損益との合計額から経費を控除し、前期から繰り越された欠損金がある場合には当該欠損金を補塡した後の額を分配することができる。
追加型公社債投資信託	期末における元本超過額の全額を分配する。

参考

①の場合は、利息や配当などの収入額と基準価額の値上がりした分のどちらか大きい方が分配の上限である。

用語

配当等収益
株式の配当金、公社債の利益といったいわゆるインカムゲインと、株式等有価証券の売買による実現損益、期末時価で評価しなおした損益という、いわゆるキャピタルゲインのことである。

3 証券投資信託の換金

(1) 解約と買取り

　換金請求の受付時限は、株式投資信託の販売会社の場合遅くとも午後3時までである。

● 投資信託の換金方法

解約	直接投資信託財産を取り崩して換金する方法である。
買取り	販売会社がファンドを買い取ることで換金する方法である。

　オープンエンド型は、原則として、毎営業日解約を受け付ける。ただ、解約請求することができない期間を、あらかじめ投資信託約款で定めている場合があり、この期間をクローズド期間と呼ぶ。

(2) 換金代金の支払い

　ファンドを換金したときの、代金の支払いは次のとおりである。

- ・投資対象が国内資産の場合は、換金申込受付日から4営業日目
- ・投資対象が外国資産の場合は、換金申込受付日から5営業日目
- ・MRFは換金申込受付日の翌営業日(午前中に解約を受付け、投資家が希望した場合のみ即日解約がある場合も)

参考

MRFについてはキャッシングが認められており、即日引出が可能な場合がある。

4 証券投資信託の償還

　償還とは、信託されたお金を投資家へ返すことである。単位型投資信託や一定の信託期間を設けている追加型投資信託は、信託期間の終了とともに償還となる。

　ただし、投資信託委託会社の判断により、信託期間の更新(延長償還)は可能である。また、多くのファンドは、投資信託約款において、残存口数が一定水準を下回れば、信託期間中でも繰上償還できるよう定めている。

5 証券投資信託の分配、換金及び　償還に伴う課税

(1) 追加型株式投資信託の個別元本と普通分配金、元本払戻金

　追加型株式投資信託の分配金、換金代金、償還金に対する課税を理解するには、個別元本方式のしくみ及び普通分配金、元本払戻金(特

別分配金）の区分が重要である。

個別元本	・投資者ごとの平均取得基準価額のこと。 ・ファンドを取得すると、取得口数で加重平均される。 ・収益分配が行われるつど調整される。
普通分配金	・分配落後の基準価額が個別元本を上回る部分であり、課税される。 ・源泉徴収税率20.315％（所得税及び復興特別所得税15.315％、住民税5％）
元本払戻金 （特別分配金）	分配落後の基準価額が投資者の個別元本を下回る場合、下回る部分に相当する分配金額が元本払戻金となる。個別元本の払戻しにあたるため非課税となる。

参考

個別元本は投資家がそのファンドを複数回取得した場合や収益分配が行われた場合、そのつど修正される。

● 個別元本と普通分配金、元本払戻金

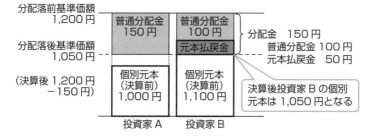

※税金は考慮していない。

① 分配落後の基準価額が個別元本と同額または上回る場合は普通分配金となる。（投資家A）

② 分配落後の基準価額が個別元本を下回る場合、下回る部分に相当する部分が元本払戻金、残余の分配金額が普通分配金となる。（投資家B）

③ 分配後の個別元本は、分配前の個別元本から元本払戻金を差し引いた額となる。

　　・投資家A…1,000円－ 0円＝1,000円

　　・投資家B…1,100円－50円＝1,050円

④ 源泉税は普通分配金に税率をかける。

　　・投資家A…150円×20.315％≒30円

　　・投資家B…100円×20.315％≒20円（円未満切り捨て）

(2) 株式投資信託の分配金に対する課税

個人投資家の株式投資信託の分配金は配当所得である。なお、普

通分配金については、20.315%の税率で源泉徴収が行われる申告不要制度が適用される。また、確定申告による総合課税、申告分離課税を選択することもできる。

（3）公社債投資信託の分配金に対する課税

個人投資家の公社債投資信託の分配金は利子所得であり、普通分配金・特別分配金の区分なく、全額が、20.315%の税率で申告分離課税の対象となる。

（4）換金差益・償還差益に対する課税

① 株式投資信託

個人投資家が株式投資信託を解約・買取りにより換金した場合、または償還を受けた場合の換金差益・償還差益は譲渡所得となり、換金損益・償還損益は上場株式の売買損益等と通算し、20.315%の税率で譲渡益課税が行われる。

② 公社債投資信託

個人投資家の公社債投資信託の解約差益・償還差益は、譲渡所得として扱われ、20.315%の税率で申告分離課税の対象となる。

6 証券投資信託のディスクロージャー（情報開示）

投資信託のディスクロージャーは、投資家に投資判断材料を提供するためのものである。

（1）発行開示

● 発行開示の方法

金商法に基づく発行開示	投資信託委託会社は、財務局長へ有価証券届出書を届け出なければならない。また、投資信託を取得しようとする者に対しては、投資信託説明書(目論見書)をあらかじめまたは同時に、または取得してもらうまでに交付の請求があったときには、直ちに交付しなければならない。
投信法に基づく発行開示	投資信託委託会社は、金融庁長官へ投資信託約款を届け出なければならず、投資信託を取得しようとする者に対しては、投資信託約款の内容を記載した書面を交付しなければならない。ただし、通常、投資信託約款の内容が記載された投資信託説明書(目論見書)の交付をもって、この書面交付に代えている。

(2) 継続開示

金商法に基づく継続開示	投資信託委託会社は、財務局長へ決算期ごとに有価証券報告書を、決算経過後3ヶ月以内に提出しなければならない。
投信法に基づく継続開示	投資信託委託会社は、決算期末ごとに遅滞なく運用報告書を作成し、受益者に交付しなければならない。

● 運用報告書（交付運用報告書）の主な記載事項

① 投資信託財産の運用方針
② 期中の資産の運用の経過
③ 運用状況の推移
④ 期中の投資信託委託会社及び受託会社に対する報酬、受益者が負担するその他費用、またこれらを対価とする役務の内容
⑤ 株式のうち主要なものにつき、銘柄ごとに、当期末現在における時価総額の投資信託財産の純資産額に対する比率
⑥ 公社債のうち主要なものにつき、銘柄ごとに、当期末現在における時価総額の投資信託財産の純資産額に対する比率　等

継続開示
有価証券の発行後、一定期間ごとに必要となる情報開示である。

第**10**章

投資信託及び投資法人に関する業務／証券投資信託の決算・収益分配・換金・償還等

問1 証券投資信託に関する次の記述のうち、正しいものには〇を、誤っているものには×をつけなさい。

① 証券投資信託には、解約請求できない期間をあらかじめ投資信託約款により定めている場合があり、それをオープンエンド期間という。

② 運用報告書の記載事項には、運用の方針や期中における資産の運用の経過、運用状況の推移などがある。

③ 株式投資信託の元本払戻金（特別分配金）とは、分配落ち後の基準価額がその投資家の個別元本を下回る場合、下回る部分に相当する分配金のことである。

④ 追加型株式投資信託における換金方法は、買取りのみである。

⑤ 単位型投資信託及び追加型投資信託は、いかなる場合でも、信託期間中は繰上償還されない。

解答

①× 証券投資信託には、解約請求できない期間をあらかじめ投資信託約款により定めている場合があり、それをクローズド期間という。

②〇 その他の記載事項として、期中の投資信託委託会社及び受託会社に対する報酬や受益者が負担するその他費用、株式や公社債のうち主要な銘柄ごとの、当期末現在における時価総額の投資信託財産の純資産額に対する比率などがある。

③〇 なお、株式投資信託の元本払戻金（特別分配金）は、非課税である。

④× 追加型株式投資信託の換金方法には、投資信託財産を取り崩して換金する解約と、販売会社がファンドを買い取ることで換金する買取りの2種類がある。

⑤× 信託期間中の繰上償還はできる。通常、多くのファンドは、投資信託約款により、残存口数が一定水準を下回れば信託期間中でも繰上償還できるよう定めている。

6. 投資法人

代表的な投資法人にはREITがある。

重要度
★★☆

1 投資法人とは

　投資法人制度とは、株式会社に似た特別な法人を創設し、その法人をファンドとして投資信託と同様の集団的スキームを設けようとするものである。投資家から拠出された資金の集合体（ファンド）には法人格が与えられる。投資法人の成立時の出資総額は、設立の際に発行する投資口の払込金額の総額で、1億円以上と定められている。なお、投資法人はその商号中に投資法人という文字を用いなければならない。

　投資法人のスキームは、主に不動産投資法人（J-REIT）として利用されている。

● **投資法人のしくみ**

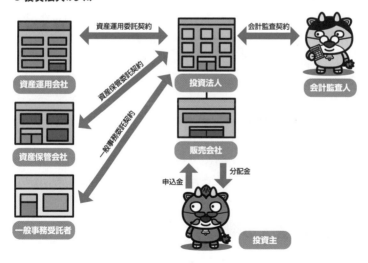

2 投資法人の設立・募集

(1) 投資法人の設立

　投資法人は、設立企画人が規約を作成し、内閣総理大臣に投資法人設立届出書を届け出ることにより設立される。なお、設立企画人の少なくとも1名には、設立しようとする投資法人が主として投資の対象とする特定資産と同種の資産の運用事務の経験などがなければならない。

　規約とは、投資法人の基本的事項を定めたもので、契約型投資信託でいえば投資信託約款にあたる。規約に記載すべき事項は次のものである。

・投資主の請求により投資口の払戻しをする旨、またはしない旨
・投資法人が発行することができる投資口の総口数
・投資法人が常時保持する最低限度の純資産額
・資産運用の対象及び方針
・金銭の分配の方針
・設立企画人の氏名または名称及び住所　等

(2) 投資法人の登録

　投資法人とは、資産を主に特定資産で運用することを目的とし、投信法に基づいて設立された社団であり、業務を行うには、内閣総理大臣の登録を受けなければならない。投資法人の主な業務は次のとおりである。

・有価証券の取得・譲渡・貸借
・不動産の取得・譲渡・貸借
・不動産の管理の委託　等

(3) 募集投資口の募集

　投資法人は規約に定められた投資口の総口数の範囲内で募集投資口を募集できる。募集を行う場合、その都度、口数、払込金額、算定方法、払込期日と期間を役員会で承認する。投資口の引受人は払込期日または払込をした日に投資主となる。

3 投資法人の機関

　投資法人には次のような機関がある。

投資主総会	・投資主総会は、原則、執行役員が招集する。 ・投信法または規約に定めた事項についてのみ決議する。 ・主な決議事項 　普通決議：執行役員、監督役員、会計監査人の選任・解任、資産運用業務委託契約の承認 　特別決議：規約の変更、投資口の併合、合併契約の承認、解散
執行役員	・執行役員は投資法人の業務を執行し、法人を代表する。 ・投資主総会で選任され、1または2人以上とされる。 ・任期は2年を超えることはできない。
監督役員	・監督役員は、執行役員の職務を監督する。 ・投資主総会で選任され、執行役員数に1を加えた数以上とする。 ・執行役員との兼務は禁止 ・任期は4年
役員会	・執行役員が重要な業務執行を行う場合には、役員会の承認が必要。 ・主な決議事項は、投資主総会の招集、各委託契約の締結または契約内容の変更など。 ・執行役員は3ヶ月に1回以上、業務の執行状況を役員会に報告する必要がある。

4 投資法人の運用

　投資法人は資産運用のための器としての機能しかもたないため、実際の資産運用、資産管理等に係る業務は、外部に委託しなければならない。

(1) 投資法人の業務

● 外部委託される投資法人の業務

資産運用業務	資産運用会社(投資運用業を行う金融商品取引業者)に委託される。
資産保管業務	信託銀行等の資産保管会社に委託される。
一般事務	一般事務受託者に委託される。 主な業務には、投資法人の会計、投資口の募集、投資主名簿の作成、役員会の運営などがある。

(2) 不動産投資信託 (不動産投資法人)

　不動産投資信託はJ-REITとも呼ばれ、主として不動産等に投資し、賃料収入等の運用益を投資家に分配する投資法人である。不動産投資信託の特徴は以下のとおりである。

- ・クローズドエンド型ファンドとして組成
- ・取引所に上場され、市場価格で売買される
- ・上場するには、ファンドの運用資産全体の70%以上が不動産等で占められることが要件
- ・法人税の非課税措置を受けるには、原則、配当可能利益の90%超を分配する必要がある
- ・金銭の分配は、利益を超えて行うことができる。
- ・指値注文、成行注文、信用取引が可能
- ・分配金、譲渡損益に対する税制は上場株式等と同様

　なお、不動産投資信託は投資家が解約できないクローズドエンド型として設立される一方、その投資証券が取引所に上場されることにより、投資家の投資機会と換金の場が提供されている。

本番得点力が高まる! 問題演習

問1 投資法人に関する次の記述のうち、正しいものには○を、誤っているものには×をつけなさい。

① 投資法人の成立時の出資総額は、設立時に発行する投資口の発行価額の総額であり、その額には特に基準はない。

② 投資法人の執行役員は、投資主総会で選任され、その数は一人でもよい。

③ 投資法人は、特定資産による資産運用を目的とした社団法人であり、資産運用以外の行為を行うことはできない。

④ 投資法人の監督役員は、その法人の執行役員と兼務しなければならない。

⑤ 投資法人は資産運用のための器としての機能しかもたないため、実際の資産運用、資産管理等に係る業務は、外部に委託しなければならない。

⑥ 投資法人が、法人税の非課税措置を受けるためには、配当可能利益の90%超を分配する必要がある。

⑦ 投資法人の設立における規約には、「投資法人が発行することができる投資口の総口数」が定められている。

⑧ 投資法人は、その商号中に「投資法人」という文字を用いなければならない。

⑨ 不動産投資信託の投資主は、他の投資主の過半数以上の合意がなければ、投資口を譲渡することはできない。

解答

①× 投資法人の成立時の出資総額は、1億円以上と定められている。なお、投資口の譲渡は自由である。

②○ 投資法人の執行役員は、その法人を代表する者である。

③○ なお、投資法人は、設立企画人が規約を作成し、内閣総理大臣に投資法人設立届出書を届け出ることにより設立される。

④× 投資法人の監督役員は、その法人の執行役員との兼務は禁止されている。

⑤○ なお、資産運用業務は資産運用会社に、資産保管業務は信託銀行等の資産保管会社に、一般事務は一般事務受託者に、それぞれ委託される。

⑥○ 投資法人の場合、税法上支払分配金を損金に算入する。法人段階で収益が非課税とされるためには、原則、配当可能利益の90％超を分配する必要がある。

⑦○ 投資法人の設立における規約には、資産運用の対象及び方針、金銭の分配の方針なども定められている。

⑧○ なお、投資法人は、資産運用以外の行為を営業することはできない。

⑨× 不動産投資信託は投資家が解約できないクローズドエンド型として設立される一方、その投資証券が取引所に上場されることにより、投資家の投資機会と換金の場が提供されている。よって、投資主は投資口を自由に市場で譲渡することができる。他の投資主の過半数以上の合意は必要ない。

投資法人のスキームは「J-REIT（不動産投資信託）」として利用されているのがポイント！キーワードは「契約型の投資信託とは異なる制度」と覚えておこう。

第 **11** 章

付随業務

予想配点　10点／440点
出題形式
五肢選択方式…1問
（配点と出題形式はTACの予想です）

金融商品取引業を営むためには欠かせない、諸々の付随業務について学んでいきます。依頼人である顧客の意向を円滑に反映するためにも、証券外務員が行える付随業務の全容を理解しましょう。

関連章　　なし

付随業務とは、円滑な業務遂行のために証券外務員に許された金融商品取引業以外の業務❶を指します。

具体的な内容❷としては、有価証券取引に関して顧客の代わりに対応したり、アドバイスを行うことなどが含まれます。

証券外務員として公正な業務を実現するためにも、必ず内容を把握しておきましょう。

1. 金融商品取引業以外の業務

MRFを解約したら、すぐお金が引き出せて便利!

金融商品取引業

─ ATM

重要度
★★☆

1 付随業務とは

　金融商品取引業者は、金融商品取引業だけではその機能を十分に発揮することはできない。したがって、金商法では「金融商品取引業」と切り離すことが難しい一定の業務に関して、金融商品取引業者の業務として認めている。金融商品取引業以外の業務は「付随業務」「届出業務」「承認業務」に分類され、そのうち「付随業務」は内閣総理大臣への届出や承認を得ることなく行うことができる。

2 付随業務の内容

　金商法において「付随業務」として定められているのは次のようなものである。

① 有価証券の貸借またはその媒介もしくは代理
② 信用取引に付随する金銭の貸付け
③ 顧客から保護預りをしている有価証券を担保とする金銭の貸付け(内閣府令で定めるものに限る)
④ 有価証券に関する顧客の代理
⑤ 投資信託委託会社の発行する投資信託または外国投資信託の受益証券に係る収益金、償還金もしくは解約金の支払いまたは当該有価証券に係る信託財産に属する有価証券その他の資産の交付に係る業務の代理
⑥ 投資法人の発行する有価証券(投資証券、新投資口予約権証券もしくは投資法人債券または外国投資証券)に係る金銭の分配、払戻金もしくは残余財産の分配または利息もしくは償還金の支払いに係る業務の代理
⑦ 累積投資契約の締結(内閣府令で定めるものに限る)
⑧ 有価証券に関連する情報の提供または助言(投資顧問契約に基づく助言に該当するものを除く)
⑨ 他の金融商品取引業者等の業務の代理
⑩ 登録投資法人の資産の保管

⑪　他の事業者の事業の譲渡、合併、会社の分割、株式交換、株式移転もしくは株式交付に関する相談に応じ、またはこれらに関し仲介を行うこと

⑫　他の事業者の経営に関する相談に応じること

⑬　通貨その他のデリバティブ取引（有価証券関連デリバティブ取引を除く）に関連する資産（暗号等資産を除く）として政令で定めるものの売買またはその媒介、取次ぎもしくは代理

⑭　譲渡性預金その他金銭債権（有価証券に該当するものを除く）の売買またはその媒介、取次ぎもしくは代理

⑮　投資信託及び投資法人に関する法律に規定する特定資産（不動産等を除く）、その他政令で定める資産に対する投資として、運用財産の運用を行うこと

⑯　顧客から取得した当該顧客に関する情報を当該顧客の同意を得て第三者に提供することその他当該金融商品取引業者の保有する情報を第三者に提供することであって、当該金融商品取引業者の行う金融商品取引業の高度化または当該金融商品取引業者の利用者の利便の向上に資するもの（⑧に掲げる行為に該当するものを除く）

⑰　金融商品取引業者の保有する人材、情報通信技術、設備その他の金融商品取引業者の行う金融商品取引業に係る経営資源を主として活用して行う行為であり、地域の活性化、産業の生産性の向上その他の持続可能な社会の構築に資するものとして内閣府令で定めるもの

本番得点力が高まる！ 問題演習

問1　付随業務に関する次の記述のうち、付随業務に該当しないものはどれか、正しいものを1つ選びなさい。

①　有価証券の売買の媒介、取次ぎもしくは代理

②　有価証券の貸借、またはその媒介もしくは代理

③　信用取引に付随する金銭の貸付け

④　有価証券に関する顧客の代理

⑤　累積投資契約の締結

解答　付随業務に該当しないものは、①
有価証券の売買の媒介、取次ぎもしくは代理は金融商品取引業者の本来の業務である。

2. 金融商品取引業に付随する主な業務の内容

重要度
★★★

株式累積投資

少額積立だから
私にもできる！

1 顧客から保護預りをしている有価証券を担保とする金銭の貸付け

　この業務の中心はキャッシング（即日引出）業務である。この業務は、MRFの解約の請求をした顧客に対し、解約請求当日に解約代金相当額の支払いができるように、翌営業日に行われる解約代金の支払いまでの間、解約を請求している有価証券を担保として解約代金相当額を貸し付ける業務である。

（1）貸付けの方法等

● キャッシング業務の概要

貸付限度額	MRFの残高に基づき計算した返還可能な金額、または500万円のうちいずれか少ない金額を基準とする。
貸付利息	解約請求日から翌営業日前日までのMRFの分配金手取額を貸付利息とする。
貸付期間	貸付けが行われた日の翌営業日までの間となる。
返済方法	貸付けが行われた日の翌営業日に顧客に支払われる解約代金により弁済充当する。
利用申込み	書面による申込みは不要だが、キャッシングを利用する旨の意思確認を顧客に対して行わなければならない。

（2）貸付条件等の明示

　キャッシングを受け付ける場合、顧客に対し、貸付限度額その他貸付条件等について記載した書面を交付し、顧客の意思を確認の上、申込みを受け付ける（ATMによる場合は、貸付条件等をATMのディスプレイに明示し、約款等をATM周囲に配備しておくことでも可）。また、取引を開始したときに包括契約の締結により、キャッシングの申込みを受け付けることも可能である。

用語

ATM
現金自動預け払い機のことである。

2 有価証券に関する顧客の代理

(1) 公社債の払込金の受入れ及び元利金支払の代理業務

　この業務は、公社債の発行者との契約に基づき、払込金の受入れや元利金の支払いなどを行う業務である。

(2) 株式事務の取次業務

　この業務は、顧客からの請求に基づき、株式事務を株式の発行会社、または証券保管振替機構に取り次ぐ業務である。

　この業務内容には、新株予約権付社債、ストックオプションなどの新株予約権の行使処理の取次ぎも含まれる。

(3) 有価証券に関する常任代理業務

　この業務は、日本国外居住の投資者との委任契約に基づいて事務の全部または一部を代理・代行する業務である。この業務内容には、有価証券の名義書換の代行及び寄託の受入れ、新株予約権及び新株予約権付社債等の権利行使も含まれる。

(4) 顧客への各種支払金の代理受領業務

　この業務は、有価証券の発行会社等から顧客に支払われる株式配当金等の金銭を、金融商品取引業者名義の銀行口座で受領し、顧客の証券口座を通じて受け渡す業務である。

3 累積投資契約の締結

(1) 累積投資契約

　累積投資契約とは、金融商品取引業者が顧客から金銭を預かり、その金銭を対価としてあらかじめ定めた期日に、その顧客に有価証券を継続的に売り付け、取得させるものである。

　買付有価証券は、あらかじめ契約により、その種類及び買付けのための預り金の充当方法を定めなければならない。ただし、顧客はいつでも有価証券の買付けを中止することができる。

(2) 株式累積投資

　株式累積投資とは、投資者から資金を預かり、その金銭を対価として、毎月一定日に特定の銘柄の株式等を買い付ける制度である。

　投資者は金融商品取引業者と株式累積投資契約等を結ぶことにより、少額の金額から株式投資を行うことができ、投資者が指定した銘柄を定期的に一定の金額で継続して買い付ける、いわゆるドル・コスト平均法

による買付けが可能となり、単位株に達した時点で株式累積投資口座から保護預り口座へ振り替えられて株主となる。

　ドル・コスト平均法により、株価が高いときには少ない株数を、安いときには多くの株数を買うことになり、長期的に見ると一定株数を定期的に購入する方法に比べ1株当たりの平均取得価格を引き下げる効果がある。

(3) インサイダー取引規制の適用除外

　株式累積投資を通じた株式の買付けのうち、情報を知る前に締結された契約に基づき、以下の要件をすべて満たすものはインサイダー取引規制の適用を受けない。

> ・一定の計画に従っていること
> ・個別の投資判断に基づくものではないこと
> ・継続的に行われること
> ・各顧客の1銘柄に対する払込金の合計額が1ヶ月当たり100万円未満であること

4 有価証券に関連する情報の提供または助言

　この業務は、金融商品取引業者が、有価証券に関連するノウハウ等を顧客に提供する業務をいうが、投資顧問契約に基づき助言を行う行為は含まない。

5 他の金融商品取引業者等の業務の代理

　この業務の例としては、累積投資業務に係る代理業務がある。累積投資業務を行う金融商品取引業者へ顧客を取り次ぎ、その金融商品取引業者に代わって顧客との間の買付代金の受渡し等の事務を代行する業務である。

本番得点力が高まる! 問題演習

問1 付随業務に関する次の記述のうち、正しいものには○を、誤っているものには×をつけなさい。

① キャッシング業務とは、MRFの解約請求を行った顧客に対し、翌営業日に行われる解約代金の支払いまでの間、MRFを担保として解約代金相当額を解約請求日に融資する業務である。

② キャッシング業務に係る貸付期間は、貸付が行われた日から起算して4営業日目の日までである。

③ キャッシングは書面による申込みが必要である。

④ キャッシング業務では、解約請求日から翌営業日前日までのMRFの分配金手取額を貸付利息とする。

⑤ 付随業務には私設取引システムの運営業務がある。

⑥ 付随業務には、「公社債の払込金の受入れ及び元利金支払いの代理業務」など有価証券に関する顧客の代理がある。

⑦ 付随業務には、有価証券またはデリバティブ取引に係る権利以外の資産に対する投資として、運用財産の運用を行う業務がある。

⑧ ドル・コスト平均法とは、株式等を定期的に継続して一定金額ずつ購入する方法である。

⑨ インサイダー情報を知った会社関係者がその情報が公開される前に株式累積投資契約に基づく買付けを行った場合、その情報を知る前に結んだ契約に基づいて所定の要件を満たしたものであれば、インサイダー取引規制の違反とならない。

 解答

① ○ キャッシング業務は、付随業務の中でも主要な業務である。

② × キャッシング業務に係る貸付期間は、貸付が行われた日の翌営業日までの間である。

③ × 書面によるキャッシングの申込みは不要だが、キャッシングを利用する旨の意思確認を顧客に対して行わなければならない。

④ ○ なお、貸付期間は、貸付けが行われた日の翌営業日までの間となる。

⑤ × 私設取引システムの運営業務は金融商品取引業務である。

⑥ ○ 有価証券に関する顧客の代理には、公社債の払込金の受入れ及び元利金支払いの代理業務、株式事務の取次業務などがある。

⑦ × 有価証券またはデリバティブ取引に係る権利以外の資産に対する投資と

第**11**章

付随業務 金融商品取引業に付随する主な業務の内容

して、運用財産の運用を行う業務は届出業務となる。

⑧○ ドル・コスト平均法では、株価が高いときには少ない株数を、安いときには多くの株数を購入するため、1株当たりの平均取得価格を引き下げる効果がある。

⑨○ 一定の計画に従っている、個別の投資判断に基づくものではない、継続的に行われる、各顧客の1銘柄に対する払込金の合計額が1ケ月当たり100万円未満であること、以上すべての要件を満たす場合は、インサイダー取引規制の違反とならない。

株式会社法概論

予想配点　20点／440点
出題形式
○×方式…5問
五肢選択方式…1問
（配点と出題形式はTACの予想です）

関連章　第9章　第13章

　証券外務員が業務上扱う会社法に基づく株式会社について見ていきましょう。株式や株主の権利、運営をするための株式会社の機関、会社の資金調達方法など多岐にわたるポイントから解説していきます。

株式や株主❷など株式会社❶の根幹について学びましょう。

○×株式会社

主要機関❸や決算に必要な計算❹、新株の発行と社債❺などの業務面についても注目です。

当然ながら、事業がうまくいかない場合もあります。そういった際の再編❻に関する流れも把握しておきましょう。

株式会社＝
誰でも設立できる法人

1.

株式会社

○×株式会社

重要度
★★★

1 企業形態

（1）会社と持分会社

　会社法で認められている企業形態には、責任の負い方や組織の複雑さなど、それぞれに特色がある。会社法では、次の4種類を会社の企業形態として認めている。

株式会社	株主は、会社の債務について責任を負わない。
合名会社	無限責任社員のみで構成される。
合資会社	無限責任社員が最低1名、有限責任社員が1名以上必要である。
合同会社	出資者すべてが有限責任社員である。

　株式会社を除く、合名会社・合資会社・合同会社をまとめて持分会社と呼ぶ。持分とは株式会社の株式に相当するが、株式のように大きさが均等である必要はない。

2 株式会社の特色

（1）株式

　株式会社は株式を発行することにより、広い範囲の者から資金を集め、事業を行うことができる。また、株主は出資した金額の範囲でのみ会社の債務者としての責務を負い、経営に参加する権利を有することになる。

（2）株主有限責任の原則

　株式会社では、株式を引き受けた株主は、その資金を払い込んだ後は、追加出資の義務や会社債権者に対する弁済の責任はない（株主有限責任の原則）。

株式会社の株主は、合資会社の有限責任社員や合同会社の社員と違い、対外的にまったく責任を負わない。

(3) 資本金

株式会社は、会社設立時にどれだけの出資（資本金）を確保するかを定款で定める。

株式会社には、資本金の最低金額の定めはなく、資本金１円の株式会社でも設立することができる。株式会社の資本金の額は、株式の払込金額に発行した株式数を掛けて出すのが原則だが、発行時に定めれば、払込金額の２分の１以内は資本金に入れなくてもよい。

(4) 多様な株式会社

株式会社は、規模の違い以外にも様々な点で分類することができる。

● 株式会社の分類

大会社	資本金の額が5億円以上または負債総額が200億円以上の株式会社のこと。 必ず会計監査人を置かなければならない。
公開会社	株式の一部の譲渡に会社の承認を必要としない、と定款で定めた会社である。 公開会社は、必ず取締役会を置かなければならず、議決権制限株式は、発行済株式総数の2分の1以下に抑えなければならない。

(5) 株式会社の設立

株式会社は、法律の定めた手続きを踏めば、誰でも自由に設立することができる。

① 定款の作成

株式会社を設立するためには、発起人が定款を必ず作成し（いかなる理由でも定款の作成を省略することはできない）、会社の目的、商号、本店所在地など法定の事項を記載しなければならない。発起人は１人でも法人でも可能である。

② 株式の発行と役員の選任

株式会社の設立は、設立時に、発行する株式の全部を発起人だけで引き受けるのが発起設立で、発起人が一部を引き受け、残りの株式について株主を募集するのが募集設立である。

株式すべてについて出資全額の履行が完了すると、取締役を選任し、設立が適正に行われたかを調査する。

用語

資本金
その会社財産を維持する目標の働きをしている。資本金の額は登記し、貸借対照表で公示する。

参考

株主が１人だけの会社を設立することもできる。また、会社設立後に株主が１人になることもある（一人会社）。

用語

登記
株式会社を設立する
ために、会社名等を
法務局（登記所）に
登記することである。

③ 登記

上記①②の手続きが完了すると設立の登記を行う。会社は、登記によって初めて成立する。

④ 設立の無効

設立手続に重大な法令違反がある場合、会社の設立の無効が問題となる。その無効を主張できるのは、原則として株主または取締役に限られ、設立登記の日から2年以内に裁判所へ訴えなければならない。

本番得点力が高まる! 問題演習

問1 株式会社や持分会社に関する次の記述のうち、正しいものには○を、誤っているものには×をつけなさい。

① 合名会社は、出資者のすべてが有限責任社員である。

② 大会社とは、資本金の額が5億円以上または負債総額が100億円以上の株式会社のことである。

③ 株式会社を設立する際には、資本金は1円でもよい。

④ 合資会社は、無限責任社員が最低1名と有限責任社員が1名以上必要である。

⑤ 公開会社とは、その全部または一部について、譲渡制限のない株式を発行できると定款に定めた会社のことである。

⑥ 株式会社の発起人は2人以上必要である。

⑦ 会社法では、会社の形態として、株式会社、合名会社、合資会社、合同会社の4種類を規定している。

⑧ 会社の設立時において、発行する株式の全部を発起人だけで引き受けるものを発起設立という。

⑨ 株式会社を設立するためには、発起人が必ず定款を作成し、会社の目的、商号、本店所在地など所定の事項を記載しなければならない。

⑩ 株式会社の設立の無効は、原則として、当該株式会社の株主や取締役が、設立登記の日から1年以内に裁判所へ訴えなければならない。

解答

① ×　合名会社は、すべてが直接・連帯・無限の責任を負う無限責任社員である。出資者のすべてが有限責任社員なのは、合同会社である。

② ×　大会社とは、資本金の額が5億円以上または負債総額が200億円以上の株式会社のことである。

③ ○　資本金が何円以上でなければならない、という定めはない。

④ ○　なお、合名会社、合資会社、合同会社をまとめて持分会社という。

⑤ ○　なお、公開会社は議決権制限株式を発行済株式総数の2分の1以下に抑えなければならない。

⑥ ×　発起人は1人でも法人でもよい。

⑦ ○　なお、以前会社の一形態であった有限会社は、現在の会社法の下では新しく作ることはできない。

⑧ ○　なお、発起人が一部を引き受け、残りの株式について株主を募集するものを募集設立という。

⑨ ○　定款の作成は、いかなる場合も省略することができない。

⑩ ×　設立の無効の訴えは、設立登記の日から2年以内である。

2.

株式と
株主の権利

株主の権利
にもいろいろ
あるんだね。

重要度

1 株式の分割・併合と消却

　株券には会社の商号や株式数などを記載し、代表取締役（指名委員会
等設置会社では代表執行役）が署名または記名押印する。

　株式の価値は、会社の収益力に応じてたえず変動している。株式の
額面や株数を変更するには、分割や併合、消却などの方法がある。

（1）株式の分割と併合

参考

株式を分割する場合
は、株主総会の決議
なしで定款を変更し発
行可能株式数の枠を
広げることができ、1
株を2株に分割する
ときは2倍に、3株
に分割するときは3
倍に、それぞれこの枠
を広げることが可能で
ある（普通株のみ発
行している会社に限
る）。

　1株を複数の株式にすることを株式の分割、複数の株式をまとめて株
数を少なくすることは株式の併合という。

株式の分割	・1株を分けて複数の株式にすること ・発行済株式数は増えるが、1株当たりの実質的価値は小さくなる ・取締役会の決議、取締役会のない会社は株主総会で決議する ・株式数は、定款に定めた発行可能株式総数の枠内でしか増やすことはできない
株式の併合	・複数の株式をまとめ、それよりも少ない数の株式にすること ・発行済株式数は減るが、1株当たりの実質的価値は大きくなる ・株主総会の特別決議が必要

（2）株式無償割当て

　株式無償割当てとは、新たな払込みなしで株主に株式を割り当てる方
法である。普通株のみを発行する会社の場合、株式の分割と同じ結果と
なる。株式の無償割当ては、定款に定めがない場合、取締役会（設置し
ない会社は株主総会）決議で決める。

(3) 株式の消却

株式の消却とは、発行されている株式をなくしてしまうことである。

株式の消却は、すべて会社がいったん株式を取得してから行う。消却する株式の種類や株数は、取締役会の決議で定め、取締役会のない会社は取締役が決定する。

2 単元株制度

単元株制度とは、ひとくくりの数の株式を持つ株主にのみ議決権を認める制度である。このひとくくりの数を1単元という。単元株制度を採用することや1単元の株式数は定款で定めるが、1単元の株式数は最大で1,000株である。

単元株制度をとる会社の株主は1単元の株式ごとに1個の議決権を持ち、単元未満株式しか持っていない株主には議決権がない。

3 株式の種類

株式には、剰余金の分配を受ける権利や株主総会での議決権を備えている。定款により、発行株式全部について権利内容を変更でき、一部の株式について異なる権利内容を定めることも可能である。

一部の株式について異なる権利を定めた会社の株式は、2種類以上の株式が併存することになり、このような会社のことを種類株式発行会社という。

(1) 剰余金の分配に関する種類株式

株式には、剰余金の分配を受ける権利の内容によって、次のような種類株式がある。

優先株	一定の配当を優先的に受けられる株式。 まず優先株に一定率の配当を支払い、残った剰余金から他の株式に配当する。
後配株 （劣後株）	一般の株式に配当した残りの剰余金からしか配当を受けられない株式。
普通株	標準となる一般の株式。

(2) 議決権制限株式

議決権制限株式とは、完全な議決権のある株式以外のすべての株式である。

用語

剰余金
自己資本のうち、資本金を上回る金額のことであり、株主に配当として分配されることが多い。

第12章
株式会社法概論 株式と株主の権利

議決権のまったくない株式のほか、総会決議事項の一部についてのみ議決権がある株式を発行することもできる。

公開会社では、議決権制限株式の合計が発行済株式総数の2分の1を超えると、2分の1以下にするための措置をとらなければならない。

(3) 譲渡制限株式

譲渡制限株式とは、譲渡に会社の承認が必要な株式のことである。譲渡制限株式は、全部または一部の種類だけの株式の譲渡を制限することもできる。

(4) 取得について権利が付いている株式

① 取得請求権付株式

参考

取得請求権付株式は、配当に充てるだけの剰余金が会社にない場合、株主が会社に取得を請求することができない。

取得請求権付株式とは、株主が請求すれば会社が買い取ることを発行時から約束している株式である。全部の株式やある種類の株式だけに付けることができる。

② 取得条項付株式

取得条項付株式とは、会社が取得の主導権をとる株式である。定款や取締役会の決議で定めた日などが到来すると、会社はこの株式を取得することができる。取得の日の2週間前までに通知か公告を行う。

③ 全部取得条項付種類株式

全部取得条項付種類株式は、株式の発行が必要な理由を取締役が株主総会で説明し、特別決議で取得日や取得対価を定める株式である。取得日が来れば会社はその種類株式全部を自動的に取得する。

(5) 拒否権付種類株式

拒否権付種類株式は、特定の株主に拒否権を持たせた株式である。株主総会や取締役会の決議が必要な事項について、ある種の株主の種類株主総会の決議がなければならないと定款に定めることができる。

4 株主の権利

株主は、会社に対して様々な権利を有している。

(1) 自益権と共益権

自益権とは、剰余金や残余財産の分配を受ける権利のように、株主個人の利益だけに関係する権利である。また、共益権とは、議決権や各種の訴権のように、その行使が株主全体の利害に影響するものである。

(2) 単独株主権と少数株主権

単独株主権	1株しか持たない株主でも行使できる権利。
少数株主権	一定割合以上の議決権(または一定割合以上の株式数)を持った株主のみが行使できる権利。 株主の提案権、取締役・会計参与・監査役の解任を求める権利、帳簿閲覧権などがある。

(3) 株主平等の原則

　株主平等の原則とは、株式にはすべて同様の権利があり、株主は持株数に比例して会社に対する権利を持つということである。会社は、特定の株主に対して有利または不利な待遇をしてはならない。

　種類株式発行会社では、この原則に対する例外が認められるが、同種類の株式の間では平等待遇が必要である。

(4) 利益供与の禁止

　株式会社は、株主総会での嫌がらせや会社を脅す株主がいたとしても、金銭その他の財産上の利益を供与して引き下がらせるようなことをしてはならない。

5 株式の譲渡

参考

譲渡制限を定款に新たに設ける場合の要件は加重はできるが軽減はできない。

　株式の譲渡性は、株式の権利内容の1つである。

(1) 譲渡の自由と定款による制限

　株式会社は、発行する株式について、自由な譲渡を認めるか、譲渡を制限する会社かということを定款で定めることができる。譲渡制限を新たに定款に設けるとき、全部の株式について譲渡を制限する場合は、株主総会で議決権を行使することができる株主の頭数で2分の1以上、議決権の3分の2以上の賛成が必要となる。

(2) 自己株式 (金庫株) と親会社の株式

　自己株式とは、株式会社が保有する自社の株式のことである。会社が自己株式を取得するには、株価操作やインサイダー取引、株主間の不平等などにならないよう、様々な規定が設けられている。

● **自己株式取得の手続き**

手続きの原則	株主総会の普通決議で株式数や対価、期間を定めて決議すれば、会社は自己株式を取得することができる。
市場取引・公開買付けによる取得	公開買付けの方法で取得する場合、通知・公告や按分比例が必要となる。市場取引の場合は金融商品取引業者に注文を出す。取得の時期や株数、対価などは取締役会（設置しない会社は株主総会）で決めるが、方法についてはあらかじめ定款に定めておかなければならない。
特定の株主からの取得	特定の株主から取得する場合、株主総会の特別決議による。ただし、市場価格のある株式を市場価格以下で取得する場合等はその必要がない。

　自己株式を取得するための財源は、原則として、配当にまわすことのできる剰余金しか使うことができない。また、取得した自己株式は、消却や処分をしなくてもよく、保有し続けることができる。

　子会社が親会社の株式を取得することは、原則禁止されている。

本番得点力が高まる! 問題演習

問1 株式に関する次の記述のうち、正しいものには〇を、誤っているものには×をつけなさい。

① 単元株制度において、1単元の株式数は最大で100株である。

② 公開会社では、議決権制限株式の合計が発行済株式総数の3分の1を超えると、3分の1以下にするための措置をとらなければならない。

③ 自益権とは残余財産の分配などその株主個人の利益だけに関係する権利のことである。

④ 2種類以上の株式が併存する会社を種類株式発行会社という。

⑤ 1株しか持たない株主でも行使できる権利を少数株主権という。

⑥ 株主総会の普通決議で株式数や対価、期間を定めて決議すれば、会社は自己株式を取得することができる。

 解答

①× 単元株制度において、1単元の株式数は最大で1,000株である。なお、単元株制度とは、ひとくくりの数の株式を持つ株主にのみ議決権を認める制度である。

②× 3分の1ではなく、2分の1である。

③〇 一方、議決権など、その行使が株主全体の利害に影響するものを共益権という。

④〇 株式会社は、定款により発行株式全部について権利内容を変更することができ、一部の株式について異なる権利内容を定めることも可能である。

⑤× 設問の記述は、単独株主権である。少数株主権とは、一定割合以上の議決権を持った株主だけが行使できる権利である。

⑥〇 なお、自己株式を取得するための財源には、原則、剰余金のみが認められている。

第12章

株式会社法概論／株式と株主の権利

3. 株式会社の機関

社長1人で会社のことを決定することはできないのだよ。

重要度 ★★★

1 株主総会

株主総会とは、株式会社の株主全員が構成する会議体の機関である。株式会社は、法律が定める一定の事項について、株主総会の決議がなければならない。

(1) 招集と株主提案権

株主総会には次の2種類がある。

定時株主総会	毎決算期ごとに1回、その期の成果を検討するために開催
臨時株主総会	必要に応じて開催

株主総会の開催日時・場所・議題は取締役会が決め、代表取締役が株主へ2週間前までに招集通知を出す。ただし、公開会社でない会社は1週間前に出せばよく、定款上でより短縮することもできる。

会社が総会を招集してくれないときは、株主が取締役に招集を請求し、拒否されると、裁判所の許可のもと、自分で招集することもできる。この権利は議決権総数の3％以上（公開会社では引続き6ヶ月以上）を持つ少数株主にのみ認められる。

招集通知に議題としてあげていない事項について、決議することは認められていない。

(2) 議決権

株主総会では、株主の頭数によらず、投下した資本の額に比例して議決権を持つ（1株1議決権の原則）。ただし、会社の持っている自己株式には議決権がない。

株式持合い抑制のため、次のような制限がある。

参考

取締役会のある公開会社の場合も議決権の1％以上または300個以上の議決権を引続き6ヶ月間持っている株主は、提案権があるので、総会に議題を追加できる。

参考

子会社は、親会社の総会で議決権を行使することはできない。

P社がQ社の議決権総数の4分の1以上の株を保有する場合、Q社がP社の株を保有しても、その議決権は行使できない。

Q社株
300株保有

P社株
10株保有

P社
1,000株
発行

Q社
1,000株
発行

議決権

　なお、株主本人が総会に出席する必要はなく、代理人に議決権を行使させることも可能である。

(3) 株主総会の決議

　株主総会の決議には、普通決議、特別決議、特殊決議がある。

普通決議	・議決権の過半数を持つ株主が出席し(定足数)、出席株主の議決権の過半数の賛成が必要 ・決議事項は取締役・監査役・会計参与・会計監査人の選任決議や監査役以外の解任決議、剰余金の配当　等
特別決議	・議決権の過半数(定款で3分の1まで下げてよい)にあたる株式を持つ株主が出席し、出席株主の議決権の3分の2以上の賛成が必要 ・決議事項は株式併合、監査役の解任、資本金の額の減少、定款変更、解散、清算、合併、会社分割、株式交換　等

　定足数の要件は定款で変えられるが、取締役、監査役、会計参与、会計監査人の選任決議等の場合は、定足数を議決権総数の3分の1未満にはできない。

　総会の議事録は、本店に10年間、支店には写しを5年間備え置くことで、株主と会社債権者の閲覧が可能である。

(4) 違法な決議

　決議の内容が定款に違反するなど著しく不当な場合、株主・取締役・監査役・執行役が訴訟で取消しを求めることができる。ただし、決議の日から3ヶ月以内に訴えを起こさないと効力を争うことはできない。

参考

取締役の解任が否決
されたとき、議決権
または発行済株式の
3％以上（公開会社
の場合は引続き6ヶ
月以上）を持つ少数
株主は、裁判所にそ
の取締役の解任を請
求できる。

2 取締役

　取締役は、取締役会を置く会社には、3名以上いなければならない。
取締役会を置かない会社では1人いればよい。取締役は、株主総会の
普通決議で選任する。任期は原則2年だが、公開会社でない会社は
定款で10年までのばすことも可能である。不正行為があれば、取締役
は任期中でも普通決議で解任できる。

(1) 取締役の競業と利益相反取引

　取締役は、会社の利益になるよう努める義務があり、個人の利益を優
先させることはできない（忠実義務）。そのため、取締役が会社の事業と
同種の取引をする等の場合、取引の重要事実を説明し取締役会（設置
しない会社は株主総会）の承認を受けなければならない。なお、原則として、
取締役の報酬は、定款か株主総会決議で決められる。

参考

その会社または子会
社の業務執行取締役、
執行役、従業員、ま
たは過去10年以内に
そういう地位にいた者、
支配株主（個人）の
親族等は、社外取締
役にはなれない。

(2) 取締役の責任

　取締役が任務を怠ったために会社に損害が出た場合、その賠償責任
を負わなければならない。ただし、原則として株主全員の同意があれば、
賠償責任を免除することができる。

3 取締役会

　取締役会は、すべての取締役で組織する会議体の機関であり、会社
の経営（業務執行）は取締役会で決定される。

● 取締役会の決議事項

社債の発行、募集株式の発行、新株予約権の発行、株主総会の招集、
代表取締役の選定・解職、株式の分割　等

　取締役会は、取締役全員が同意すれば、招集手続なしに開いたり、
会議の開催を省略することができる。また、取締役会の議事録は、本店
に10年間備え置かれる。

4 代表取締役

　代表取締役は、会社業務に関する一切の行為について権限を持つ。

・取締役会設置会社には、代表取締役が1名以上必要
・代表取締役は、取締役会で取締役の中から選任

・取締役会はいつでも代表取締役を解職できる

5 監査役と監査役会

(1) 監査役

　監査役はいわば会社のお目付け役であり、取締役や会計参与の職務の執行を監査する責任を負っている。

- ・取締役会及び会計監査人を置く会社には原則として監査役が必要
- ・監査等委員会設置会社、指名委員会等設置会社には監査役を置くことができない
- ・監査役の選任は株主総会の普通決議、解任は特別決議
- ・任期は4年。全部の株式に譲渡制限を付けた会社は定款で10年まで延長が可能
- ・監査役は会社または子会社の取締役・会計参与・執行役・使用人を兼ねることはできない
- ・監査役が任務を怠って会社に損害が生じた場合、取締役同様、責任を負う
- ・監査報告に虚偽の記載をした場合、第三者に対して賠償責任を負う

(2) 監査役会

　監査役会は、監査役全員で組織する機関で、監査役会を置く会社の監査役は３名以上、その半数以上は社外監査役でなければならない。公開会社である大会社が監査等委員会設置会社・指名委員会等設置会社のどちらでもない場合は、監査役会の設置が必要である。

6 会計監査人と会計参与

　会計監査人は、計算書類とその附属明細書の監査を行い、会計参与は、取締役と共同して計算書類などを作成する役員ポストである。

(1) 会計監査人

　会計監査人は、計算書類とその附属明細書の監査を行う。

- ・大会社はすべて会計監査人を置かなければならない
- ・監査等委員会設置会社、指名委員会等設置会社も会計監査人が必要
- ・会計監査人になることができるのは、公認会計士、監査法人に限られ、会社と利害関係の密な者は除かれる
- ・会計監査人の選任・解任は株主総会の普通決議
- ・任期は1年。ただし定時株主総会で不信任が決議されない限り自動更新

第12章

株式会社法概論 - 株式会社の機関

(2) 会計参与

　会計参与は、取締役と共同して計算書類などを作成するため、監査機関ではない。

- ・会計参与になることができるのは、公認会計士、監査法人、税理士、税理士法人
- ・任期は2年。全部の株式に譲渡制限を付けた会社は定款で10年まで延長が可能
- ・会計参与の設置は強制ではなく、どの会社でも定款に定めれば設置可能

7 指名委員会等設置会社

　指名委員会等設置会社には3種類の委員会があり、どの委員会も取締役会が選ぶ3名以上の取締役で構成し、過半数は社外取締役でなければならない。また、任期は1年である。

● **委員会の種類**

監査委員会	取締役や執行役の職務の執行を監査するほか、会計監査人の選任・解任・不再任の議案を決める。
指名委員会	取締役の選任・解任について、総会に提出する議案を決める。
報酬委員会	取締役及び執行役が受ける報酬の内容を決定する。

本番得点力が高まる! 問題演習

問1　株式会社の機関に関する次の記述のうち、正しいものには〇を、誤っているものには×をつけなさい。

① 株主総会の特別決議は、議決権の過半数を持つ株主が出席し、出席株主の議決権の過半数が賛成することで成立する。

② 取締役の選任及び解任は株主総会の決議事項とされているが、取締役会を置かない会社は、取締役を置く必要はない。

③ 総会の議事録は本店に10年間、支店には写しを5年間備え置かなければならない。

④ P社がQ社の議決権総数の4分の1以上の株を保有する場合、Q社はP社株を持っていても、その議決権は行使できない。

⑤ 資本金の額の減少は株主総会の特別決議事項である。

⑥ 大会社はすべて会計監査人を置かなければならない。

⑦ 株主総会の決議が定款に違反している場合には、株主は決議の日から1ヶ月以内に訴えを起こさないと効力を争うことができない。

⑧ 取締役が任務を怠ったために会社に損害が出た場合、その取締役の賠償責任を免除するには、株主総会の特別決議が必要である。

⑨ 監査役会を置く会社は、監査役が3名以上必要であるが、うち社外監査役は1名いればよい。

⑩ 指名委員会等設置会社が設置する委員会のメンバーは、取締役会が選ぶ3名以上の取締役で、過半数は社外取締役でなければならない。

解答

①× 株主総会の特別決議は、議決権の過半数を持つ株主が出席し、出席株主の議決権の3分の2以上の賛成が必要である。

②× 取締役はどの会社も必ず置かなければならない。なお、取締役は、取締役会を置く会社は3人以上、取締役会を置かない会社は1人いればよい。

③〇 なお、総会の議事録は、株主と会社債権者の閲覧が可能である。

④〇 また、子会社は親会社の総会で議決権を行使することはできない。

⑤〇 なお、会社の解散や清算、合併も株主総会の特別決議事項である。

⑥〇 なお、会計監査人になることができるのは、公認会計士か監査法人に限られる。

⑦× 違法な決議の場合、株主・取締役・監査役・執行役は取り消しを求めることができるが、その場合、決議の日から3ヶ月以内に訴えを起こす必要がある。

⑧× 取締役が任務を怠ったために会社に損害が出た場合、その賠償責任を負わなければならないが、原則として、株主全員の同意があれば、賠償責任を免除することができる。

⑨× 監査役会を置く会社の監査役は3名以上、かつ、その半数以上は社外監査役でなければならない。

⑩〇 なお、指名委員会等設置会社には、監査委員会、指名委員会、報酬委員会の3つがある。

4. 会社の計算

1年間の計算を決算としてまとめるぞ。

1 計算書類

　株式会社は、決算期に計算書類等を作成し、定時株主総会に提出して承認を受け、株主や会社債権者などに開示を行う。

（1）作成と承認

　株式会社は、決算期に次の書類を作成する。

> ・貸借対照表・損益計算書・事業報告
> ・株主資本等変動計算書・個別注記表・附属明細書

　これらの書類については、監査機関の監査を受け、取締役会の承認を受けなければならない。その後、計算書類は定時株主総会に提出して承認を受け、事業報告については内容の報告を行う。

　株式会社は、計算書類・事業報告などを本店に5年、支店に3年備え置かなければならない。

（2）開示（ディスクロージャー）

　定時株主総会後には貸借対照表（大会社は損益計算書も）を公告する。なお、公示は、官報や日刊新聞紙などの他、ホームページなどコンピューターを使う方法も認められている。

　計算書類のもとになる帳簿書類の閲覧権は、議決権または発行済株式の3％以上を持つ少数株主だけに認められている。

2 法定準備金

　法定準備金とは、法律で積立てを義務付けている準備金のことである。

利益準備金	配当などを剰余金から支出するたびに、その10分の1以上を積み立てなければならない。ただし、資本準備金との合計が資本金の4分の1に達していれば積み立てなくてもよい。
資本準備金	株式の払込金額のうち、資本に組み入れない分(払込剰余金)、合併・会社分割・株式交換・株式移転の差益金をすべてここに積み立てなければならない。

3 剰余金の配当

　株式会社では、剰余金があるときのみ、配当が認められる。分配可能額がないのに行った配当 (たこ配当) は無効となり、会社債権者は、株主に対して会社へ返還することを要求できる。剰余金の配当はそのつど株主総会で決議するが、金銭以外の財産を支給する場合、株主総会の特別決議が必要となる。

　なお、正式な手続きを踏めば、配当は年に何度でも行うことができる。

参考

金銭以外の財産を配当とすることを現物配当という。

4 資本金・準備金の減少

　資本金の額や準備金を減少するには、原則として、株主総会の特別決議が必要である。しかし、欠損を穴埋めするためだけに定時株主総会で決議する場合は普通決議でも可能である。なお、資本金の減少が違法に行われた場合、6ヶ月以内に訴えを起こした場合のみ、その無効を主張できる。

本番得点力が高まる！ 問題演習

問1 会社の計算に関する次の記述のうち、正しいものには○を、誤っているものには×をつけなさい。

① 株式会社は、計算書類・事業報告などを本店、支店ともに10年備え置かなければならない。

② 株式会社では、正式な手続きを踏めば、年に何度でも配当を行うことができる。

③ 配当として金銭以外の財産を支給する場合は、株主総会の普通決議が必要である。

④ 株式会社では、剰余金があるときのみ、配当が認められる。

⑤ 定時株主総会終了後には、貸借対照表を、大会社においては損益計算書も、公告をしなければならない。

解答

①× 株式会社は、計算書類・事業報告などを本店に5年、支店に3年備え置かなければならない。

②○ なお、剰余金の配当は、そのつど株主総会で決議される。

③× 配当として金銭以外の財産を支給する場合は、株主総会の特別決議が必要である。

④○ なお、剰余金がないのに行った配当は無効で、会社債権者は株主に対し会社へ返還することを要求できる。

⑤○ なお、公告は、ホームページなどコンピューターを使う方法でもよい。

5. 新株の発行と社債

新株を発行すると新たな資金調達ができるけど…。

1 新株の発行

株式会社が新株を発行するためには、様々な手続きがある。

(1) 授権資本制度

会社を設立するときは、定款に定めた発行可能株式総数の4分の1以上を発行すればよい。残りは必要に応じて取締役会の決議で随時発行することができる。未発行株式が足りなくなると、定款を変更し、発行可能株式総数の枠を広げることができる。この場合、増やすことができるのは、発行済株式数の4倍までである。

(2) 新株発行方法

新株の発行方法には、「株主割当て」「公募」「第三者割当て」の3種類がある。

● 新株の発行方法

株主割当て	株主割当てとは、現在の株主へ持株数に比例して新株を割り当てる方法である。株主割当てでは、時価より低い払込金額で発行することが多い。株主の持分割合は変わらず、新株が安く手に入るため、旧株の価値が下がっても損をすることはない。
公募	公募とは、会社の財務内容に見合う公正な額を発行価額にして発行する方法である（時価発行）。発行価額が公正であるならば、申込人のうち誰に新株を割り当ててもよい（割当て自由の原則）。
第三者割当て	第三者割当てでは、提携先・取引先・従業員などに時価より著しく低い発行価格で新株を割り当てる場合、その理由を示して株主総会の特別決議を経なければならない。

(3) 発行決議・開示・割当て

新株発行は、どの方法で、どのような株式を何株、いつ、いくらで発

行するか、払込金額のうちどれだけ資本金に組み入れるかなどを、取締役会決議で決める。株式会社は、これらの決定事項を払込期日の2週間前までに通知または公告する。

(4) 効力発生

株主割当ての場合は、申込期日までに株主が申込みさえすれば、新株を引き受けたことになる。

新株を発行すると発行済株式数や資本金が増加するため、これを登記しなければならない。なお、払込期日後1年たつと、引受けの無効・取消しを主張できなくなる。

(5) 新株予約権

新株予約権とは、それを会社に対して行使することで、同社の株式の交付を受けることができる権利である。

新株予約権者が権利を行使すると、会社はその者に新株を発行するか、手持ちの自己株式を移転しなければならない。

● **新株予約権の概要**

新株予約権の発行	新株予約権の発行は、取締役会の決議で決定する。ただし、株主以外の者に特に有利な条件で発行するには総会の特別決議が必要となる。新株の発行と違う点は、新株予約権は無償の発行も行われることである。
新株予約権の譲渡	新株予約権には、それについて証券が発行されているもの(証券発行新株予約権)と証券の発行されていないものとがあり、証券発行新株予約権の譲渡は新株予約権証券を交付しなければ効力を生じない。
新株予約権の行使	新株予約権は、行使期間内に、所定の金額を銀行などの払込取扱機関に払い込むことで、行使することができる。この行使をした日に株主となる。

2 社債

社債とは、株式会社や持分会社が発行する債券である。社債を取得した者を社債権者という。

(1) 社債の発行

社債の発行は取締役会決議で決まり、金融商品取引法上の募集については、内閣総理大臣への届出か、発行登録が必要である。

社債を募集するときは、社債管理者(銀行など)または、社債管理補助

者を設置しなければならない。

(2) 社債の流通と償還

社債券を発行する定めのある社債は、社債券を交付しなければ譲渡の効力が生じない。無記名社債の譲渡は社債券の交付だけで十分だが、記名社債の譲渡は取得者を社債原簿に記載しないと発行会社に対抗できない。

(3) 担保付社債

担保付社債は、発行会社（委託会社）と社債権者との間に信託会社（担保の受託会社）を入れ、両社間で信託契約を結ぶもので、受託会社が形の上では担保権者となる。

(4) 新株予約権付社債

新株予約権付社債とは、新株予約権を付けた社債である。新株予約権付社債には「社債を保有し続けたまま株主になるもの」と、「満期を繰り上げて償還され、その金額を新株の払込みに充当するもの」の2つのタイプがある。

● 新株予約権付社債の概要

新株予約権付社債の募集・発行	新株予約権付社債の募集は、取締役会で定める。また、新株予約権付社債を発行したときは新株予約権の登記をし、新株予約権原簿と社債原簿の両方に記載する。
譲渡・新株予約権の行使	新株予約権付社債は、新株予約権と社債のどちらかが消滅するまでは、両方を一体としてしか譲渡できない。社債券を発行する定めのある新株予約権付社債を証券発行新株予約権付社債といい、その券面が発行されているものは無記名新株予約権付社債となる。よって、それに付随する新株予約権は、新株予約権付社債券を交付しなければ譲渡の効力が生じない。 新株予約権を行使して債権者が株主になるのは、新株予約権を行使した日である。

社債の担保には、工場抵当・不動産抵当・鉄道抵当・企業担保などがある。

第12章 株式会社法概論 — 新株の発行と社債

295

本番得点力が高まる! 問題演習

問1 株式の発行や社債に関する次の記述のうち、正しいものには〇を、誤っている ものには×をつけなさい。

① 株式会社を設立するときは、定款に定めた発行可能株式総数の4分の1以上を 発行すればよい。

② 新株発行において、提携先、取引先、従業員などに時価よりも著しく低い発行価 格で新株を割り当てる場合は、その理由を示して、株主総会の普通決議を経なけれ ばならない。

③ 新株発行では発行済株式数や資本金が増加した場合においても、登記する必要 はない。

④ 新株予約権付社債の募集は、取締役会で定める。

解答

①〇 なお、残りの未発行株は必要に応じて取締役会の決議で随時発行する。

②× 提携先、取引先、従業員などに新株を割り当てる第三者割り当てにお いて、時価よりも著しく低い発行価格で新株を割り当てる場合は、株主 総会の特別決議を経なければならない。

③× 新株発行による発行済株式数や資本金の増加は登記しなければならな い。

④〇 また、新株予約権付社債を発行したときは新株予約権の登記をし、新 株予約権原簿と社債原簿の両方に記載する。

6.
会社組織の 再編、倒産など

会社を再編して、経営の多角化や、合理化、業績不振の会社を救済するぞ。

1 会社の合併

　会社の合併とは、経営の多角化や合理化、あるいは業績不良会社の救済などのために 2 つ以上の会社が合併して 1 つになることである。

● 合併の種類

新設合併	当事会社の全部が解散して新会社を設立すること
吸収合併	当事会社の1つが存続して他の会社を吸収すること

　会社の合併では、解散する会社の財産が包括的に新設会社または存続会社に移転し、解散会社の株主はその株式と交換に新設会社または存続会社の株式、金銭その他の財産を交付される。

(1) 合併の正式手続

　合併は、両社の代表取締役が協議して合併契約を締結し、株主総会の特別決議によって承認される。これに先立ち、株主や債権者向けに、合併契約の内容や合併対価の相当性などを記載した書面を本店に備え置き、会社債権者に異議がないかを問いかける公告などの措置をとる。なお、異議を述べる期間は 1 ヶ月以上必要で、この期間内に異議を述べなかった債権者は合併を承認したとみなし、異議を述べた債権者には弁済などの措置をとらなければならない。

　正式な合併手続のほかに、株主総会による承認決議を省略できる「略式合併」や「簡易合併」がある。

2 会社の分割

　会社の分割とは、合併の逆で、会社の事業の 1 部門を切り離し、別会社に独立もしくは統合することである。

● **分割の種類**

新設分割	ある会社が事業の1部門を切り離し、別会社として独立させること
吸収分割	切り離した部門を既存の別会社に統合すること

どちらの分割も、その部門を構成する権利義務が個別に移転されるのではなく、部門ごとに一括して承継される。

(1) 会社分割の手続き

会社の分割は、分割計画を作成し、そこに株式の割当てや承継する権利義務の範囲などの重要事項を記載して、株主総会の特別決議によって承認される。

分割に反対する株主は、株式買取請求権を行使できる。分割の無効を主張するには、6ヶ月以内に訴えを起こさなければならない。また、分割を無効とする判決の効力は過去にさかのぼることができない。

参考

会社は、株式交換や株式移転などを行うことによって、完全親会社を持株会社として利用し、企業を再編成してグループ経営をすることがある。

3 株式交換と株式移転

会社の再編では、株式交換によって他の会社を完全子会社にしたり、株式移転によって完全親会社となる会社を設立することができる。

(1) 株式交換

株式交換とは、ある会社が、他社の発行済株式全部を取得しようとする場合、両社間で株式交換契約を結び、他社の発行済株式と自社の発行する新株または保有中の自己株式と交換することである。発行済株式全部を取得した会社は完全親会社となり、取得された会社は完全子会社となる。株式交換契約には、株式の割当比率などの重要事項を定め、両社の株主総会の特別決議で承認する。

(2) 株式移転

株式移転は、完全親会社となる会社を新設する手続きで、当事者はすべて株式会社でなければならない。新設された会社の効力は設立登記によって発生する。

4 事業の譲渡・譲受け

会社は、他会社の事業を譲り受けることによって、会社の規模を拡大することができる。この場合は合併と違い、事業を構成する財産を個別に移転することが必要である。譲受けの対価は金銭その他の財産である。

譲渡する側の会社は、事業を全部譲渡したとしても、その対価で別の事業をすることができるため、会社は当然には解散しない。

なお、事業の譲渡や譲受けに反対する株主は、株式買取請求権を行使することができる。

5 会社の倒産

会社の倒産処理の方法には、更生と再生がある。

(1) 会社の更生

会社は、支払不能や債務超過が生じるおそれがあり、かつ会社再建の見込みがある場合、更生手続の申立てができる。更生手続の開始後、事業の経営は更生管財人の手に移るが、裁判所が適任と認める場合、取締役を管財人などに選任することもできる。

(2) 会社の再生

民事再生法が定める再生手続は、更生手続と似ているが、手続きが簡略で、個人でも利用ができる。

6 会社の解散

会社は、合併や破産、定款に定めた存続期間の満了などのほかに株主総会の特別決議によっても解散する。会社が解散すると清算手続に入るが、株式会社の清算は必ず法定の手続きに従わなければならない。

資産を処分して金銭に換え、債権者に債務を弁済し、残った資産があれば株主に分配を行う（残余財産の分配）。清算手続がすべて終わり、清算結了の登記がなされたときに初めて、法人としての会社は消滅する。

問1 会社組織の再編、倒産に関する次の記述のうち、正しいものには○を、誤っているものには×をつけなさい。

① 会社の全部が解散して新会社を設立することを、新設合併という。

② 会社の分割を無効とする判決の効力は、過去にさかのぼることができる。

③ 会社の分割のうち、切り離した部門を既存の別会社に統合することを新設分割という。

④ 会社の解散は、取締役会決議によって行われる。

⑤ 会社は事業の全部を譲渡しても、その会社は当然には解散しない。

解答

①○ 会社の合併には「新設合併」のほかに、当事会社の1つが存続して他の会社を吸収する「吸収合併」がある。

②× 分割の無効は6ヶ月以内に起こす訴えによらないと主張できず、分割を無効とする判決の効力は過去にさかのぼることができない。

③× 吸収分割の説明である。新設分割とは、ある会社が事業の1部門を切り離し、別会社として独立させることをいう。

④× 会社の解散は、取締役会の決議ではなく、株主総会の特別決議によって行われる。

⑤○ なぜなら、事業譲渡した対価で別の事業を始めることもできるからである。

第 13 章

財務諸表と企業分析

予想配点　20点／440点
出題形式
○×方式…5問
五肢選択方式…1問
（配点と出題形式はTACの予想です）

　株式会社の財務諸表の見方と分析について見ていきます。証券外務員として、企業の健康診断書といえる各諸表から財務状況を分析し、顧客への情報提供に活かすために、財務諸表の概要や各諸表の内容、さらには企業分析の手法を理解することは必須知識と言えます。

関連章　第8章

財務諸表 ❶ は企業の経営状態を表す重要な指標です。

そこから情報を読み取るためには収益性、安全性などの企業分析 ❷ の手法を知ることがとても重要なポイントになります。

的確に分析し、キャッシュ・フロー ❸ を把握できれば、その企業の成長性、配当などについても見通しを立てるヒントにできます。

1.

財務諸表は、企業の経営状態を知るための重要な書類なんだ。

財務諸表

重要度
★★★

1 財務諸表と企業分析の関係

　財務諸表とは、企業の一定期間の経営成績や財政状態などを明らかにするために作成される書類である。企業の経済活動は最終的に損益計算書、貸借対照表、キャッシュ・フロー計算書の3つの財務諸表（会社法上の計算書類）に集約される。これらを利用して実際の企業の状況を把握し、評価することを企業分析という。

2 3つの財務諸表

　3つの財務諸表の概要と、その書類から把握できる企業の状況等は次のような関係がある。

損益計算書	一定期間において企業がどれだけもうけたかを示すもの。経営成績の評価を把握できる。
貸借対照表	一定時点(決算日)における資金の源泉と使途の関係を一覧表示するもの。企業の財政状態を把握できる。
キャッシュ・フロー計算書	一定期間におけるキャッシュの出入りの状況を企業の活動領域と関連付けて示すもの。企業の安全性や流動性の程度を評価できる。

3 連結財務諸表制度

参考

企業内容の開示においては、連結財務諸表を「主」とし、個別財務諸表を「従」とする制度となっている。

　企業内容開示制度には、個別財務諸表による開示と連結財務諸表による開示とがある。個別財務諸表は個々の会社の財政状態を明らかにするために作成され、連結財務諸表は子会社など支配従属関係にある企業集団を1つの会計単位としてまとめ、グループ全体としての財政状態を明らかにするために作成される。

(1) 連結財務諸表とは

連結財務諸表では、出資関係などで密接につながっている企業集団を単一組織と見立てる。作成にあたっては、一定の「連結決算手続」に基づき、グループ内の資産や損益の重複を取り除くこととされる。

なお、連結財務諸表は、親会社が他の会社を支配するに至った日（支配獲得日）において作成される。

(2) 連単倍率

連単倍率とは、連結財務諸表を親会社単独の財務諸表と比較して、グループ全体の売上高や利益、資産等の規模が親会社単独の場合の何倍あるかを示すものである。

(3) 連結純損益

連結純損益は、親会社の単独純利益、連結子会社の正味合算利益を合計した上で、連結上の調整を行ったものである。通常、連結子会社が利益会社であれば連結純利益は親会社の純利益を上回る。しかし、連結上の調整でマイナス調整が多い場合など、子会社が利益会社でも常に連結純利益が親会社の単独純利益を上回るとはいえない。

$$連結純損益 = \frac{親会社単独}{純利益} + \frac{連結子会社の}{正味合算利益} \pm 連結上の調整$$

(4) 連結の範囲

連結財務諸表作成にあたり、グループ企業の中でどこまでを連結の範囲に含めるかについては一定の基準がある。

① 持株基準と支配力基準

連結財務諸表に含まれる企業範囲の判定基準には、従来、持株基準がとられてきたが、現在では持株基準に加え、支配力基準も併用されている。

● 持株基準と支配力基準の判断基準

持株基準	議決権の過半数(50%)を所有している場合
支配力基準	議決権の支配割合が50%以下であっても、事実上その会社を支配している場合

② 親会社・子会社・非連結子会社・関連会社
● 親会社・子会社・非連結子会社・関連会社の基準

親会社	・他の会社を支配している会社 ・原則、すべての子会社を連結の範囲に含まなければならない。
子会社	・親会社により50%超の議決権を支配されている会社 ・親会社の議決権の支配割合が50%以下であっても、高い比率の議決権を持ち、かつ株主総会における議決権の過半数を継続して占められている会社 ・間接所有関係(子会社が更に他の子会社を支配している関係)にある会社
非連結子会社	子会社において、以下の場合は連結の範囲には含めない。 ・支配が一時的であると認められる会社 ・連結することにより、利害関係者の判断を著しく誤らせるおそれのある会社
関連会社	・子会社以外で、財務や営業の方針決定に対して重要な影響を与える会社 例)議決権20%以上を実質的に所有されている場合など

参考

親会社が子会社を直接支配している関係を「直接所有関係」、子会社が更に他の子会社を支配している関係を「間接所有関係」という。

③ 非支配株主持分

非支配株主持分とは、子会社の資本のうち親会社に帰属しない部分である。親会社も非支配株主も子会社の資本勘定に対し持株割合に応じて持分権を有するため、連結財務諸表に記載が必要となる。

4 貸借対照表

(1) 貸借対照表のしくみ

参考

資金の調達には金融機関からの借入れによるデット・ファイナンス(Debt finance)、株式の発行によるエクイティ・ファイナンス(Equity finance)がある。

貸借対照表は、資金の調達源泉と使途との均衡状況を示す一覧表であるためバランスシートと呼ばれる。

調達してきた資金の額(貸借対照表の右側)と、その資金の使い道(貸借対照表の左側)は、同じ金額で釣り合うようになっている。

● 貸借対照表のしくみ

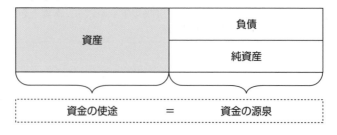

(2) 貸借対照表の科目分類基準

　資産は大きく流動資産、固定資産に分類され、負債は流動負債、固定負債に分類される。その区分の原則には、主に以下の2つがある。

営業循環基準	企業活動において　材料の仕入れ→製造→販売→代金回収という現金から現金へと一巡する価値循環過程を基準として流動・固定の区分をする基準
1年基準	決算日の翌日から起算して1年以内に現金化する資産(負債)を流動資産(流動負債)、1年を超えて現金化する資産(負債)を固定資産(固定負債)とする基準

(3) 資産、負債、純資産それぞれの分類

① 資産の分類一覧

流動資産 (およそ1年以内に現金化・費用化できる資産等)	当座資産	現金、預金、受取手形、売掛金等 販売過程を経ることなく比較的短期間に容易に現金化される資産
	棚卸資産 (在庫)	製品・商品、半製品、仕掛品、貯蔵品等 製品・商品のほか、販売資産となるために生産過程の途中にある資産(仕掛品)や販売資産の生産のために漸次(徐々に)消費される資産(原材料や消耗品)
	その他の流動資産	前渡金、短期前払費用等
固定資産 (販売目的ではない財産等)	有形固定資産	建物・構築物、機械や装置、船舶・車両、土地等 生産準備手段として役立つ実体価値を有する使用資産
	無形固定資産	のれん、特許権、商標権、意匠権等 実体価値を持たない法律上の権利(特許権等)、あるいは事実上の権利(のれん)
	投資その他の資産	投資有価証券・出資金などの投資資産、長期前払費用・繰延税金資産などの処分価値を持たない資産も含まれる。
繰延資産		創立費、開業費、社債発行費、開発費等

用語

受取手形
モノやサービスを売り上げた際、現金の代わりに受け取る手形のこと。

用語

うりかけきん
売掛金
商品やサービスを提供したものの、まだ代金を受け取っていない状態のこと。代金を受領する権利のこと。

用語

のれん
企業の買収・合併時の買収された企業の時価評価純資産と買収価額との差額のこと。

第13章

財務諸表と企業分析／財務諸表

② 負債の分類一覧

<table>
<tr><td rowspan="3">流動負債
（おおむね1年以内に支払期限の到来する債務）</td><td>短期金銭債務</td><td>・支払手形、買掛金、短期借入金、未払法人税等</td></tr>
<tr><td>短期性引当金</td><td>・返品調整引当金等
損失の補塡のための準備額</td></tr>
<tr><td>その他の流動負債</td><td>・前受金、預り金、未払費用等</td></tr>
<tr><td rowspan="3">固定負債
（支払期限の到来が1年を超える債務）</td><td>長期金銭債務</td><td>・社債、長期借入金、関係会社長期借入金等</td></tr>
<tr><td>長期性引当金</td><td>・退職給付に係る負債※
将来の特定の費用のための準備額</td></tr>
<tr><td>その他固定負債</td><td>・繰延税金負債等</td></tr>
</table>

※ 個別貸借対照表の場合は退職給付引当金

③ 純資産の分類

純資産は、株主資本と株主資本以外に大別できる。

株主資本は、資本金、資本剰余金、利益剰余金で構成される。資本剰余金のうち資本準備金、及び利益剰余金の中の利益準備金を法定準備金という。株主資本以外の純資産は、個別貸借対照表の評価・換算差額等（連結貸借対照表のその他の包括利益累計額）、株式引受権、新株予約権、非支配株主持分（連結貸借対照表の場合）で構成される。

● 純資産の分類一覧

<table>
<tr><td rowspan="6">株主資本</td><td>資本金
新株式申込証拠金
資本剰余金
　…資本準備金・その他資本剰余金
利益剰余金
　…利益準備金・その他利益剰余金
自己株式
自己株式申込証拠金</td><td rowspan="2">自己資本</td><td rowspan="4">純資産</td></tr>
<tr><td rowspan="3">株主資本以外</td><td>評価・換算差額等
（その他の包括利益累計額）</td></tr>
<tr><td>株式引受権</td><td></td></tr>
<tr><td>新株予約権</td><td></td></tr>
<tr><td>非支配株主持分
（連結貸借対照表の場合）</td><td></td></tr>
</table>

用語

支払手形

商品やサービスなどを仕入れた対価として、仕入先に代金支払いのために振り出す手形のこと。

用語

買掛金（かいかけきん）

商品やサービス等の提供をうけたものの、まだ代金を支払っていない状態のこと。未払いとなっている債務のこと。

用語

法定準備金

企業の財務基盤を保つために積み立てることを会社法で義務付けられたもの。

用語

株式引受権

取締役や執行役の報酬として株式を無償交付される権利のこと。

5 損益計算書

(1) 損益計算書のしくみ

損益計算書は次の4種の利益を段階的に区分表示することによって、一定期間の経営成績を表示している。

① 売上総利益…売上高から売上原価を差し引いた利益（粗利益）

② 営業利益…①から販売費及び一般管理費を差し引いた利益

③ 経常利益…②に営業外収益（受取利息、受取配当金等）を加え、営業外費用（支払利息、為替差損等）を差し引いた利益

④ 当期純利益…③に特別利益を加え、特別損失を差し引き、法人税等の税金を控除した最終の利益

利益計算の構造を図に示すと次のようになる。

参考

営業外収益には、受取利息や受取配当金の他に、副業の収益なども含まれる。

● 損益計算書の構造

業績利益：企業の期間的業績の消費が判定できる利益
（売上総利益、営業利益、経常利益）
処分可能利益：配当金など社外分配及び社内留保などの対象となる利益（当期純利益）

6 キャッシュ・フロー計算書

(1) キャッシュ・フロー計算書のしくみ

キャッシュ・フロー計算書は、一会計期間におけるキャッシュ・フローの状況を一定の活動区分別に表示するものである。この計算書における

参考

キャッシュ・フロー計算書とは、具体的に企業がどれだけのキャッシュ（お金）を獲得し、どれだけの投資や債務弁済にあてることができ、最終的に手元にいくら残っているかを示すものである。

第13章

財務諸表と企業分析／財務諸表

キャッシュの概念とは、現金及び現金同等物を意味する。現金同等物とは容易に換金でき、かつ価格変動リスクが極めて少ない短期投資などであり、価格の変動リスクの高い株式などは含まない。

(2) キャッシュ・フロー計算書の3つの領域区分

連結キャッシュ・フロー計算書は、キャッシュ・フローを企業活動に関連付けて、以下の3つの領域に区分している。

営業活動領域	本来の事業活動である製品の製造・販売により利益を生み出す活動による資金の流れ
投資活動領域	機械装置等の固定設備取得や処分による資金の流れ
財務活動領域	営業・投資活動に必要な資金の調達活動による資金の流れ

本番得点力が高まる! 問題演習

問1 財務諸表に関する次の記述のうち、正しいものには〇を、誤っているものには×をつけなさい。

① 貸借対照表は、一定期間における企業の利益稼得過程を表示するためのものである。

② 損益計算書は、一定時点（決算日）における資金の源泉と使途の関係を一覧表示するものである。

③ キャッシュ・フロー計算書は、一定期間におけるキャッシュの出入りの状況を企業の活動領域と関連付けて明示するものである。

解答
①× 記述は損益計算書のものである。
②× 記述は貸借対照表のものである。
③〇 キャッシュ・フロー計算書は、現金勘定の増減に着目する計算書である。

問2 連結財務諸表に関する次の記述のうち、正しいものには〇を、誤っているものには×をつけなさい。

① 子会社はすべて、連結財務諸表の連結の範囲に含まなければならない。

② 連結財務諸表の作成において、どこまでを連結の範囲に含めるのかの判断基準に

は、持株基準のみをもって判断される。

③ 子会社の資本のうち、親会社に帰属しない部分を非支配株主持分という。

④ 連結財務諸表は、親会社が他の会社を支配するに至った日において作成される。

解答

①× 支配が一時的である子会社などは、連結財務諸表の連結の範囲に含まない。

②× 連結財務諸表に含まれる企業範囲の判断基準には、持株基準と支配力基準が併用されている。

③○ なお、株主資本以外の純資産に含まれる。

④○ なお、親会社が他の会社を支配するに至った日を支配獲得日という。

問3 貸借対照表に関する次の記述のうち、正しいものには○を、誤っているものには×をつけなさい。

① 貸借対照表の資産の分類において、売掛金は当座資産である。

② 決算の翌日から起算して1年以内に現金化できる資産を流動資産という。

③ 特許権は、貸借対照表の流動資産の科目のひとつである。

④ 当座資産とは、販売過程を経ることなく、比較的短期間に容易に現金化される資産をいう。

⑤ 有形固定資産とは、建物や機械、装置などのことをいう。

解答

①○ 売掛金とは、商品やサービスを提供したものの、まだ代金を受け取っていない状態のことであり、取引の後、後日受け取りをする資金のことである。

②○ なお、流動資産は、当座資産、たな卸資産、その他の流動資産に分類される。

③× 特許権は、貸借対照表上の無形固定資産に分類される。

④○ 当座資産には、現金、預金の他、受取手形、売掛金などがある。

⑤○ 有形固定資産とは、生産準備手段として役立つ実体価値を有する使用資産をいう。

問4 損益計算書に関する次の記述のうち、正しいものには〇を、誤っているものには×をつけなさい。

① 売上総利益が15億円、販売費及び一般管理費が8億円の企業の営業利益は7億円である。

② 損益計算書において、支払利息は特別損失として計上される。

③ 経常利益とは、当期純利益に営業外収益を加え、営業外費用を差し引いたものである。

④ 当期純利益とは、経常利益に特別利益を加え、特別損失を差し引き、法人税等の税金を控除した最終の利益であり、その期における処分可能利益である。

⑤ 損益計算書では受取利息は特別利益に区分される。

解答 ①〇 営業利益＝売上総利益－販売費及び一般管理費
　　　　　＝15億円－8億円＝7億円

②× 支払利息等は営業外費用として計上される。

③× 経常利益とは、営業利益に営業外収益（受取利息、受取配当金等）を加え、営業外費用（支払利息、為替差損等）を差し引いたものである。

④〇 当期純利益とは、法人税等の社会的コストを支払った後の、最終的な利益である。

⑤× 受取利息や受取配当金は営業外収益に区分される。

問5 キャッシュ・フロー計算書のしくみと読み方に関する次の記述のうち、正しいものには〇を、誤っているものには×をつけなさい。

① キャッシュ・フロー計算書におけるキャッシュの概念とは、現金のみを意味する。

② キャッシュ・フロー計算書は、営業活動、投資活動、財務活動という3つの活動領域に関連付けて区分される。

解答 ①× キャッシュの概念には現金及び現金同等物が含まれる。ただし、リスクの高い株式などは含まれない。

②〇 営業活動領域とは製品の製造・販売など本来の事業活動による資金の流れ、投資活動領域とは固定設備取得や処分などによる資金の流れ、財務活動領域とは資金調達などによる資金の流れを表す。

2. 企業分析の手法

> 企業分析は、収益性、安全性、資本効率性などの観点から、企業成績を判断するんだ。

1 収益性分析

収益性分析は、企業の収益力、収益性をはかるものである。主に、資本（ストック）をベースとしている資本利益率と売上高（フロー）をベースとしている売上高利益率の2つの見方がある。

(1) 資本利益率

資本利益率とは、資本の利用によって、どれほどの利益を上げることができたかをあらわすものである。主要な資本利益率には次のものがある。

① 総資本（純）利益率（ROA）

総資本（純）利益率は、企業に投下された資本全体の効率的利用を判定する基本的比率である。ここでいう総資本とは自己資本、他人資本（流動負債・固定負債）、非支配株主持分などの合計である。

$$総資本（純）利益率（ROA）（\%） = \frac{当期（純）利益}{総資本（期首・期末平均）} \times 100$$

② （使用）総資本事業利益率

（使用）総資本事業利益率は、分子に用いる利益として純利益ではなく、事業利益を導入したものである。

$$（使用）総資本事業利益率（\%） = \frac{営業利益＋受取利息・配当金}{（使用）総資本（期首・期末平均）} \times 100$$

③ 自己資本利益率（ROE）

自己資本利益率は、株主が拠出した自己資本を用いて企業が株主のためにどれほど利益をあげたかを示す指標である。また、ROEはROAと財務レバレッジに分解することができる。財務レバレッジとは、総資本の中に占める負債の割合・負債への依存度を示すものであり、自己資本比

> **参考**
> ROAは、負債も含めた企業全体の立場から、資本利用の効率性を示している。

> **参考**
> （使用）総資本事業利益率では、分母がすべての資本拠出者から拠出された資本である点を考慮して、分子も営業活動、財務活動両方の成果による利益、すなわち「事業利益」を用いているのである。

率の逆数としてあらわされる。

　自己資本の割合が低くてもROEの数値が高くなる場合は、負債への
依存度が高い（財務レバレッジが高い）企業であるといえる。

$$自己資本利益率（ROE）（\%）= \frac{当期純利益}{自己資本（期首・期末平均）} \times 100$$

$$ROE = ROA \times 財務レバレッジ$$
$$= \frac{当期純利益}{総資本} \times \frac{総資本}{自己資本}$$

④ 資本金（純）利益率

　資本金（純）利益率は、当期純利益と資本金との割合を示し、どの程
度の割合の配当ができるかを大まかに示す指標であり、この数値が高い
ほどよいとされる。規模が大きい企業、内部留保（剰余金）の割合が低い
企業は数値が低下する傾向にある。

$$資本金（純）利益率（\%）= \frac{当期純利益}{資本金（期首・期末平均）} \times 100$$

⑤ 資本経常利益率

　資本経常利益率は、分子に経常利益を用いる指標である。

(2) 売上高利益率

　売上高利益率とは、売上高に対して、どの程度の利益を上げたのか
を示す指標である。分子にとる利益の種類により以下に示すような売上
高利益率が求められる。

① 売上高（純）利益率

　売上高（純）利益率は、売上高に対し、当期の正味利益がどの程度
得られたかを示すものである。

$$売上高（純）利益率（\%）= \frac{当期（純）利益}{（純）売上高} \times 100$$

② 売上高総利益率

　売上高総利益率は、売上高に対する売上総利益（粗利益）の割合をあ
らわし、企業の購買・製造活動の良し悪しを示している。

$$売上高総利益率（\%）= \frac{売上総利益}{（純）売上高} \times 100$$

用語

内部留保
会社の内部に留まり
次の期に繰り越される
利益である。内部留
保の割合が低いという
ことは、配当を多く出
すなどして純利益が少
なくなるということであ
る。

参考

資本経常利益率では、
分母にそれぞれ期首・
期末平均の総資本、
自己資本、資本金を
用いると、総資本経
常利益率、自己資本
経常利益率、資本金
経常利益率をそれぞ
れ求めることができる。

③ 売上高営業利益率

売上高営業利益率は、営業利益と売上高との比率を求め、企業本来の営業活動による収益力を示すものである。

$$売上高営業利益率（\%）= \frac{営業利益}{（純）売上高} \times 100$$

④ 売上高経常利益率

売上高経常利益率は、経常的な企業活動の収益力を示すものである。分子に用いている経常利益は、事業の本来の営業活動に関連して生じた利益に、金融財務活動といった付随的営業活動からの収益・費用を加減して得られる利益である。

$$売上高経常利益率（\%）= \frac{経常利益}{（純）売上高} \times 100$$

2 安全性分析

安全性分析は、企業が長期的に事業を継続させていくことが可能かどうかを判断するために行うものである。主に流動性分析と財務健全性分析の2つがある。

(1) 流動性分析

流動性分析は、企業が資金繰りの観点から債務弁済能力を持っているかどうかをあらわすものである。流動性分析における具体的な財務比率には以下のものがある。

① 流動比率

流動比率は、1年以内に返済しなければならない流動負債を、現預金や短期有価証券などの流動資産でどれだけまかなえるかを示す。企業の短期の返済能力を判定するために用いられ、理想的には200%以上が望ましい（「2対1の原則」）。

$$流動比率（\%）= \frac{流動資産}{流動負債} \times 100$$

② 当座比率

当座比率は、流動資産のうち短期間に現金化される当座資産に注目し、当座資産による流動負債の返済能力を見ようとするものである。一般に100%以上が望ましいとされる。即金性の高い当座資産を分子にと

ることで、より短期の流動性をあらわしている。

$$当座比率（\%）= \frac{当座資産}{流動負債} \times 100$$

(2) 財務健全性分析

財務健全性分析とは、調達した資金が適切な使い道で運用されているかどうか、資金の調達方法は資本全体から見て適切かどうかをあらわすものである。

① 固定比率

固定比率は、1年以上の長期にわたり使用される固定資産を返済期限のない安定した自己資本でどれだけまかなえているかを見るものである。財務的安定性という点で100%以下が理想的である。

$$固定比率（\%）= \frac{固定資産}{自己資本} \times 100$$

参考

固定長期適合率は、設備投資資金などを銀行からの借入れ等の長期借入金でまかなうことの多い日本企業の実情に即している指標である。

② 固定長期適合率

固定長期適合率は、固定資産に投資した金額と長期性資本（自己資本＋非支配株主持分＋固定負債）の額との関係を示すもので、100%以下が望ましいとされる。

$$固定長期適合率（\%）= \frac{固定資産}{自己資本＋非支配株主持分＋固定負債} \times 100$$

③ 負債比率

負債比率は、自己資本に対する負債の割合を示すものである。100%以下であることが望ましく、数値が低いほど財務の安全性が高いとされている。

$$負債比率（\%）= \frac{負債}{自己資本} \times 100 = \frac{流動負債＋固定負債}{自己資本} \times 100$$

④ 自己資本比率

自己資本比率は、総資本、すなわち負債（他人資本）と自己資本との合計に占める自己資本の割合を示すものであり、この比率が高いほど財務内容がよいといえる。

$$\text{自己資本比率 (\%)} = \frac{\text{自己資本}}{\text{総資本}} \times 100$$

$$= \frac{\text{自己資本}}{\text{自己資本}+\text{株式引受権}+\text{新株予約権}+\text{非支配株主持分}+\text{負債}} \times 100$$

3 資本効率性・損益分岐点分析

(1) 資本効率性分析

資本効率性分析は、投資を行った資本がどのくらい効率よく運用されているかを判定する分析であり、回転率や回転期間を用いてあらわされる。

① 総資本回転率

総資本回転率は、企業活動に投下された平均的な総資本有高が、売上高を通じて何回転するかを計るものである。一般的に回転率が高いほど資産効率が高いことを意味する。

$$\text{総資本回転率 (回／年)} = \frac{\text{(年間) 売上高}}{\text{総資本 (期首・期末平均)}}$$

② 総資本回転期間

総資本回転期間は、資産または資本が1回転するのに要する期間を示す。総資本回転期間は総資本回転率の逆数として計算され、回転期間が短いほど資産効率が高いといえる。

$$\text{総資本回転期間 (月)} = \frac{\text{総資本 (期首・期末平均)}}{\text{(年間) 売上高}} \times 12$$

$$= \frac{\text{総資本 (期首・期末平均)}}{\text{(年間) 売上高} \div 12}$$

(2) 総資本利益率と総資本回転率

総資本(純)利益率は、売上高(純)利益率と総資本回転率の2つの側面から分析される。売上高(純)利益率を一定とした場合、総資本回転率を高めることにより、総資本(純)利益率を高めることができる。

$$\text{総資本 (純) 利益率} = \text{売上高 (純) 利益率} \times \text{総資本回転率}$$

$$\frac{\text{当期 (純) 利益}}{\text{総資本}} = \frac{\text{当期 (純) 利益}}{\text{売上高}} \times \frac{\text{売上高}}{\text{総資本}}$$

参考

損益分岐点分析にお
ける固定費とは売上
高の増減に関係なく
発生する労務費や減
価償却費、支払利息
等のことであり、変動
費は売上高の増減に
比例して発生する原
材料費や販売手数料
などをいう。

(3) 損益分岐点分析

① 損益分岐点分析とは

　損益分岐点分析とは、売上高の増減によって費用と利益がどのように変動するかを把握するために用いられる分析である。損益分岐点とは売上高と費用とが均衡し、損益がゼロとなるときの売上高であり、売上高がこの点を上回れば利益、下回れば損失となる。

② 変動費率と限界利益率

　売上高に対応して変化する変動費の関係 $\left(\dfrac{変動費}{売上高}\right)$ を変動費率といい、売上高から変動費を除いたものを限界利益という。

　売上単価あたりの限界利益（限界利益を売上高で除したもの）が限界利益率であり、以下の式であらわされる。

$$限界利益率 = \frac{限界利益}{売上高} = \frac{売上高-変動費}{売上高} = 1 - \left(\frac{変動費}{売上高}\right)$$
$$= 1 - 変動費率$$

③ 損益分岐点の売上高

　損益分岐点では、売上高と費用が等しくなるので、売上高＝変動費＋固定費という関係が成り立ち、売上から変動費を除いた残りが固定費と等しいともいえる。つまり、売上に占める変動費の割合を除いたものが固定費と等しくなるということなので、

　売上高×（1 －変動費率）＝固定費となる。

　この式を変形させると、損益分岐点の売上高を求める計算式は以下のようになる。

$$損益分岐点の売上高 = \frac{固定費}{1 - 変動費率} = \frac{固定費}{1 -（変動費 \div 売上高）}$$

参考

損益分岐点比率を引
き下げるためには売
上高を増加させ分母
を大きくするか、費用
削減によって分子の
損益分岐点を引き下
げるなどの対策が必
要となる。

④ 損益分岐点比率

　損益分岐点比率とは、損益分岐点を売上高で割った比率である。この比率が100%を上回ると損失となり、100%を下回ると利益が生じる。

$$損益分岐点比率（\%） = \frac{損益分岐点}{売上高} \times 100$$

本番得点力が高まる! 問題演習

問1 収益性分析における資本利益率に関する次の記述のうち、正しいものには○を、誤っているものには×をつけなさい。

① （使用）総資本事業利益率とは、総資本に対する当期（純）利益の比率を表し、企業に投下された資本全体の効率的利用を判定するものである。

② 収益性分析とは、企業の収益力、収益性をはかるもので、資本利益率と売上高利益率の2つの見方がある。

解答
①× 記述はROAのものである。（使用）総資本事業利益率とは、分子の利益に「事業利益」として営業利益に受取利息や配当金を加えたものを用いた指標である。

②○ 資本利益率はストック量としての資本をベースとし、売上高利益率はフロー量としての売上高をベースとする。

問2 ある会社の当期の財務諸表の内容が以下の場合であるときの記述として正しいものはどれか、2つを選びなさい（小数点第3位以下を切り捨てること。貸借対照表の純資産は自己資本と同一とする）。

●財務諸表の内容 （単位 百万円）

損益計算書の内容	前期	当期	貸借対照表の内容	前期	当期
売上高	135,000	160,000	流動資産	110,000	100,000
売上原価	60,000	65,000	固定資産	75,000	77,000
販売費・一般管理費	45,000	44,000	流動負債	45,000	40,000
営業外損益	▲10,000	▲9,000	固定負債	35,000	30,000
特別損益	▲3,000	▲2,000	純資産（自己資本）	105,000	107,000
法人税等	3,000	5,000			

① 当期の純利益は、40,000（百万円）である。

② 総資本の期首・期末平均は、106,000（百万円）である。

③ 当期の総資本（純）利益率（ROA）は、19.33%である。

④ 当期の自己資本経常利益率は、39.62%である。

解答 正しいものは、③と④（③、④において、小数点第３位以下切捨て）

①×　当期純利益　35,000（百万円）

当期純利益 ＝ 売上高 － 売上原価 － 販売費・一般管理費 ± 営業外損益 ± 特別損益 － 法人税等であるので、当期純利益 ＝ 160,000 － 65,000 － 44,000 － 9,000 － 2,000 － 5,000 ＝ 35,000（百万円）である。

②×　総資本（期首・期末平均）　181,000（百万円）

総資本 ＝ 他人資本（流動負債 ＋ 固定負債）＋ 自己資本であるので、

前期総資本 ＝ 45,000 ＋ 35,000 ＋ 105,000 ＝ 185,000

当期総資本 ＝ 40,000 ＋ 30,000 ＋ 107,000 ＝ 177,000

総資本（期首・期末平均）＝（185,000 ＋ 177,000）÷ 2＝ 181,000（百万円）である。

③○　当期の純利益は35,000（百万円）である（①より）。

総資本（期首・期末平均）は②より181,000（百万円）である。

したがって、総資本（純）利益率（ROA）の公式より、

ROA（%）＝ 当期（純）利益 ÷ 総資本（期末・期首平均）× 100

$$= \frac{35,000}{181,000} \times 100 ≒ 19.33（\%）$$

④○　まず、経常利益を求めると、

経常利益 ＝ 売上高 － 売上原価 － 販売費・一般管理費 ± 営業外損益であるので、

経常利益 ＝ 160,000 － 65,000 － 44,000 － 9,000 ＝ 42,000（百万円）

自己資本の期首・期末平均は（105,000 ＋ 107,000）÷ 2 ＝ 106,000（百万円）である。

したがって、自己資本経常利益率の公式より、

自己資本経常利益率 ＝ 経常利益 ÷ 自己資本（期首・期末平均）× 100

$$= \frac{42,000}{106,000} \times 100 ≒ 39.62（\%）$$

問3 収益性分析における売上高利益率に関する次の記述のうち、正しいものには○を、誤っているものには×をつけなさい。

① 売上高（純）利益率は、売上高に対する売上総利益（粗利益）の割合をあらわし、企業の購買・製造活動の良否を示している。

② 自己資本利益率とは、株主が拠出した自己資本を用いて、企業がどれだけ利益をあげたかを示す指標である。

解答

①× 記述は売上高総利益率のものである。売上高（純）利益率は、売上高に対する当期（純）利益の割合を示すものである。

②○ 自己資本利益率（ROE）は当期純利益を自己資本（期首・期末平均）で除して求める。

問4 ある会社の当期の損益計算書の内容が以下の場合であるときの、売上高経常利益率を求めなさい。

●損益計算書の内容（単位　百万円）

売上高	120,000
売上原価	65,000
販売費・一般管理費	40,000
営業外損益	▲3,000

解答

売上高経常利益率　10（%）

経常利益 = 売上高 － 売上原価 － 販売費・一般管理費 ± 営業外損益
であるので、

経常利益 = 120,000 － 65,000 － 40,000 － 3,000 = 12,000（百万円）
したがって、売上高経常利益率の公式より、

$$\frac{経常利益}{（純）売上高} \times 100 = \frac{12,000}{120,000} \times 100 = 10.00（\%）$$

問5 安全性分析に関する次の記述のうち、正しいものには○を、誤っているものには×をつけなさい。

① 流動比率とは、企業の短期の返済能力を判定するために用いられ、通常100%以上が望ましい。

② 当座比率は当座資産を流動負債で除して求められ、200%以上が理想であるといわ

れている。

③　自己資本比率とは、負債と自己資本との合計に占める自己資本の割合を示すものである。

④　財務健全性分析において、負債比率は、200％以下が理想的である。

解答

①×　流動比率は200％以上が望ましく、これを2対1の原則という。

②×　当座比率は100％以上が理想である。

③○　この比率が高いほど、財務内容がよいといえる。

④×　負債比率は、100％以下が理想的である。

問6

ある会社の当期の貸借対照表の内容が以下の場合であるときの記述として誤っているものはどれか、1つを選びなさい（小数点第3位以下を切り捨てること。純資産は自己資本と同一であるものとする）。

●貸借対照表の内容　　　　　　　　　　　　　　（単位　百万円）

流動資産	80,000	流動負債	38,000
		固定負債	27,000
固定資産	70,000	純資産（自己資本）	85,000

①　当期の流動比率は210.52％である。

②　当期の固定比率は82.35％である。

③　当期の固定長期適合率は62.5％である。

④　当期の自己資本比率は43.34％である。

⑤　当期の負債比率は76.47％である。

解答

誤っているものは、④（以下、①、②、④、⑤において、小数点第3位以下切捨て）

①○　流動比率の公式より、

$$\frac{流動資産}{流動負債} \times 100 = \frac{80,000}{38,000} \times 100 ≒ 210.52(\%)$$

②○　固定比率の公式より、

$$\frac{固定資産}{自己資本} \times 100 = \frac{70,000}{85,000} \times 100 ≒ 82.35(\%)$$

なお、固定比率は、100％以下が望ましい。

③○ 固定長期適合率の公式より、

$$\frac{固定資産}{自己資本＋非支配株主持分＋固定負債} \times 100$$

$$= \frac{70,000}{85,000＋27,000} \times 100 = 62.5(\%)$$

※総資産と自己資本を同一としているので、非支配株主持分はなしとして計算する。

④× 正しくは、自己資本比率56.66(%)

自己資本比率の公式より、

総資本＝自己資本＋株式引受権＋新株予約権＋非支配株主持分＋負債

$$\frac{自己資本}{総資本} \times 100 = \frac{85,000}{\underset{自己資本}{85,000} + \underset{負債}{38,000} + \underset{負債}{27,000}} \times 100 ≒ 56.66(\%)$$

⑤○ 負債比率の公式より、

$$\frac{流動負債＋固定負債}{自己資本} \times 100 = \frac{38,000＋27,000}{85,000} \times 100 ≒ 76.47(\%)$$

問7 資本効率性分析に関する次の記述のうち、正しいものには○を、誤っているものには×をつけなさい。

① 総資本回転率とは、企業活動に投下された平均的な総資本有高が、売上高を通じて何回転するかを計るものであり、数値が低いほど資産効率が高い。

② 損益分岐点とは、売上高と費用が均衡し、損益がゼロになるときの売上高である。

③ ある会社の総資本（期首・期末平均）が1,000億円、年間売上高2,000億円であるとき、総資本回転率は、0.5回である。

④ ある会社の総資本（期首・期末平均）が1,000億円、年間売上高が1,250億円であるとき、総資本回転期間は、9.6月である。

⑤ 売上高（純）利益率が一定の場合、総資本回転率を高めると総資本（純）利益率は低下する。

---

①× 総資本回転率は、数値が高いほど資産効率が高いといえる。

②○ なお、売上高が損益分岐点を上回れば利益、下回れば損失となる。

③× 総資本回転率の公式より、

$$\frac{(年間)\ 売上高}{総資本(期首・期末平均)} = \frac{2,000億円}{1,000億円} = 2(回)$$

④○ 総資本回転期間（月）の公式より、

$$\frac{総資本(期首・期末平均)}{(年間)\ 売上高} \times 12 = \frac{1,000億円}{1,250億円} \times 12 = 9.6(月)$$

⑤× 売上高（純）利益率が一定の場合、総資本回転率を高めると総資本（純）利益率は上昇する。

3. その他の分析

ここで学ぶのは企業の実際の現金の動き、成長性、配当金の出し方などに着目した分析だよ。

1 キャッシュ・フロー分析

(1) キャッシュ・フロー分析の主な指標

キャッシュ・フロー分析とは、損益計算書に示された利益に加え、実際の現金の出入りを重視する分析である。

① 売上高営業キャッシュ・フロー比率

売上高営業キャッシュ・フロー比率とは、一定期間の売上高に対して営業活動からどの程度のキャッシュ・フローを生み出したかを示すものである。

> 売上高営業キャッシュ・フロー比率（%）
> $$= \frac{\text{営業活動によるキャッシュ・フロー}}{\text{売上高}} \times 100$$

② 営業キャッシュ・フロー有利子負債比率

営業キャッシュ・フロー有利子負債比率とは、企業がその年度の営業活動によるキャッシュ・フローによって、有利子負債がどの程度返済可能かという企業の支払能力を示すものである。

> 営業キャッシュ・フロー有利子負債比率（%）
> $$= \frac{\text{営業活動によるキャッシュ・フロー}}{\text{有利子負債残高}} \times 100$$

これら 2 つの指標は、数値が高ければ高いほどよいとされる。

参考

キャッシュ・フロー分析は、収益性分析、支払能力の分析、配当性向の分析という 3 つの側面から考えられる。

用語

有利子負債
短期・長期借入金、各種の社債やCPなどである。

2 成長性分析

(1) 成長性分析の捉え方

企業の成長性を把握するには、企業規模の拡大の側面、利益の大きさの側面の2つからのアプローチがある。

① 企業規模の拡大の側面からの把握

企業の成長性を企業規模の拡大の側面から把握するには、売上高成長率、自己資本成長率などの尺度が用いられる。

$$売上高成長率（\%）= \frac{当期売上高}{前期売上高} \times 100$$

$$自己資本成長率（\%）= \frac{当期自己資本}{前期自己資本} \times 100$$

② 利益の大きさの側面からの把握

企業の成長性を利益の大きさの側面から把握するには、利益成長率の尺度が用いられる。

$$利益成長率（\%）= \frac{当期利益}{前期利益} \times 100$$

③ 増収率と増益率

増収率、増益率は、企業の成長性をあらわす尺度である。増収率は前期からの売上高の伸び率を示し、増益率は経常利益等の利益の対前年度伸び率のことをいう。

$$増収率（\%）= \left(\frac{当期売上高}{前期売上高} - 1 \right) \times 100$$

$$増益率（\%）= \left(\frac{当期経常利益}{前期経常利益} - 1 \right) \times 100$$

3 配当率と配当性向

(1) 配当率・配当性向とは

配当率は株主が拠出した資本金に対してどれだけの配当金を支払ったかを示し、配当性向は当期（純）利益に対する配当金の割合を示すものである。

配当性向の数値はその年度の利益の額に左右されるため、配当が一

定であるとすれば好況期には一般に配当性向は低く、不況期には高くなる。

$$配当率（\%）= \frac{配当金（年額）}{資本金（期中平均）} \times 100$$

$$配当性向（\%）= \frac{配当金（年額）}{当期（純）利益} \times 100$$

$$配当金（年額）=（中間配当 + 期末配当）\times 発行済株式総数$$

(2) 配当政策

　配当政策とは、利益をどの程度配当として株主に還元するかを決めることである。配当性向が高いということは、株主に利益を積極的に還元する一方で、内部留保に回す利益が減り、財務基盤を弱くすることも意味する。反対に配当性向が低ければ、内部留保率が高いことを意味し、将来の配当可能な潜在性を示すものとされる。

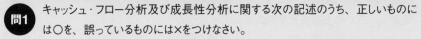

本番得点力が高まる! 問題演習

問1 キャッシュ・フロー分析及び成長性分析に関する次の記述のうち、正しいものには○を、誤っているものには×をつけなさい。

① キャッシュ・フロー分析とは、収益性分析、支払能力の分析、配当性向の分析という3つの側面がある。

② 成長性分析には企業規模の拡大の側面とキャッシュ・フローの大きさの側面の2つのアプローチがある。

③ ある会社の前期の自己資本が300億円、当期の自己資本が450億円であった場合、自己資本成長率は150%である。

解答
①○ なお、キャッシュ・フロー分析は、損益計算書に示された利益に加え、実際の現金の出入りを重視する分析である。

②× 成長性分析には企業規模の拡大の側面と利益の大きさの側面の2つのアプローチがある。

③○ 自己資本成長率の公式より、450億円÷300億円×100＝150（%）

ある会社の当期の損益計算書の内容が以下のとおりであるときの記述として誤っているものはどれか、1つ選びなさい（小数点第3位以下を切り捨てること）。

●損益計算書の内容　　（単位　百万円）

	前期	当期
売上高	280,000	335,000
売上原価	180,000	235,000
販売費・一般管理費	90,000	84,000
営業外損益	▲500	▲1,200
特別損益	100	0
法人税等	4,900	7,000

① 当期の売上高成長率は、119.64%である。

② 当期の増収率は、19.64%である。

③ 当期の増益率は、37.5%である。

 誤っているものは、③（以下、小数点第3位以下切捨て）

①○ 売上高成長率の公式より、

$$\frac{当期売上高}{前期売上高} \times 100 = \frac{335,000}{280,000} \times 100 \fallingdotseq 119.64\%$$

②○ 増収率の公式より、

$$\left(\frac{当期売上高}{前期売上高} - 1\right) \times 100 = \left(\frac{335,000}{280,000} - 1\right) \times 100 \fallingdotseq 19.64\%$$

③× 正しくは、当期の増益率　55.78%

前期経常利益 280,000 − 180,000 − 90,000 − 500 = 9,500（百万円）である。

当期経常利益は 335,000 − 235,000 − 84,000 − 1,200 = 14,800（百万円）である。

したがって、増益率の公式より、

$$\left(\frac{当期経常利益}{前期経常利益} - 1\right) \times 100 = \left(\frac{14,800}{9,500} - 1\right) \times 100 \fallingdotseq 55.78\%$$

問3 配当率と配当性向に関する次の記述のうち、正しいものには〇を、誤っている
ものには×をつけなさい。

① ある会社の配当金年総額が10億円、当期純利益が50億円であるとき、配当性向
は20%である。

② ある会社の資本金（期中平均）が50億円、当期純利益が10億円、配当金（年額）
が2億円のとき、配当率は20%である。

③ 配当性向が高いということは内部留保が高いということを意味する。

 解答

①〇 配当性向（%）の公式より、$\dfrac{10億円}{50億円} \times 100 = 20$（%）

②× 配当率（%）は、配当金（年額）÷ 資本金（期中平均）× 100で求められ
るので、$\dfrac{2億円}{50億円} \times 100 = 4$（%）

③× 配当性向が高いということは、株主に利益を積極的に還元することを意
味し、内部留保は低くなり、財政基盤が弱くなることを意味する。

成長性分析の攻略のコツは、
「損益計算書」からの分析の計算に
慣れておくこと。
また、「増収率」と「増益率」は用
語が似ているので注意しよう。

第 14 章

特別会員
論点

証券税制

予想配点　22点／440点
出題形式
○×方式…6問
五肢選択方式…1問
（配点と出題形式はTACの予想です）

証券業務に関する税制について紹介します。所得税からは、主に関係する利子所得、配当所得、株式等の譲渡による所得（譲渡所得）を中心に解説していきます。また法人税、相続税や贈与税などについても見ていきましょう。

関連章　　第8章　第10章

取引によって利益が出たら、利益に対し所得税❶が掛かります。

利子、配当、譲渡による所得、NISA❷などの制度があるので、それぞれ整理して理解することが必要です。

その他、法人税、相続税や贈与税❸などについても基本的なことは押さえておきましょう。

1. 所得税

利子が付いた!
所得税いくらだろう?

重要度
★★★

1 所得の種類

　税金には国税（所得税、法人税、相続税、贈与税、消費税等）と地方税があり、所得税は、個人の1年間（1月1日から12月31日）を単位として計算する。所得税の種類は、10種類（利子所得、配当所得、不動産所得、事業所得、給与所得、退職所得、山林所得、譲渡所得、一時所得、雑所得）に分類される。

　「収入金額」とは、所得税や復興特別所得税の額を控除する前の金額、いわゆる税引前の金額をいう。また、個人の所得のうち、所得税が課税されない所得を「非課税所得」という。

● 証券にかかわる主な所得と概要

利子所得	公社債・預金・貯金の利子、合同運用信託・公社債投資信託等の収益の分配などの所得
配当所得	剰余金の配当、利益の配当、剰余金の分配、基本利息、公社債投資信託等を除く投資信託の収益の分配などの所得
事業所得	株式など有価証券の譲渡や、先物・オプション取引を事業的な規模で行う継続的取引からの所得
譲渡所得	株式など有価証券の譲渡による所得
雑所得	株式などの事業的規模ではない継続的取引や、先物取引・オプション取引から生ずる事業的規模でない所得

用語

源泉徴収
給与や利子、配当等を支払う者が、支払い時に所定の税率により税金をあらかじめ差し引くことである。

　源泉徴収された所得税額があった場合には、源泉徴収された所得税額が差し引かれる前の金額（税引き前の金額）が収入金額となる。

2 所得税の課税方法

　所得税の課税方法には、総合課税と分離課税がある。また、分離課

税には、「申告分離課税」と、「源泉分離課税」がある。

● **所得税の課税方法**

総合課税	各種所得金額を損益通算し、合計した金額に税率をかけ課税する方法。原則として確定申告を通じて納税する。	
分離課税	総合課税の対象からはずし（分離し）、課税する方法	
	申告分離課税	確定申告を通じて納税する。
	源泉分離課税	源泉徴収され納税が完了する。

● **申告分離課税となる所得別の例**

・特定公社債等の利子等に係る利子所得
・上場株式等に係る配当所得
・株式等又は公社債等の譲渡に係る所得（割引債の償還差益を含む）

● **源泉分離課税となる所得別の例**

・特定公社債等の利子等に係る利子を除く利子所得
・金融商品等の収益による雑所得

　納税者が確定申告をする際に、対象となる所得について、総所得金額等に含めて課税所得金額及び税額を計算して確定申告書を提出するか、含めないで確定申告書を提出するかを選択することができる（確定申告不要制度）。対象となるものには、非上場株式等の少額配当等や源泉徴収選択口座内保管上場株式等の譲渡による所得などがある。

本番得点力が高まる! 問題演習

問1 所得税に関する次の記述のうち、正しいものには〇を、誤っているものには×を
つけなさい。

① 事業的規模でない先物・オプション取引からの所得は、譲渡所得である。

② 投資信託(公社債投資信託を除く)の収益の分配は配当所得である。

③ 源泉分離課税とは、源泉徴収された税額を負担するだけで、確定申告の必要が
ない課税方法である。

④ 所得金額を計算する上で、源泉徴収された所得税額があった場合、源泉徴収さ
れた所得税額が差し引かれる前の金額が収入金額となる。

⑤ 株式などの譲渡による所得は、いかなる場合も譲渡所得に分類される。

解答

①× 株式などの継続的取引や先物・オプション取引からの事業的規模でない
所得は、雑所得である。

②〇 なお、公社債投資信託の収益の分配は利子所得である。

③〇 なお、源泉分離課税の対象は、特定公社債の利子、公募公社債投資
信託の収益の分配等一定の利子を除く利子所得である。

④〇 各所得金額を計算する場合は、税引前の金額が収入金額となる。

⑤× 株式などの譲渡による所得は、通常、譲渡所得に分類されるが、事業
所得または雑所得に分類されることもある。

"NISA"は、もうけに対して税金がかからない制度なんだ！

2.

証券関連の所得

重要度
★★☆

1 利子所得

利子所得とは、公社債、預貯金の利子、合同運用信託、公社債投資信託等の収益の分配に係る所得のことをいう。

投資信託のうち公社債投資信託及び公募公社債等運用投資信託の収益の分配は「利子所得」、株式投資信託、私募公社債等運用投資信託等の収益の分配は「配当所得」に分類される。

（1）一般利子等

居住者が国内で支払を受ける利子等で「一般利子等」については、所得税15.315％、住民税5％の税率により、一律に源泉分離課税される。国内において発生する利子所得は、国税と地方税を合わせて20.315％の源泉徴収による税負担のみで、課税関係は終了する。

なお、一般利子等とは、公社債の利子で条約または法律において源泉徴収を行わないものを除いたものをいう。

（2）上場株式等に係る配当所得等（利子所得）

上場株式等の配当等に係る利子所得は、申告分離課税の対象となり、総合課税を選択することができない。税率は20.315％（所得税15.315％・住民税5％）となる。

対象となる上場株式等の利子等の範囲は次のものをいう。

・金融商品取引所に上場されている株式等その他これに類するものの利子等
・公社債投資信託等に係る利子等
・特定公社債の利子

なお、特定公社債とは次に揚げる公社債をいう。

- ・金融商品取引所に上場されている公社債、外国金融商品市場にて売買されている公社債等
- ・国債、地方債
- ・外国またはその他の地方公共団体が発行し、または保証する債券　等

(3) 金融商品等の収益に対する源泉分離課税

利子所得と類似しているが利子所得とされない金融商品等があり、これらは、次の所得に分類される。

抵当証券の利息	雑所得
金貯蓄口座の利益	譲渡所得または雑所得
懸賞金付公社債、公社債投資信託の受益権の懸賞金、懸賞金付定期預金の懸賞金等	一時所得

ただし、抵当証券の利息や金貯蓄口座等の収益、懸賞金付公社債・公社債投資信託の受益権の懸賞金などに係る収益については、利子と同様、20.315%（所得税及び復興特別所得税15.315%、住民税 5 ％）の税率による源泉分離課税となる。

2 配当所得

配当所得には、法人から受ける剰余金の配当、利益の配当、出資に係る剰余金の分配、基金利息、公社債投資信託等を除く投資信託（株式投資信託）などの収益の分配に係る所得がある。外国株式、外国の投資信託の配当も含む。

配当所得は、原則、総合課税となり、「収入金額－負債利子」が所得の金額となる。

(1) 配当所得の課税方法

配当所得は、原則として他の所得と合算して総合課税となり、配当の支払いを受ける際には20.42%（所得税及び復興特別所得税）が源泉徴収される。ただし、上場株式等の配当等については、大口株主等が支払いを受けるものを除き、20.315%（所得税及び復興特別所得税15.315%、住民税 5 ％）の税率となる。

(2) 配当控除

　配当控除とは、個人株主の配当課税と法人税との二重課税の調整として、確定申告により、総合課税に含められた配当所得について認められる税額控除である。なお、外国法人から受けるものは除く。

● **株式等及び特定株式投資信託に係る配当所得の控除率**

課税総所得金額等	控除率
1,000万円以下の部分	所得税10%、住民税2.8%
1,000万円超の部分	所得税5%、住民税1.4%

(3) 上場株式等に係る配当所得の申告分離課税の特例

　上場株式等の配当等に係る配当所得の全てについて、総合課税と申告分離課税のいずれかを選択することができる。申告分離課税の場合は、確定申告により20.315%（所得税及び復興特別所得税15.315%、住民税5%）の税率で課税される。

　総合課税を選択した場合は、配当控除の適用が可能となり、申告分離課税を選択した場合は、その年の上場株式等の譲渡損失等との損益通算が可能となる。

(4) 配当所得の確定申告不要の特例

　内国法人から支払いを受ける上場株式等の配当等については、確定申告不要の特例を受けることもできる。この特例を受けた場合は、20.315%（所得税及び復興特別所得税15.315%、住民税5%）の税率により源泉徴収される。

3 株式等の譲渡による所得

　居住者が株式等を譲渡した場合、「上場株式等」と「一般株式等」に区別して、それぞれ、原則20.315%（所得税及び復興特別所得税15.315%、個人住民税5%）の税率による申告分離課税が適用される。

　「上場株式等」の譲渡所得等と「一般株式等」の譲渡所得との間の損益通算はできない。

　なお、「上場株式等」と「一般株式等」の譲渡所得の申告分離課税制度の適用対象は異なるが、そのしくみはほぼ同様である。

(1) 申告分離課税の対象となる上場株式等の範囲

　申告分離課税の適用対象となる「上場株式等」とは、金融商品取引

業者等への売買委託のものであり、相対取引、取引所取引問わず、原則、すべての上場株式等の譲渡が対象となる。ただし、有価証券先物取引によるものは除外される。具体的には株式等のうち、上場株式等の範囲は次のものをいう。

- ・金融商品取引所に上場されている株式等
- ・店頭売買登録銘柄として登録されている株式
- ・店頭転換社債型新株予約権付社債
- ・店頭管理銘柄株式
- ・日本銀行出資証券
- ・外国金融商品市場において売買されている株式等
- ・公募投資信託(特定株式投資信託を除く)の受益権
- ・特定投資法人の投資口
- ・公募特定受益証券発行信託の受益権
- ・公募特定目的信託の社債的受益権
- ・国債、及び地方債
- ・外国またはその地方公共団体が発行し、または保証する債券
- ・公社債でその発行の際の有価証券の募集が一定の公募により行われたもの
- ・外国法人が発行し、または保証する債券
- ・2015年12月31日以前に発行された公社債　等

(2) 申告分離課税の対象となる一般株式等の範囲

　申告分離課税の適用対象となる「一般株式等」とは、株式等のうち上場株式等以外のものである。

　なお、株式または出資形態のゴルフ会員権に係る株式または出資者の持分は、申告分離課税の対象となる「株式等」の範囲から除かれ、総合課税の対象となる。

(3) 上場株式等に係る譲渡所得等の金額の計算

● 上場株式等の譲渡所得等の計算式

$$
\text{上場株式等に係る譲渡所得等の金額} = \text{総収入金額（譲渡価額）} - \text{必要経費（取得価額＋委託手数料等）}
$$

① 取得原価等の計算

　総収入金額から控除する必要経費を譲渡原価という。2回以上にわたり同一銘柄を取得した場合の取得費の計算は、事業所得に該当する場合には「総平均法」により行い、譲渡所得または雑所得に該当する場合には「総平均法に準ずる方法」により行う。

● **総平均法に準ずる方法**

　暦年に関係なく、取得のつど、同一種類及び銘柄ごとに、それまでに取得した1単位当たりの平均取得価額を基礎として計算する方法である。

$$1\,単位当たりの平均取得価額 = \frac{取得合計額}{取得株数}$$

② 信用取引等の場合の特例

　信用取引・発行日取引または先物取引によって株式の売買を行い、これを反対売買により決済した場合の取得価額は、総平均法等の計算によらず、その取引による株式の取得価額による。

　信用取引、発行日取引または先物取引の方法による株式の売買の場合、その信用取引等の決済の日の属する年の所得として課税される。

(4) 上場株式等に係る譲渡損失の繰越控除の特例

①上場株式等の譲渡損失が生じたときは、他の上場株式等の譲渡所得との間でのみ損益通算をすることができる。
②上場株式等の譲渡損失について、①をしてもなお損失が残る場合は、申告分離課税を選択した上場株式等の配当所得等の金額から控除することができる。ただし、総合課税を選択した年分については、この損益通算適用外となる。
③損益通算の結果、控除しきれない損失がある場合、確定申告により、翌年以降3年以内の上場株式等の譲渡所得の金額及び上場株式等の配当所得金額から繰越控除することができる。

　上場株式等の範囲には、特定公社債、公募公社債投資信託等の利子所得、配当所得及び譲渡所得等も含まれ、これらの所得間や上場株式等に係る配当所得及び譲渡所得等との損益通算が可能である。なお、上場株式等と非上場株式等との間で譲渡損益の通算はできない。

4 特定口座

(1) 特定口座の開設・設定

　特定口座を開設するためには、金融商品取引業者に「特定口座開設届出書」を提出し「上場株式等保管委託契約」を締結する必要がある。特定口座は、個人1人につき「1業者・1口座」とされている。同一の金融商品取引業者においては1口座しか設定できないが、異なる金融商品取引業者であれば複数開設することができる。

用語

特定口座
個人投資家の確定申告手続を簡易にするために、金融商品取引業者の営業所に開設するものである。

株式等の譲渡による所得は申告分離課税であるが、特定口座の「源泉徴収ありの口座（源泉徴収口座）」を選択すると、原則として、確定申告は不要となる。ただし、複数の特定口座や一般口座で生じた損益との通算や損失の繰越控除を受ける場合には、確定申告が必要となる。

(2) 特定口座に組み入れる上場株式等

　特定口座に組み入れられる上場株式等は、申告分離課税の適用対象とされる上場株式等である。

● 特定口座に組み入れる上場株式等

> 上場されている株式等（上場株式（株式ミニ投資により買い付けた上場株式等の単元未満株も含む）、上場新株予約権付社債、上場不動産投資法人の投資口(J-REIT)、上場株式投資信託の受益権(ETF)など）、店頭売買登録銘柄株式、店頭転換社債型新株予約権付社債、外国金融商品市場で取り扱う株式等、公募投資信託の受益権、特定投資法人の投資口、特定公社債　等

(3) 特定口座に関する特例と概要

　特定口座に組み入れられる上場株式等の譲渡による所得については、以下の特例が適用される。

> ・特定口座内保管上場株式等の譲渡による所得金額の計算は、金融商品取引業者等から交付を受けた「特定口座年間取引報告書」に記載された収入金額や取得費などから計算することができる。
> ・特定口座を開設している金融商品取引業者等に「特定口座源泉徴収選択届出書」を提出して、特定口座内保管上場株式等の譲渡益につき源泉徴収の適用を受けることができる。
> ・源泉徴収の適用対象とされた特定口座内保管上場株式等による所得金額については、確定申告に含めなくてもよい。

参考

一度選択された源泉徴収制度の変更は、翌年までできない。

(4) 特定口座年間取引報告書の交付

　金融商品取引業者等は、特定口座年間取引報告書を2通作成し、翌年1月31日までに1通を税務署に、他の1通を特定口座開設者（顧客）に交付しなければならない。なお、特定口座年間取引報告書は、確定申告の際に添付しなくてもよい。

5 NISA 制度

(1) NISA制度 (2024年以後)

　NISAは、その年の1月1日において18歳以上の居住者等が、金融商品取引業者等にて非課税口座（NISA口座という）を開設し、そのNISA口座内に設けられた「つみたて投資枠」または「成長投資枠」で受け入れた投資対象商品に係る配当等や譲渡益を非課税とする制度である。

参考

NISAの正式名は「非課税口座内の少額上場株式等に係る配当所得及び譲渡所得等の非課税措置」という。

● NISAの概要

	つみたて投資枠	成長投資枠
年間投資枠	120万円	240万円
非課税保有期間	無期限化	
非課税保有限度額（総枠）	1,800万円 ※簿価残高方式で管理（枠の再利用が可能）	
		1,200万円（内数）
口座開設期間	恒久化	
投資対象商品	長期の積立・分散投資に適した一定の投資信託 （金融庁が認めた投資信託及びETF）	上場株式・投資信託等 （①整理・監理銘柄②信託期間20年未満、高レバレッジ型及び毎月分配型の投資信託等を除外）
対象年齢	18歳以上	

出典：金融庁ホームページ

6 その他の有価証券に関する所得税について

(1) ストック・オプション制度に係る課税の特例

　ストック・オプション制度とは、取締役や使用人などに一定数の自社株を無償または一定の価額（権利行使価額）で一定の期間内（権利行使期間）に取得する権利を付与する制度である。権利行使価額で自社株を取得し、株価が上昇したときに売却すれば、譲渡益を得ることができる。

　この場合、取得時の時価とストック・オプションの権利行使価額との差額については、一定の要件を満たせば、所得税等は課税されない。

参考

ストック・オプション制度は、取締役や執行役または使用人に対し、会社の業績や株価に連動して与えられる報酬制度である。

● 課税の特例を受けるための要件

・新株予約権等の権利行使は、付与決議の日後2年を経過した日から10年を経過する日までに行わなければならない。
なお、次の要件を満たす場合は付与決議の日後15年を経過する日となる。
　①株式会社が付与決議の日においてその設立の日以後の期間が5年未満であること
　②株式会社が付与決議の日において金融商品取引所に上場されている株式または店頭売買登録銘柄として登録されている株式を発行する会社以外の会社であること
・新株予約権等の年間の権利行使価額が1,200万円を超えないこと
・新株予約権については、譲渡してはならない　等

参考

スタートアップ企業が発行した株式については、年間の権利行使価額の上限が最大で3,600万円に引き上げられた。

(2) 割引債の償還差益に対する課税

　割引債（同族会社が発行したものを除く）は、公社債の譲渡所得等として15.315%（他に住民税5％）の税率で申告分離課税の対象となる。なお、割引債の源泉徴収は発行時ではなく、償還時に行う。

(3) 先物取引に係る雑所得等の課税の特例

　先物取引において、差金等決済を行った場合、その差金等決済に係る事業所得や譲渡所得、雑所得については、他の所得と区分し申告分離課税（税率20.315%（所得税及び復興特別所得税15.315%、住民税5％））が適用される。店頭デリバティブ取引や市場デリバティブ取引など、先物取引に係る雑所得等の金額の計算上生じた損失があるとき、先物取引に係る雑所得等と損益通算及び損失額の3年間の繰越控除ができる。

問1 利子所得に関する次の記述のうち、正しいものには〇を、誤っているものには×をつけなさい。

① 利子所得とは、公社債、預貯金の利子、合同運用信託、公社債投資信託等の収益の分配に係る所得のことである。

② 公募公社債投資信託の収益の分配は利子所得にあたり、総合課税される。

解答
①〇 なお、利子所得は、所得にかかる経費がない。

②× 公募公社債投資信託の収益の分配は利子所得にあたり、20.315%（所得税及び復興特別所得税15.315%、住民税5%）の税率により申告分離課税の対象となる。

問2 配当所得に関する次の記述のうち、正しいものには〇を、誤っているものには×をつけなさい。

① 公社債投資信託の収益の分配は、利子所得となる。

② 配当控除の適用を受けるには、申告分離課税を選択しなければならない。

③ 大口株主ではない居住者が支払いを受ける上場株式等の配当等は、その支払いの際に20.315%（所得税及び復興特別所得税15.315%、住民税5%）の税率で源泉徴収される。

④ 上場株式等に係る配当等には、特定投資法人の投資口の配当等が含まれる。

⑤ 個人が受け取る公募株式投資信託の収益の分配は、所得税10%の税率で源泉徴収することができる。

解答
①〇 なお、公社債投資信託を除く投資信託の収益の分配は、配当所得となる。

②× 配当控除の適用を受けるには、総合課税を選択する。

③〇 なお、申告不要制度を選択すれば、20.315%の源泉徴収により課税関係は終了する。

④〇 株式等の配当等や公募株式等投資信託の収益の分配のほか、特定投資法人の投資口の配当等も含まれる。

⑤× 個人が受け取る公募株式投資信託の収益の分配は、20.315%（所得税及び復興特別所得税15.315%、個人住民税5%）の税率で源泉徴収することができる。

問3 株式等の譲渡所得に関する次の記述のうち、正しいものには○を、誤っているものには×をつけなさい。

① 上場株式等の売買益に対する所得税、復興特別所得税及び個人住民税は、20.315%の税率による申告分離課税制度が適用される。

② 居住者が購入した公募株式投資信託において、譲渡損失が発生した場合、その損失と上場株式等の売買益との損益通算を行うことができる。

③ 申告分離課税が対象となる上場株式等の範囲には、店頭転換社債型新株予約権付社債は含まれない。

④ 上場株式等の譲渡損失は、申告分離課税を選択した同年の上場株式等の配当所得から控除することができる。

⑤ 上場株式等の譲渡損失の繰越控除において、損益通算の結果、控除しきれない損失がある場合は、確定申告により、翌年以後3年間損失を繰り越すことができる。

解答

①○ なお、「上場株式等の売買」とは、金融商品取引業者等への売買委託のものであり、相対取引、取引所取引問わず、原則、すべての上場株式等の譲渡が対象となる。ただし、有価証券先物取引によるものは除外される。

②○ 公募株式投資信託を含む上場株式等（金融商品取引業者等への売買委託のもの）で譲渡損失が生じたときは、他の上場株式等の譲渡所得との間でのみ損益通算をすることができる。なお、それでも損失が残っている場合は、申告分離課税選択の配当所得等とも損益通算できる。

③× 申告分離課税が対象となる上場株式等の範囲には、店頭転換社債型新株予約権付社債も含まれる。

④○ ただし、総合課税を選択した年分については、この損益通算の特例の適用を受けることはできない。

⑤○ 上場株式等を譲渡したことにより生じた譲渡損失について、一定の要件のもと、その年の翌年以後3年以内の上場株式等に係る譲渡所得の金額及び上場株式等に係る配当所得等の金額から控除できる特例である。

居住者が上場株式銘柄の売買を金融商品取引業者に委託し、現金取引により以下の取引を行った。この場合の譲渡に対する所得税及び復興特別所得税と住民税のそれぞれの税額として、正しいものはどれか、1つを選びなさい。ただし、2024年中には、他の有価証券の売買はないものとし、売買に伴う諸費用等、住民税における基礎控除等も考慮しない。

売買年月日	売買の別	単価	株数
2024年2月	買い	840円	1,000株
2024年3月	買い	720円	3,000株
2024年5月	売り	850円	3,000株
2024年8月	買い	840円	2,000株

① 所得税及び復興特別所得税 19,296円 住民税 8,100円
② 所得税及び復興特別所得税 21,441円 住民税 9,000円
③ 所得税及び復興特別所得税 28,588円 住民税 12,000円
④ 所得税及び復興特別所得税 45,945円 住民税 15,000円

 正しいものは、④
2回以上にわたり同一銘柄を取得した場合、「総平均法に準ずる方法」により計算を行う。

株式等の譲渡による所得は、20.315%（所得税及び復興特別所得税15.315%、住民税5%）の税率である。

平均取得単価は、

$$\frac{(840円×1,000株)＋(720円×3,000株)}{1,000株＋3,000株} = 750円$$

平均取得単価が750円の上場株式を、売却代金850円で3,000株売却した譲渡益は以下のように算出できる。

（850円－750円）× 3,000株 ＝ 300,000円

所得税及び復興特別所得税15.315%、住民税5%の税率を乗じて求める。

所得税及び復興特別所得税：300,000円 × 15.315% ＝ 45,945円

住民税：300,000円 × 5% ＝ 15,000円

【解答のコツ】

上場株式の譲渡に対する所得税及び復興特別所得税と住民税の合計額の計算は、その上場株式の取得費を「総平均法に準ずる方法」で計算することが基本である。「総平均法に準ずる方法」は、暦年に関係なく、取得のつど、銘柄ごとに平均取得価額を計算する方法である。

本設問の取引における所有株数と平均取得価額は以下のとおりである。

売買年月日	売買の別	単価	株数	所有株数	平均取得価額
2024年2月	買い	840円	1,000株	1,000株	840円
2024年3月	買い	720円	3,000株	4,000株	750円
2024年5月	売り	850円	3,000株	1,000株	750円
2024年8月	買い	840円	2,000株	3,000株	810円

2024年5月に、「平均取得価額750円の上場株式4,000株のうち、3,000株を850円で売却した」と考えることができる。この平均取得価額をもとに、譲渡益を計算し、税率を乗じることでそれぞれ所得税及び復興特別所得税と住民税の金額を求める。

 問5　特定口座に関する次の記述のうち、正しいものには○を、誤っているものには×をつけなさい。

① 特定口座は、個人1人につき「1業者・1口座」とされているため、複数の金融商品取引業者に開設することはできない。

② 特定口座に組み入れられる有価証券には、外国金融商品市場で取り扱う株式も対象となる。

③ 特定口座に組み入れられる有価証券には、店頭転換社債型新株予約権付社債は含まれない。

④ 金融商品取引業者は、特定口座年間取引報告書を2通作成し、1通を金融庁に、他の1通を特定口座開設者に交付しなければならない。

 解答　①× 特定口座は、個人1人につき「1業者・1口座」とされており、同一の金融商品取引業者に1口座しか設定できないが、複数の金融商品取引業者に開設することはできる。

②○　外国金融商品市場で取り扱う株式は、特定口座に組み入れることができ、株式等の譲渡所得等の申告分離課税が適用できる。

③×　特定口座に組み入れられる有価証券には、店頭転換社債型新株予約権付社債も含まれる。

④×　金融商品取引業者は、特定口座年間取引報告書を、1通を税務署に、他の1通を特定口座開設者に交付しなければならない。

問6 有価証券取引における所得税及び復興特別所得税に関する次の記述のうち、正しいものには○を、誤っているものには×をつけなさい。

① ストック・オプション制度とは、取締役や使用人などに一定数の自社株を無償または一定の価額（権利行使価額）で一定の期間内（権利行使期間）に取得する権利を付与する制度である。

② ストック・オプション制度における課税の特例を受けるには、新株予約権等の年間の権利行使価額が1,000万円以内でなければならない。

③ 2024年中に発行された割引債の償還差益は、発行者が発行時に所得税を18.378%の税率で源泉徴収される。

④ 店頭デリバティブ取引に係る所得と市場デリバティブ取引に係る所得は、損益通算できる。

解答

①○　ストック・オプション制度は会社法で定められた報酬制度のひとつである。

②×　ストック・オプション制度における課税の特例を受けるには、新株予約権等の年間の権利行使価額が1,200万円以内でなければならない。

③×　2024年中に発行された割引債の償還差益は、償還時に課税され、15.315%（その他個人住民税5％）の税率で申告分離課税される。

④○　損益通算及び損失額の3年間の繰越控除が可能である。

問7 「非課税口座内の少額上場株式等に係る配当所得及び譲渡所得等の非課税措置（2024年以後の制度）」（以下、NISAという）に関する次の記述のうち、正しいものには○を、誤っているものには×をつけなさい。

① NISA口座内の「つみたて投資枠」と「成長投資枠」の非課税投資枠の範囲内で受け入れた投資対象商品から生じる配当等及び譲渡益は非課税となる。

② 「つみたて投資枠」の年間投資枠は120万円、「成長投資枠」の年間投資枠は

240万円であり、非課税となる保有額には限度はない。

①○　非課税保有期間は、無期限である。

②×　非課税となる保有額には限度があり、非課税保有限度額は1,800万円
である。なお、「成長投資枠」の非課税保有限度額は1,800万円のう
ち1,200万円までとなる。

株式の相続税（贈与税）の
評価は、上場の有無、
気配相場の有無によって
分類されるのじゃ。

3.

法人税、相続税、贈与税

重要度
★ ☆ ☆

1 法人税

　法人税とは、法人の所得を対象として課税される国税である。課税の対象（課税標準）は、法人の各事業年度の所得であり、各事業年度の所得金額は総益金から総損金を控除して計算する。

2 相続税・贈与税

　相続税は、相続や遺贈（死因贈与を含む）によって財産を取得した個人について、取得財産の価額に応じて課税される税金である。

　贈与税は、個人が他の個人から贈与（死因贈与を除く）によって財産を取得した場合に課税される税金である。

(1) 上場株式の評価

　上場株式の評価は、その株式が上場されている金融商品取引所における課税時期の最終価額によって評価する。

　ただし、その最終価額が、課税時期の属する月以前3ヶ月間の毎日の最終価額の各月ごとの平均額のうち、最も低い価額を超える場合にはその最も低い価額によって評価する。

- ・課税時期（相続や贈与があった日）の最終価額（終値）
- ・課税時期の月の毎日の最終価額の平均額
- ・課税時期の月の前月の毎日の最終価額の平均額
- ・課税時期の月の前々月の毎日の最終価額の平均額

(2) 気配相場等のある株式の評価

　登録銘柄または店頭管理銘柄の株式は、日本証券業協会の発表する課税時期の取引価格によって評価する。

　ただし、取引価格が課税時期の属する月以前3ヶ月間の毎日の取引価額の各月ごとの平均額のうち最も低い価額を超えるときは、最も低い価

参考

法人からの贈与によって取得した財産は、一時所得として、所得税や住民税が課税される。

参考

信用取引中に死亡した場合の財産評価は、財産額と債務額とを区分して計算する。

額によって評価する。

問1 4月4日に発生した相続において、相続財産である上場株式の最終価額等が以下のとおりである場合、1株当たりの相続税の評価額として、正しいものはどれか、1つを選びなさい。

① 4月4日の終値　　1,200円
② 1月の月平均終値　1,100円
③ 2月の月平均終値　1,150円
④ 3月の月平均終値　1,170円
⑤ 4月の月平均終値　1,180円

解答 正しいものは、③

上場株式の評価額は、その株式が上場されている取引所における課税時期の最終価額によって評価する。ただし、その最終価額が課税時期の属する月以前3ヶ月間の毎日の最終価額の各月ごとの平均額のうち、最も低い価額を超える場合にはその最も低い価額で評価する。

4月4日の終値	1,200円	(1) 課税時期の最終価額
1月の月平均終値	1,100円	
2月の月平均終値	1,150円	(2) 課税時期の属する月以
3月の月平均終値	1,170円	前3ヶ月間の最終価額
4月の月平均終値	1,180円	の各月ごとの平均額

設問では、4月4日に相続が発生しているため、
(1) 4月4日の終値
(2) 2〜4月の月平均終値
課税時期の属する月以前3ヶ月間の毎日の最終価額の各月ごとの平均額(2)のうち、2月の月平均終値1,150円は、課税時期の最終価額1,200円(1)よりも低い。
したがって、2月の月平均終値1,150円が相続税の評価額となる。

第 **15** 章

デリバティブ取引

予想配点　106点／440点
出題形式
○×方式…8問
五肢選択方式…9問
（配点と出題形式はTACの予想です）

　デリバティブ取引の基礎から各商品まで見ていきます。ここでいうデリバティブ（Derivatives）とは、金融資産から「派生」したものを意味します。法改正の影響を受けることもある論点なので、常に最新の知識を持つように心がけましょう。

関連章　　　なし

金融資産から「派生」した取引をデリバティブ取引❶といいます。

取引内容によってはそのリスクも変動するので、各商品❷の内容を正確に理解しましょう。

また、CFD取引に関する規則❸もあるので、そこも忘れずにチェックする必要があります。

2年後に牧場を
買います。

1. デリバティブ取引の概要

1 デリバティブ取引

　デリバティブ（Derivatives）とは、金融資産から「派生」したもののことである。例えば、株式などの有価証券を原資産とする金融取引のことをいう。

　金商法におけるデリバティブ取引の分類は、「市場デリバティブ取引」「店頭デリバティブ取引」及び「外国市場デリバティブ取引」である。このデリバティブ取引は一部適用外を除き、金商法の規制対象となる。

(1) デリバティブ取引と金商法

　金商法に規定されているデリバティブ取引については、次のとおりである。

> ・第1種金融商品取引業者は、市場デリバティブ取引と店頭デリバティブ取引ともに取り扱うことができる。
> ・第2種金融商品取引業者は、有価証券に係る市場デリバティブ取引(外国市場デリバティブ取引を含む)以外の市場デリバティブ取引を取り扱うことができるが、店頭デリバティブ取引は取り扱うことができない。

(2) デリバティブ取引とは

　デリバティブ取引とは、金融商品のリスクを低下させたり、リスクを覚悟して高い収益性を追求したりする手法として考案された取引方法である。

　デリバティブの効果として、以下のようなものがある。

ヘッジ効果	将来の取引の成果を現時点で確定させる(リスクの回避)機能
レバレッジ効果	投資する金額に対して数倍の取引を行った場合と同じ経済効果を享受する機能
リスク移転効果	キャッシュ・フローを組みかえる機能

なお、取引の名称に独特な呼び名があるため以下に記す。

買いの状態	買建て、買持、ロング、ロング・ポジション
売りの状態	売建て、売持、ショート、ショート・ポジション

(3) デリバティブ取引の種類

　デリバティブ取引の基本的なものとして、そのもとになる金融商品について、将来売買を行うことをあらかじめ約束する取引（先物取引）、将来売買をする権利をあらかじめ売買する取引（オプション取引）、スワップ取引などがある。

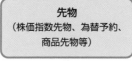

● デリバティブ商品の種類

プレーンバニラ	シンプルな構造のデリバティブ商品
エキゾティック	より複雑なデリバティブ商品。複数資産や複数の指標を参照するなどといった特殊条項が加味されている

本番得点力が高まる! 問題演習

問1 デリバティブ取引に関する次の記述のうち、正しいものには○を、誤っているものには×をつけなさい。

① デリバティブ取引には、投資する金額に対して数倍の取引を行った場合と同じ経済

効果を享受するレバレッジ効果がある。

② ロングとは、デリバティブ商品の買い持ちのことである。

③ シンプルな構造のデリバティブ商品のことをエキゾティックという。

① ○ なお、将来の取引を現時点で確定し、将来の不確実なリスクを回避する効果を、ヘッジ効果という。

② ○ なお、ショートとは、デリバティブ商品の売り持ちのことである。

③ × シンプルな構造のデリバティブ商品のことをプレーンバニラ、複雑なデリバティブ商品のことをエキゾティックという。

2 先物取引

(1) 先物取引とは

　先物取引とは、「あらかじめ定められた期日に」「特定の商品（原資産）を」「取引時点での約定価格で」、売買することを契約する取引である。

　先物取引は、市場デリバティブ（取引所取引）、相対取引では先渡取引（店頭（OTC）デリバティブ取引）となる。

　この契約により、買方は売方より期日に対象商品を約定価格で購入する義務を、売方は買方へ売却する義務を負うこととなる。

(2) 先物取引の決済

　先物取引の決済方法には、①反対売買と②最終決済の2つの方法がある。

① 反対売買（差金決済）

　取引最終日までに買建ての場合は転売、売建ての場合は買戻しによる反対売買を行うことにより、先物の建玉（たてぎょく）を解消する。

② 最終決済

〔現物受渡しの可能な商品の場合〕

　買方は売方に約定金額を支払い、売方は買方に現物を受け渡す（受渡し決済）。

〔現物受渡しのできない商品の場合〕

　約定価格と最終決済価格との差額を受け渡す差金決済を行う。

・買方：「約定値＞決済値」の場合

・買方：「約定値＜決済値」の場合

　差金決済とは、「買い付け（または売り付け）た時点での先物価格」と「決済時点での先物価格」の差額のみを受け渡す方法である。売買により生じた損益（差額）のみの受渡しを行う。このほか、現物を受け渡す受渡

用語

建玉

先物市場において、先物契約の買い（買方）を「買建て」、売り（売方）を「売建て」という。ここで建てられた先物の契約を玉（ぎょく）と呼ぶので、合体して「建玉」という。

決済がある。

例えば、株価指数先物取引では、取引最終日までに決済を行わなければ、翌日の満期日（期限日）に特別清算数値（SQ値）にて自動的に清算され、損益が確定する（差金決済）。

国債先物取引では、期限日を迎えるまでに差金決済されなかった建玉については、長期国債先物（現金決済型ミニ）を除き、大阪取引所が指定する受渡適格銘柄と呼ばれる国債と売買代金の受け渡しを行う（受渡決済）。

用語

特別清算数値
毎月の第2金曜日（期限日）の日経平均構成銘柄の始値によって計算される数値。

(3) 先物取引の特徴

先物取引には、主に次の特徴がある。

参考

先物取引は、信用取引のように売りからも入ることができる。

① 反対売買を自由に行うことができる

先物取引の買方（売方）は、対象商品価格が上昇（下落）すれば利益が、下落（上昇）すれば損失が発生する。買方（売方）は当初の予想に反して相場が下落（上昇）したとしても、早期に反対売買を行い建玉を解消すれば、損失の拡大を抑えることができる。

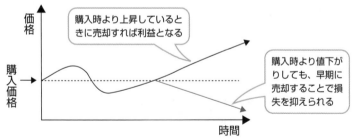

② 取引条件が標準化された取引所取引

先物取引は、商品の種類、取引単位、満期、決済方法などの諸条件が、すべて取引所において標準化、定型化されている。

③ 証拠金制度

証拠金とは、先物やオプション市場において、将来発生するおそれのあるリスクを計算し、契約の履行を確保するための担保として差し入れるものである。現金や有価証券で代用が可能である。

(4) 他の取引との違い

① 先渡取引との違い

将来の一定日を受渡し日として、現時点で定めた価格で売買するという点では、先渡取引と先物取引は共通しているが、次のような違いがある。

	取引の条件	決済
先渡取引	売買の当事者間で任意に定める(相対取引)	・原則期限日の現物受渡し ・期限日前の決済は交渉が必要
先物取引	諸条件がすべて標準化されている	いつでも反対売買できる

② 信用取引との違い

	貸借関係の有無	価格付けの方法
信用取引	買付代金の融資や株式の貸与といった貸借関係が存在する	信用取引と現物取引の価格は同一(現物市場で現物売買と変わりなく取引される)
先物取引	買方、売方どちらにも貸借関係は存在しない	先物市場と現物市場は別に価格付けが行われ、さらに、限月によってもそれぞれ価格付けが行われる

(5) 先物の価格形成

　先物価格は理論上、現物を所有するためにかかるコスト(キャリーコスト)の分だけ現物価格に比べて高くなる。つまり、キャリーコストは先物価格と現物価格の差額で表すことができる。

● 先物価格と現物価格の関係

> 先物価格 ＝ 現物価格 ＋ キャリーコスト

　実際には、期日までの短期金利や、現物から得られる配当・期間利息などの影響も受けるため、先物理論価格は、以下の式によって求められる。

● 先物理論価格算出式

$$先物理論価格＝現物価格×\left\{1+(短期金利-配当利回り)×\frac{満期までの日数}{365}\right\}$$

※短期金利、配当利回りは年率

　配当利回りが短期金利よりも低い場合、キャリーコストはプラスの値になる。つまり、先物価格のほうが現物価格より高くなり、この状態を「先物がプレミアム」という。一方、配当利回りが短期金利よりも高い場合、キャリーコストはマイナスの値になる。つまり、先物価格のほうが現物価格より低くなり、この状態を「先物がディスカウント」という。

用語

限月(げんげつ)
先物取引の決済期日のある月をいう。基本的に、1つの商品に複数の限月が設定されている。

(6) 先物取引の利用方法

　先物取引の重要な意義には「価格変動リスクの移転機能」がある。

　例えば、株式を保有している人が値下がりのリスクを回避したい場合、保有資産と同金額の株価指数先物を売ることでリスクを回避しようとする（ヘッジ取引）。このほかに、リスクを覚悟のうえで高い収益を狙う（スペキュレーション取引）取引や、先物と現物の間の価格乖離をとらえて収益を狙う（裁定取引）がある。これらの取引により、相互にリスクが移転され合うことで、リスクが転嫁されて先物取引の意義が果たされる。

　先物取引を行う目的は主に以下の3つがある。

①ヘッジ取引	保有する金融資産の価格変動リスクを回避するための取引
②裁定取引 （アービトラージ取引）	値動きの相関性の高い商品間の価格の乖離を利用してリターンを得ようとする取引
③スペキュレーション取引	投機的にリスクを大きく取り、大きなリターンを得ようとする取引

① ヘッジ取引

　ヘッジ取引には、売りヘッジと買いヘッジがある。また、ヘッジ取引を行う人をヘッジャーという。

(イ) 売りヘッジ

　売りヘッジとは、保有株式について、相場の下落が予想される場合に、先物を売り建て、予想どおり相場が下落したときは先物を買い戻して利益を得ることによって、現物の値下がりによる損失を相殺する取引である。

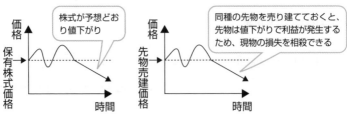

※現物と同種の先物は似たような値動きをする特性を利用している。

(ロ) 買いヘッジ

　買いヘッジとは、将来取得する予定の株式等について相場の上昇が予想される場合に、あらかじめ先物を買い建てておき、予想どおり相場が上昇したときは先物を転売して利益を得、これを現物購入資金に加え

参考

先物の始まり
先物取引は、日本が発祥といわれている。年貢商いの中心であった米の扱いで市場が大きくなると米俵をいちいち現物でやり取りしていては大変な不便が生じた。そこで、米手形（米切手）が発案された。しかし、手形はすぐには換金できないため、換金時の価格が変動してしまう事が問題になった。そこで価格変動によるリスクを回避するために契約を約束する「つめかえし取引」を考えた。これが現在の先物取引の始まりと考えられている。

ることにより、その期間中の現物価格の値上がり分をカバーしようとする取引である。

② 裁定取引（アービトラージ取引）

　裁定取引とは、あるものの価格関係において、一時的に乖離が生じた場合、割高なものを売り、同時に割安なものを買い、後にこの2つが適正価格に戻ったところでそれぞれ決済を行い、利益を得る取引である。

　なお、裁定取引を行う人を、アービトラージャーという。

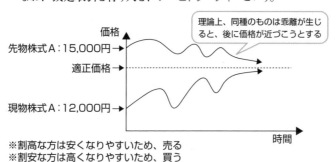

※割高な方は安くなりやすいため、売る
※割安な方は高くなりやすいため、買う

● 裁定取引の方法

買い裁定	先物価格が割高の場合	先物売り＋現物買い
売り裁定	先物価格が割安の場合	先物買い＋現物売り

● スプレッド取引

　代表的な裁定取引としてスプレッド取引がある。スプレッド取引とは、2つの先物の価格差（スプレッド）を利用した取引をいう。スプレッドが一定水準以上に乖離したときに、割高なほうを売り建て、同時に割安なほうを買い建てる。その後、スプレッドが一定水準に戻ったところでそれぞれの先物取引について決済を行う。

スプレッド取引には、次の2つがある。

カレンダー・スプレッド取引	同一商品の異なる2つの限月間の取引の価格差が一定水準近辺で動くことを利用した取引。スプレッドが拡大または縮小したときポジションをとり、やがてスプレッドが元に戻った時点で決済し利益を得る。 〈債券先物取引の場合〉 「これからスプレッドが拡大すると予測」 →スプレッドの買い＝期近限月の買い＋期先限月の売り 「これからスプレッドが縮小すると予測」 →スプレッドの売り＝期近限月の売り＋期先限月の買い 〈指数先物取引の場合〉 ・スプレッドの買い＝期先限月の買い＋期近限月の売り ・スプレッドの売り＝期先限月の売り＋期近限月の買い ※カレンダー・スプレッド取引の場合、債券先物と指数先物とでは、売りと買いが逆になるので注意。
インターマーケット・スプレッド取引	異なる市場間の先物価格差を利用した取引。 乖離した価格差もやがて一定の価格差に近づくことを前提としている。

参考
異なる市場間の先物価格差には、TOPIX先物と日経平均株価先物などがある。

参考
スペキュレーションとは、「投機」の意。

参考
レバレッジ効果があるため、現物のスペキュレーション取引に比べ、先物のスペキュレーション取引は、よりハイリスク・ハイリターンであるといえる。

③ スペキュレーション取引

　スペキュレーション取引とは、先物の価格変動をとらえて利益を獲得することのみに着目する投機的な取引である。先物が値上がりすると判断したら買い、値下がりすると判断したら売る。

　現物でもスペキュレーション取引は行われるが、先物には、少額の証拠金を預けるだけで多額の取引ができるという特色がある。これをレバレッジ効果という。よって現物取引に比べ、よりハイリスク・ハイリターンであるといえる。

　このように、リスクを覚悟の上で先物の売り買いを行い高収益を狙う人をスペキュレーターという。

　いずれの市場も、スペキュレーターの存在により、高い流動性が保たれるようになる。またこの存在は、ヘッジャーのリスクの引受け手としての役割も果たす。

● 主なスペキュレーション取引

順張り	相場が上昇(下落)しているときにそのまま上昇(下落)が持続すると見込んで買う(売る)取引方法
逆張り	これまで相場は上昇(下落)してきたので、これからは下がる(上がる)に違いないと思って売る(買う)取引方法
ファンダメンタル分析	景気動向、金融・財政政策、国際収支、物価動向等、様々な要素を分析し、相場の行方を判断する
テクニカル分析	価格や出来高等の過去の相場データを分析し、相場の行方を判断する

④ ポートフォリオの調整手段

　短期的に債券相場の下落（金利上昇）が予測される場合は、そのリスクを回避するためにポートフォリオ内に保有する長期債を売却し、短期債に入れ替え、保有債券の年限の短期化を図る。そして、その後、相場が下落したところで、短期債を売却し再び長期債に入れ替え、ポートフォリオを元の年限に戻すということが行われる。このように短期債は長期債に比べ金利変動の影響が小さいため、短期債を保有することにより、価格変動リスクを回避することができるのである。

　損益的にこれと同様の効果が期待できる方法として、長期債を保有したまま、長期国債先物をショートする（売る）というものがある。一般的には、ポートフォリオに保有する現物を大量に売買するよりも、先物を売買するほうが取引コストを節約できるという利点がある。

　長期債の保有 ＋ 長期国債先物のショート（売る） ➡ 短期債の保有と（損益的に）同等の効果

　また逆に、短期的に債券相場の上昇が予測される場合は、ポートフォリオ内に保有する短期債を売却し、長期債に入れ替え、保有債券の年限の長期化を図る。また、これは短期債を保有しつつ長期国債先物をロングする（買う）ことと損益的に同等の効果が期待できる。

　短期債の保有 ＋ 長期国債先物のロング（買う） ➡ 長期債の保有と（損益的に）同等の効果

(7) 先物取引の意義

① 価格変動リスクの移転機能

先物取引の重要な意義は、価格変動リスクの移転機能である。現物の価格変動のリスクを避けたいと思う人は、その商品の先物を売るなり買うなりして、そのリスクを回避することができる。

　このような取引をヘッジ取引という。つまり、先物市場において現物ポジションと反対のポジションを設定することによって、現物株式の価格変動リスクを回避しようという取引である。

　このヘッジ取引を行う人をヘッジャーという。現物のヘッジ手段として先物が利用できるのは、先物と現物の間の価格変動に強い相関があるためである。

　なお、先物取引の参加者には、ヘッジャーの他に、リスクを覚悟の上で投機的収益を狙う人（スペキュレーター）や先物間の価格乖離をとらえて収益を狙う人（アービトラージャー）が存在する。

今持ってる株の値動きリスクを回避したいわ。

証拠金取引で多額の利益が欲しい。

市場間の価格差を利用して、比較的安全に利益が欲しいな。

ヘッジャー　　　　スペキュレーター　　　アービトラージャー

本番得点力が高まる！ 問題演習

問1　先物取引に関する次の記述のうち、正しいものには〇を、誤っているものには×をつけなさい。

①　先物取引では、売方と買方との間で、買付代金の貸付けや有価証券の貸与といった貸借関係が存在する。

②　先物取引は商品の種類、取引単位、満期、決済方法などの諸条件が、すべて取引所において標準化、定型化されている。

③　先物取引では、建玉を毎日の清算値で評価替えし、日々、評価差損益の授受を行う値洗い制度を導入している。

④　先物価格が現物価格よりも高くなる状態を「先物がプレミアム」という。

⑤　先物では、同種の先物取引ならば、同じ価格付けが行われる。

①× 先物取引では、売方、買方どちらにも貸借関係は存在しない。

②○ 一方、先渡取引においては当事者間の相対取引によって取引条件が任意に決められる。

③○ 値洗い制度は、決済不能による損失発生を防ぐ役割がある。

④○ なお、先物価格が現物価格よりも低くなる状態を「先物がディスカウント」という。

⑤× 先物では、限月別に価格付けが行われるので、同種の先物でも異なる限月のものは独立して取引が行われる。

問2 先物取引に関する次の記述のうち、正しいものには○を、誤っているものには×をつけなさい。

① 現物のヘッジ手段として先物が利用できるのは、先物と現物の間の価格変動に全く相関がないためである。

② 買いヘッジとは、将来における価格上昇リスクを回避するための取引である。

③ スペキュレーション取引とは、2つの先物の価格差を利用した裁定取引をいう。

④ カレンダー・スプレッド取引とは、限月の異なる先物の価格差が、一定の水準近辺で動くことを利用した取引である。

⑤ 先物と現物、または先物間の価格乖離をとらえて利益を狙う人をスペキュレーターという。

⑥ 先物市場では、先物市場の存在によって、その商品の現物市場の厚みが増して流動性が向上すると考えられている。

---

①× 先物取引がヘッジ取引に利用できるのは、先物と現物の間の価格変動に強い相関があるためである。

②○ なお、価格変動リスクを回避するヘッジ取引を行う人をヘッジャーという。

③× 設問はスプレッド取引のことである。スペキュレーション取引とは、先物の価格変動を捉えて利益を獲得することにのみ着目する取引である。

④○ なお、スプレッド取引には、カレンダー・スプレッド取引の他に、異なる市場間の先物の価格差を利用した、インターマーケット・スプレッド取引もある。

⑤× 設問はアービトラージャーの説明である。スペキュレーターとは、リスクを覚悟の上で単に先物の売り買いで高い収益を狙う人をいう。

⑥○ 先物取引によって現物の価格変動リスクをヘッジすることができれば、より多くの人が現物取引に積極的になると考えられている。

3 オプション取引

(1) オプション取引とは

オプション取引とは、ある商品（原証券や原資産）を将来のある期日までに、その時の市場価格に関係なく、あらかじめ決められた特定の価格（行使価格）で買う権利、または売る権利を売買する取引である。その権利につけられる価格（オプションの価格）をプレミアムという。

この「ある期日」とは権利行使の期限のことで、満期日という。

オプションの買方は、買った権利を行使すると利益となる場合は権利行使をし、権利行使をすると損失となる場合はその権利を放棄することができる。買方が権利行使すると、買方は対象とする商品が行使価格で手に入ることになり、売方は買方の権利行使に応ずる義務がある。

● オプション取引の基本

名称	内容	特徴
コール・オプション	買う権利	買方の損失はプレミアムに限定
プット・オプション	売る権利	売方の損失は無限大

● オプションの種類

アメリカン・タイプ	満期日までにいつでも権利行使が可能
ヨーロピアン・タイプ	満期日のみ権利行使が可能

【コール・オプションの例】

権利行使価格が1,500円、現在の値も1,500円、コール・オプションのプレミアムが100円のA株があり、価格の上昇を見込んで、これを5,000株分購入した。

その後、この株が値上がりし1,800円になったので権利を行使し1,500円で購入、その後すぐに1,800円で売却した。

この行動によって、当初50万円の支出で150万円の利益を出し、差引100万円の収益を出すことに成功した。

```
当初の支出……    100円×5,000株  = 50万円
権利行使利益…    （1,800円−1,500円）×5,000株 =150万円
差引…………      150万円−50万円 =100万円
```

読みどおりにならなかったときは、購入した権利を放棄することになる。この場合の損失は、当初のプレミアムである50万円に限定される。

● **コール・オプションの買方と売方の損益曲線**

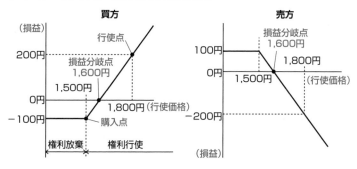

【プット・オプションの例】

　権利行使価格が1,500円、現在の値も1,500円、プット・オプションのプレミアムが100円のA株があり、価格の下落を見込んで、これを5,000株分購入した。

　その後、この株が値下がりし、1,200円になったので、すぐに市場にて1,200円で購入し、権利行使によって1,500円で売却した。

　この行動によって、当初50万円の支出で150万円の利益を出し、差引100万円の収益を出すことに成功した。

> 当初の支出……　　100円×5,000株　=　50万円
> 権利行使利益…　　（1,500円−1,200円）×5,000株 =150万円
> 差引…………　　　150万円−50万円=100万円

　読みどおりにならなかったときは、購入した権利を放棄することになる。この場合の損失は、当初のプレミアムである50万円に限定される。

● **プット・オプションの買方と売方の損益曲線**

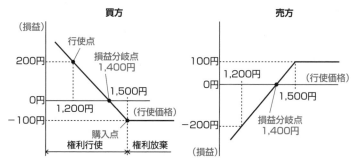

(2) 原資産価格と行使価格の大小関係

オプションの権利を行使したときに手に入る金額をペイオフという。ペイオフはゼロまたはプラスの値しかとらず、マイナスにはならない。

原資産価格と行使価格の関係から、オプションの買方が権利を行使したときに利益が出る状態をイン・ザ・マネー（ITM）といい、損失が出る状態（ただし、実際は権利を行使せず、プレミアム分だけ損をする）をアウト・オブ・ザ・マネー（OTM）という。さらに原資産価格と行使価格が等しい状態をアット・ザ・マネー（ATM）という。

● 原資産価格と行使価格の関係

運用状態	コール・オプション	プット・オプション
イン・ザ・マネー	原資産価格＞行使価格	原資産価格＜行使価格
アット・ザ・マネー	原資産価格＝行使価格	
アウト・オブ・ザ・マネー	原資産価格＜行使価格	原資産価格＞行使価格

(3) オプション取引の特徴

① 現物投資の代替物

オプション取引を活用することで少額の資金で取引が可能となる。また、売方から見ると現物の保有なく資金が手に入る。

② レバレッジ効果

先物取引、先物オプション取引等では、一定の証拠金に対して、数倍から数十倍の取引が行えるため、レバレッジ効果が大きい。

③ 現物取引にない損益パターンを作る

オプションにはリスクが限定されるという機能があるため、様々なオプションを組み合わせて現物取引にない損益パターンを作ることができる。例えば、同じ行使価格のコールとプットを組み合わせる「ストラドルの買い」という戦略は、現物価格が上あるいは下に大きく振れるほど利益も大きくなる取引である。

④ リスクの限定・移転

オプションの買方は、権利行使を放棄することになっても、損失は当初支払ったプレミアムに限定される。これを「リスクの限定」という。一方、オプションの売方は、当初プレミアムを手に入れる代わりに、将来、権利

用語

レバレッジ効果

「レバレッジ（＝てこ）の原理」になぞらえて、少ない資金でより大きな投資効果を図ることをいう。

参考

オプション取引の買方は、損失時には権利を放棄できる点が、先物取引と大きく異なる。

行使があった場合に応じる義務がある。つまりペイオフの支払い義務を、プレミアムを対価として引き受けていることになる。よって、売方の損失は限定されない。

⑤ ヘッジ効果

オプション取引の損益が、原資産価格の変動に連動して決まることから、オプションは、先物と同様に、原資産の価格変動リスクをヘッジする重要な手段となる。

先物によるヘッジとの大きな違いは、先物が価格変動リスクと収益機会を同時に消してしまうのに対して、オプションを使うことでリスク・ヘッジとリターン追求が同時に行える点である。

⑥ 反対売買

オプション取引は、満期までそのポジションを維持する必要はない。満期以前に同じ取引の反対売買を行い、ポジションを解消すれば、損益を確定できる。

● 反対売買による損益＝オプション・プレミアムの変化

買方の損益	プレミアム(解消時)－プレミアム(期初)
売方の損益	プレミアム(期初)－プレミアム(解消時)

(4) オプション・プレミアム

オプションのプレミアム価格は、本質的価値と時間価値から形成されている。

● プレミアムの本質的価値と時間価値

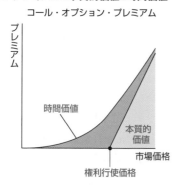

コール・オプション・プレミアム

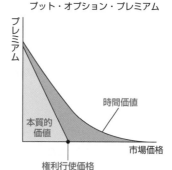

プット・オプション・プレミアム

プレミアムは、行使価格のあたりから、イン・ザ・マネーに入るにつれて、急速に大きくなるのが特徴である。これは、イン・ザ・マネーに入ると、権利を行使することによって確定できる、原資産価格と行使価格の

差額分の価値が存在するからである。この価値のことをイントリンシック・バリュー（本質的価値）と呼ぶ。

また、プレミアム全体とイントリンシック・バリューの差にあたる部分をタイム・バリュー（時間価値）と呼ぶ。これは満期までの長さや原資産価格の変動性の大きさ（ボラティリティ）、さらに金利や配当率によって決定される部分で、オプション特有の要素である。

プレミアム ＝ 本質的価値 ＋ 時間価値

(5) オプション・プレミアムの特性

プレミアムの形成要因が変化した場合に、どのようにプレミアムが変化するのか。主要なものを捉えておく。

① プレミアムと原資産価格の関係

コールの場合は、原資産価格が上昇すれば、行使価格を超える可能性が高くなるためプレミアムは高くなる。逆にプットの場合は、行使価格を下回る可能性が小さくなるので、プレミアムは低くなる。

② プレミアムと行使価格の関係

現在の原資産価格に対して、高い行使価格のコール・オプションの場合、市場価格が行使価格を超えてイン・ザ・マネーに入る可能性は小さいため、プレミアムは低くなる。一方、プット・オプションの場合、イン・ザ・マネーに入る可能性は高いのでプレミアムは高くなる。

③ プレミアムと残存期間の関係

満期までの残存期間に対しては、コールもプットも残存期間が短くなるほどプレミアムも低くなる。残存期間が短くなるほど、価格の不確実性が減少し、原資産の市場価格が行使価格を超える（下回る）可能性が小さくなるからである。

④ プレミアムとボラティリティの関係

ボラティリティに関しては、コールもプットもボラティリティが上昇すれば、プレミアムは上昇する。逆にボラティリティが下落すれば、プレミアムも下落する。ボラティリティが高いほど、原資産価格が行使価格を超える（下回る）可能性が高くなるため、プレミアムは高くなるのである。

⑤ プレミアムと短期金利の関係

短期金利が上昇すると、コールのプレミアムは上昇する（先物オプションの場合を除く）。これは、コールが「資金調達をして原資産を買う」のと同様のキャッシュ・フローを生じさせているため、金利上昇で調達コストが上昇

し、プレミアム上昇につながると考えればよい。一方、プットの場合は「原資産を売却して資金運用する」のに対応するので、金利上昇で低コストとなり、プット・プレミアムは下落する。

● **オプション・プレミアムの変動要因と価格形成**

変動要因		コール・プレミアム	プット・プレミアム
原資産価格	上昇	上昇	下落
	下落	下落	上昇
行使価格	高い	低い	高い
	低い	高い	低い
残存期間	長い	高い	高い
	短い	低い	低い
価格変動（ボラティリティ）	大きくなる	上昇	上昇
	小さくなる	下落	下落
短期金利	上昇	上昇（下落）	下落（下落）
	下落	下落（上昇）	上昇（上昇）

※（　）は先物オプションの場合

(6) プレミアムの各要因に対する感応度

各要因が変化したときにプレミアムがどう動くのかを理解する。

デルタ (δ)	デルタ＝Δプレミアム/Δ原資産価格 原資産価格の変化（Δ原資産価格：このときのΔは変化幅をさす）に対するプレミアムの変化（Δプレミアム）の割合のこと
ガンマ (γ)	ガンマ＝Δデルタ/Δ原資産価格 原資産価格の変化に対するデルタの変化（Δデルタ）の割合のこと
ベガ (ν)	ベガ＝Δプレミアム/Δボラティリティ ボラティリティの変化（Δボラティリティ）に対するプレミアムの変化の割合のこと
セータ (θ)	セータ＝－（Δプレミアム/Δ残存期間） 満期までの残存期間の変化（Δ残存期間）に対するプレミアムの変化の割合のこと

ベガはカッパ（κ）とも呼ばれる。

参考
セータは経過時間当たりのプレミアム減価（＝時間的減価）の指標として用いるため、一般的にマイナス表記することが多い。

ロー (ρ)	ロー＝Δプレミアム/Δ短期金利 短期金利の変化(Δ短期金利)に対するプレミアムの変化の割合のこと
オメガ (ω)	オメガ＝プレミアムの変化率/原資産価格の変化率 原資産価格の変化率(変化ではなく変化率で、原資産の投資収益率のこと)に対するプレミアムの変化率の割合のこと

(7) オプションの利用方法

ここでは、残存期間を一定の状態にした、相場の方向とボラティリティの方向でオプション投資戦略を整理する。

① コールとプットの売買

最も基本的なオプション投資戦略である。

● コールの売買とプットの売買

戦略	相場の方向性の予測	損益
コールの 買い	市場価格は 上昇する	上昇時：上昇分だけ利益が発生 （利益は無限大）
		下落時：プレミアム分の損失が発生 （損失はプレミアム分に限定）
コールの 売り	市場価格は やや下落する	上昇時：上昇分だけ損失が発生 （損失は無限大）
		下落時：プレミアム分の利益が発生 （利益はプレミアム分に限定）
プットの 買い	市場価格は 下落する	上昇時：プレミアム分の損失が発生 （損失はプレミアム分に限定）
		下落時：下落分だけ利益が発生 （利益は無限大※）
プットの 売り	市場価格は 穏やかに上昇する	上昇時：プレミアム分の利益が発生 （利益はプレミアム分に限定）
		下落時：下落分だけ損失が発生 （損失は無限大※）

※厳密には、市場価格ゼロに相当するところまで

② ストラドルの買い

市場価格が大きく変動すると予想する戦略である。同じ行使価格のコールとプットを組み合わせて同じ量だけ買うポジションになる。見込みが

当たると大きな利益を出すことができる。逆に見込みが外れて市場価格が動かなかった場合でも、2つのプレミアム分の損失に限定される。

● **ストラドルの買い**

権利行使価格100、各プレミアムが5の場合

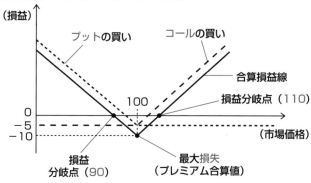

③ **ストラドルの売り**

市場価格が小動きになると予想する戦略である。同じ行使価格のコールとプットを組み合わせて同じ数量だけ売るポジションになる。見込みが当たって市場価格が小動きに終始すれば、当初得た2つのプレミアム分の範囲で利益が出る。一方、見込みが外れて、どちらかの方向に市場が大きく動くと、損失は限りなくなる。

● **ストラドルの売り**

権利行使価格100、各プレミアムが5の場合

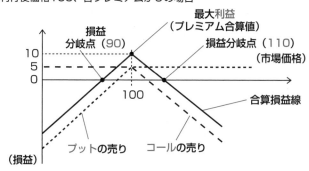

④ **ストラングルの買い**

市場価格が大きく変動すると予想する戦略である。異なった行使価格のコールとプットを買う戦略で、市場価格が2つの行使価格から外れて大きく動くと利益が出る。逆に市場価格が動かず2つの行使価格の間に入っても、2つのプレミアム分の損失に限定される。

ストラングルはストラドルと似ているが、行使価格が異なったオプションの組み合わせのため、ストラングルの方がコストは安いが、市場価格はより大きく動く必要がある。

● **ストラングルの買い**

権利行使価格、コール105、プット95
各プレミアムが5の場合

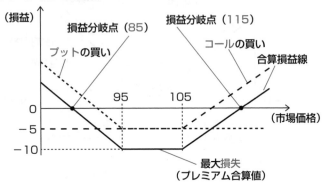

⑤ **ストラングルの売り**

市場価格が小動きになると予想する戦略である。異なった行使価格のコールとプットを売る戦略である。市場価格が2つの行使価格間に入ると2つのプレミアム分の利益が出る。逆に市場価格は大きく変動すると損失は限りなくなる。

ストラングルの売方は、ストラドルの売りに比べて手に入るプレミアムは少ないが、行使価格が異なるため、市場価格が大きく動かない限り損失を出すことも少なくなる。

● **ストラングルの売り**

権利行使価格、コール105、プット95
各プレミアムが5の場合

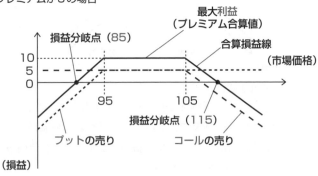

⑥ バーティカル・ブル・スプレッド

　市場価格がやや上昇すると予想する戦略である。これには、行使価格の異なった2つのコールを用いるバーティカル・ブル・コール・スプレッドと2つのプットを用いるバーティカル・ブル・プット・スプレッドがある。

　バーティカル・ブル・コール・スプレッドは、行使価格の高いコールを売り、低いコールを買う。一方、バーティカル・ブル・プット・スプレッドは行使価格の高いプットを売り、低いプットを買う。

　いずれも市場価格は、やや上昇すると予想しているが、上値を大きく追わずに、損失を限定する戦略である。

● **バーティカル・ブル・コール・スプレッド**

権利行使価格98のコール、プレミアム4で買い
権利行使価格103のコール、プレミアム2で売り

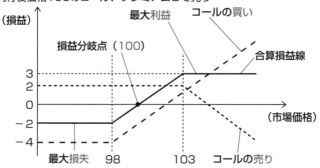

● **バーティカル・ブル・プット・スプレッド**

権利行使価格98のプット、プレミアム4で買い
権利行使価格103のプット、プレミアム8で売り

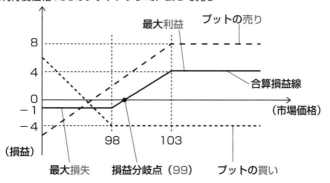

⑦ バーティカル・ベア・スプレッド

　市場価格がやや下落すると予想する戦略である。これには、行使価格の異なった2つのコールを用いたバーティカル・ベア・コール・スプレッドと2つのプットを用いたバーティカル・ベア・プット・スプレッドがある。

　バーティカル・ベア・コール・スプレッドは、行使価格の高いコールを買い、低いコールを売る。一方、バーティカル・ベア・プット・スプレッドは、行使価格の高いプットを買い、低いプットを売る。

　両方の戦略ともに、市場価格はやや下落すると予想しているが、下値を追わずに、損失を限定する戦略である。

● **バーティカル・ベア・コール・スプレッド**

権利行使価格98のコール、プレミアム8で売り
権利行使価格103のコール、プレミアム4で買い

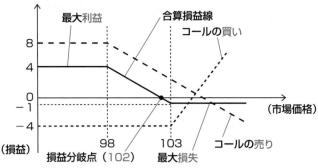

● **バーティカル・ベア・プット・スプレッド**

権利行使価格98のプット、プレミアム2で売り
権利行使価格103のプット、プレミアム4で買い

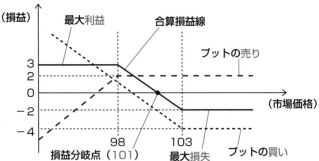

● 各取引の損益タイミングと損益幅

取引名	利　益	損　失
コールの買い	価格上昇時、 上昇分	価格下落時、 プレミアム分
コールの売り	価格下落時、 プレミアム分	価格上昇時、 上昇分
プットの買い	価格下落時、 下落分	価格上昇時、 プレミアム分
プットの売り	価格上昇時、 プレミアム分	価格下落時、 下落分
ストラドルの買い	値動き拡大時、 拡大分	値動き縮小時、 プレミアム2つ分
ストラドルの売り	値動き縮小時、 プレミアム2つ分	値動き拡大時、 拡大分
ストラングルの買い	値動き拡大時、 拡大分	値動き縮小時、 プレミアム2つ分
ストラングルの売り	値動き縮小時、 プレミアム2つ分	値動き拡大時、 拡大分
バーティカル・ブル・ コール・スプレッド	価格上昇時、限定的	価格下落時、限定的
バーティカル・ブル・ プット・スプレッド	価格上昇時、限定的	価格下落時、限定的
バーティカル・ベア・ コール・スプレッド	価格下落時、限定的	価格上昇時、限定的
バーティカル・ベア・ プット・スプレッド	価格下落時、限定的	価格上昇時、限定的

⑧ 合成先物

(イ) 合成先物の買い

　同じ行使価格、同じ限月のコールの買いとプットの売りを合わせると、先物の買いと同じポジションをつくることができる。先行き強気の場合に用いられる。

(ロ) 合成先物の売り

　同じ行使価格、同じ限月のコールの売りとプットの買いを合わせると、

先物の売りと同じポジションをつくることができる。先行き弱気の場合に用いられる。

⑨ プロテクティブ・プット

プロテクティブ・プットとは、「原資産買い持ち+プットの買い」で作るポジションである。市場が調整局面になりそうだという予測に基づき、価格下落リスクをヘッジするために行う。

● **プロテクティブ・プットの効果**

原資産が下落した場合	プットの買いにより価格下落による損失は限定
原資産が上昇した場合	プットを購入したコスト分だけ利益が減少

本番得点力が高まる！ 問題演習

問1 オプション取引に関する次の記述のうち、正しいものには○を、誤っているものには×をつけなさい。

① オプション取引では、買う権利をコール・オプション、売る権利をプット・オプションと呼ぶ。

② 満期日以前にいつでも権利行使できるものをヨーロピアン・タイプ、満期日にのみ権利行使できるものをアメリカン・タイプという。

③ オプションの売方は、当初プレミアムを手に入れる代わりに、将来、権利行使があった場合に応じる義務があり、現物の価格変動リスクを、プレミアムを対価として引き受けていることになる。

④ 原資産価格と行使価格の関係から、行使したときに手に入る金額がプラスである状態をアット・ザ・マネーという。

解答

①○ オプション取引では、買う権利を「コール」、売る権利を「プット」という。また、買う権利を買うことを「コールの買い」、買う権利を売ることを「コールの売り」、売る権利を買うことを「プットの買い」、売る権利を売ることを「プットの売り」という。

②× 権利行使については、満期日以前にいつでも権利行使できるものをアメリカン・タイプ、満期日にのみ権利行使できるものをヨーロピアン・タイプ

という。

③○ 一方、買方は、相場が予想に反する動きをしても、当初支払ったプレミアム分の損失に限定される。

④× 行使したときにプラスである状態をイン・ザ・マネー、行使したときにマイナスである状態をアウト・オブ・ザ・マネーという。なお、原資産価格と権利行使価格が等しい状態をアット・ザ・マネーという。

問2 オプションに関する記述のうち、正しいものには○を、誤っているものには×をつけなさい。

① コールの場合、原資産価格が上昇すれば、プレミアムは低くなる。

② 行使価格が高いものほど、コール・オプションのプレミアムは低くなり、プット・オプションのプレミアムは高くなる。

③ ボラティリティが高くなるほど、コールもプットもプレミアムが上昇する。

④ 短期金利が上昇すると、コール・オプション（先物オプションの場合を除く）のプレミアムは下落し、プット・オプションのプレミアムは上昇する。

⑤ ガンマとは、原資産価格の変化に対するプレミアムの変化の割合を表す。

⑥ 残存期間が短くなると、コール・オプションのプレミアムは低くなる。

⑦ オプションのセータとは、満期までの残存期間の変化に対するプレミアムの変化の割合のことである。

解答

①× 原資産価格が上昇すれば、コール・オプションのプレミアムは上昇し、プット・オプションのプレミアムは下落する。

②○ 原資産価格に対して、高い行使価格のコール・オプションの場合、市場価格が行使価格を超えてイン・ザ・マネーに入る可能性は小さいため、プレミアムは低くなる。一方、プット・オプションの場合、イン・ザ・マネーに入る可能性が高いため、プレミアムは高くなる。

③○ ボラティリティが高ければ、原資産価格が行使価格を超える可能性が高くなる。

④× 短期金利が上昇すると、コール・オプション（先物オプションの場合を除く）のプレミアムは上昇し、プット・オプションのプレミアムは下落する。

⑤× 設問はデルタの説明である。ガンマとは、原資産価格の変化に対するデ

ルタの変化の割合を表す。

⑥○ なお、残存期間が短くなると、プット・オプションのプレミアムも低くなる。

⑦○ なお、短期金利の変化に対するプレミアムの変化の割合のことをローという。

 オプション取引に関する次の記述のうち、正しいものには○を、誤っているものには×をつけなさい。

① ストラドルの買いとは、同じ行使価格のコールとプットを組み合わせて同じ量だけ買うポジションで、市場価格が大きく動きそうだと予想するときにとる戦略である。

② ストラングルの買いは、異なった行使価格のコールとプットを買い、市場価格が2つの行使価格から外れて大きく動くと予想するときにとる戦略である。

③ ストラングルの売りは、市場価格が大きく変動すると損失は限りなくなる。

④ バーティカル・ブル・コール・スプレッドは、行使価格の高いコールを買い、低いコールを売る取引手法である。

⑤ 同じ行使価格、同じ限月のコールの買いとプットの売りを組み合わせると、先物の買いと同じポジションになる。

⑥ プロテクティブ・プットとは、「原資産買い持ち＋プットの買い」で作るポジションである。

---

 ①○ なお、予想が外れて市場価格が動かなくても、損失は２つのプレミアム分に限定される。

②○ 反対に、市場価格が動かず2つの行使価格の間に入っても、2つのプレミアム分の損失に限定される。

③○ なお、ストラングルの売りでは、予想どおり市場価格が小動きでも、利益は当初受け取る２つのプレミアム分に限定される。

④× バーティカル・ブル・コール・スプレッドは、行使価格の高いコールを売り、低いコールを買う取引手法である。利益も損失もともに限定されるポジションである。

⑤○ 先行きの相場が強気の場合に用いられる。

⑥○ なお、プロテクティブ・プットは、原資産価格が値上がりした場合には値上がり益は原資産のみのときに比べて小さくなるが、原資産が下落した場合には損失が限定される。

4 スワップ取引

(1) スワップ取引とは

スワップ取引とは、契約の当事者である二者間で、スタート日付から満期までの一定の間隔の支払日（ペイメント日）にキャッシュ・フロー（変動金利と固定金利など）を交換する取引である。店頭デリバティブの中で最も一般的なものがスワップ取引である。

スワップ取引は必ずしも元本の交換を行わない。よって、スワップの取引規模を一般的に想定元本と表示する。

● 代表的なスワップ取引

金利スワップ	同一通貨の異なるタイプの金利（変動金利と固定金利など）を交換する取引。スワップ取引の中の最も基本的な取引。
通貨スワップ	異なる通貨間で将来の金利と元本を交換する取引

(2) ベンチマークとして使われる金利

店頭デリバティブにおいて、ベンチマークとして参照される主な金利は次のとおりである。なお、店頭デリバティブで使われる金利には、LIBOR（短期金利/期間が1年未満）やスワップ金利（長期金利/期間が1年超）があったが、LIBORは廃止された。代替金利指標は次のとおり。

● 日本円LIBORの代替金利

	金利指標が依存するレート	テナー（金利期間）	年率表示
TONA (Tokyo Over Night Average rate) 複利/後決め	TONA（無担保コールオーバーナイト(O/N)物金利）。コール市場で形成される金利。一般的に「トナー」と呼ぶ。	―	Act/365
TORF (Tokyo Term Risk Free Rate/ 東京ターム物リスク・フリー・レート) 前決め	日本円OIS (Overnight Index Swap)金利。「トーフ」と呼ぶ。	1ヶ月、3ヶ月、6ヶ月	
TIBOR (Tokyo Inter-Bank Offered Rate)	東京における銀行間貸出金利。「タイボー」と呼ぶ。	1週間、1ヶ月、3ヶ月、6ヶ月、12ヶ月	

● 長期金利（期間1年超）

スワップレート	各年限のスワップに対応する長期金利

　なお、短期金利の表示法にはAct/365、Act/360などがある。Act とはアクチュアルの略で、カレンダー上の実日数を意味する。分母の数字は1年間を何日とみなしているかを表す。

(3) ディスカウント・ファクター

　ディスカウント・ファクター（割引関数）とは、将来のある時点T（満期）で額面1円を支払う割引債の価格、すなわち、将来の1円の現在価値をあらわす数値のことをいう。ディスカウント・ファクターは日々変動する金利指標を用いて算出される。よって、将来のキャッシュ・フロー（時点T）の現在価値は以下のように表される。

$$\text{現在価値（PV）} = \text{ディスカウント・ファクター（DT）} \times \text{将来のキャッシュ・フロー}$$

　名目金利はマイナス値にはならないので、キャッシュ・フローの将来価値は金利の分、現在価値よりも大きくなる。そのため、ディスカウント・ファクターは必ず1以下になり、期間が長くなればなるほどディスカウント・ファクターは小さくなる。

(4) スワップ取引の特徴

　スワップ取引は、金融指標別に以下のようなものがある。

金利スワップ、通貨スワップ、クレジット・デフォルト・スワップ(CDS)、トータル・リターン・スワップ(TRS)、エクイティ・スワップ、保険スワップ　等

● スワップ取引の特徴

・店頭物(OTC)のみで、相対取引である。
・第三者に譲渡される前提のものではないため、経過利子という概念はない。
・特約条項がなければ、原則、コストなしで解約できる期限前解約はない。
・取引の主体は、金融機関や事業法人等の法人。

● **スワップ取引に関する関連用語**

ISDA (国際スワップ・デリバティブ協会)	「イスダ」と呼ぶ。 デリバティブに関する世界的組織。 スワップ取引を含む一連の店頭デリバティブ契約の雛形を定義している。
CSA (Credit Support Annex)	スワップ取引等における追証のようなもの。 担保資産の種類や評価のタイミング等についての取り決め。

本番得点力が高まる! 問題演習

問1 デリバティブ取引に関する次の記述のうち、正しいものには○を、誤っているものには×をつけなさい。

① 金利スワップとは、同一通貨の異なるタイプの金利を交換する取引である。

② スワップ取引のなかでは、通貨スワップが最も基本的な取引である。

③ スワップ取引は相対取引である。

解答

①○ なお、金利スワップの主な取引として、変動金利と固定金利の交換がある。

②× スワップ取引において、最も基本的な取引は金利スワップである。

③○ スワップ取引は店頭取引のみで相対で取引が行われる。

5 デリバティブ取引のリスク

　対象となる原資産価格等や時間経過などによって、デリバティブの時価は変化する。また、マーケットにおける流動性の枯渇などにより、不測の損失を被る可能性もある。そのため、デリバティブ取引にかかわるリスク管理は重要となる。

　店頭デリバティブ取引において特に重要視されるリスクは、市場リスク、信用リスク、流動性リスクの３つである。

(1) 市場リスク（マーケット・リスク）

　デリバティブの市場リスクとは、債券や株等の原資産の価格変動、あるいは、金利や為替、クレジット・スプレッド、物価指数、天候などの参照指標の予測できない変動（確率的変動）から生じるリスクである。

　どのくらい市場リスクにさらされているかという点では、ペイオフや付帯条項が同一であれば、市場デリバティブと店頭デリバティブの両者の市場リスクに違いはない。

(2) 信用リスク（カウンターパーティ・リスク）

　カウンターパーティとは、デリバティブ取引において、その取引の相手方のことをいう。また、その相手方の信用リスクのことをカウンターパーティ・リスクという。

　市場デリバティブには、証拠金や追証などの制度が整備されているため、このリスクを考慮する必要はほとんどない。

　一方、店頭取引は、相対取引であるため、必然的にこのリスクにさらされる。すなわち、取引先がデフォルト（破綻）に陥った場合に被る潜在的なカウンターパーティ・リスクが存在する。

　このように市場デリバティブの場合と、店頭デリバティブの場合ではカウンターパーティ・リスクの度合いが異なる。

【カウンターパーティ・リスク】

● **市場デリバティブ**

もうお金が払えません。

証拠金を担保に取っておいて助かった〜！ ほかにも、きちんと清算参加者が債務を履行してくれる制度も整備されているから安心よ。

取引相手が破綻！

● **店頭デリバティブ**

もうお金が
払えません。

しまった！
きちんと担保をもらっ
ておけばよかった‼

取引の相手が破綻！

(3) 流動性リスク

　一般に、市場デリバティブにおいては、ヨーロピアン・コールやプットと
いった基本的なオプション（プレーン・バニラ・オプション）が用いられるケース
が大半を占める。一方、店頭デリバティブでは、顧客ニーズに沿った商
品設計などオーダーメイド的な要素を含んだオプション（エキゾティック・オプ
ション）を内包しているものが多い。そのため、市場流動性は、店頭デリ
バティブより市場デリバティブの方が高いと考えられている。

● **プレーン・バニラ・オプション、エキゾティック・オプションとは？**

プレーン・バニラって、プレー
ンバニラ・アイスクリームが語
源なんだって。シンプルで簡単
なって意味ね。

エキゾティックっていうのは、
レバレッジを効かせた複雑なオ
プションを指すんだ。特殊な、
変わった、という意味だよ。

● **デリバティブ取引の主なリスク**

市場リスク （マーケット・リスク）	・市場価格や金利や為替レートなど予見不能な、ある いは確率的に変動するリスク（マーケット・リスク）。 ・デリバティブを単体で持っている場合、市場リスクが 最大のリスク要因になる。しかし、様々な取引戦略や 他のデリバティブを合わせて、これをヘッジし、ポート フォリオ全体として、このリスクをゼロに近くすることは 可能である。 ・ペイオフや付帯条項が同一であれば、市場デリバティブ と店頭デリバティブの両者の市場リスクに違いはない。

信用リスク (カウンターパーティ・ リスク)	・信用力の予期しない変化に関連して、価格が変化するリスク(融資先・発行企業・カウンターパーティ・リスク)。 ・市場デリバティブの場合、証拠金や追証などの制度が整備されているため、カウンターパーティ・リスクを考慮する必要はほとんどない。 ・店頭デリバティブの場合は相対取引のため、必然的に相手先の信用リスクにさらされる。このため、担保を設定する、追加的な担保差入れを要求するなどの方法をとることもある。 ・カウンターパーティ・リスクをヘッジするために、クレジット・デリバティブが用いられるケースもある。

本番得点力が高まる! 問題演習

 問1 デリバティブ取引に関する次の記述のうち、正しいものには○を、誤っているものには×をつけなさい。

① 第二種金融商品取引業者は、有価証券に関連する市場デリバティブ取引を扱える。

② 店頭デリバティブには、カウンターパーティ・リスクを考慮する必要がない。

③ 市場流動性は、店頭デリバティブよりも市場デリバティブの方が高いと考えられている。

④ ペイオフや付帯条項が同一ならば、市場デリバティブと店頭デリバティブの両者の市場リスクに違いはない。

解答 ①× 第二種金融商品取引業者は、有価証券に関連しない市場デリバティブ取引を扱える。なお、有価証券に関連する市場デリバティブ取引及び、店頭デリバティブ取引は扱えない。

②× 考慮する必要がないのは、市場デリバティブである。

③○ 市場デリバティブはプレーン・バニラなオプションが多く、店頭デリバティブよりも市場流動性が高い。

④○ 市場リスクの点では、市場及び店頭デリバティブに違いはない。

2. デリバティブ取引の商品

ルールがある市場取引と自由な店頭取引があるゾ。

重要度
★★★

1 市場デリバティブ取引

　デリバティブ取引には、取引所において取引制度が規定化された**市場デリバティブ取引**と取引制度が当事者間で自由に設定できる**店頭デリバティブ取引**がある。

　市場デリバティブの取引対象には、株価指数、金利などがあり、日本では株式会社大阪取引所（OSE）や株式会社東京金融取引所で取引が行われている。

(1) 商品

　デリバティブ取引の対象となる資産を原資産という。OSEでは、日経225やTOPIXなどの株価指標や国債の標準物などが設定されている。

①取引の種類

　OSEでは、先物取引、オプション取引を利用できる。店頭デリバティブ取引で利用できるスワップ取引はない。

②限月

　限月とは、ある先物・オプション取引の期限が満了となる月のことをいい、株式でいう「銘柄」にあたる。

　通常は同一商品内で複数の限月が同時に取引可能となっている。取引可能な限月は、取引所があらかじめ定めた商品ごとのルールに従い決定される。限月の間隔は各月ごと、四半期（3、6、9、12月）ごと、半年ごとなど、商品により様々である。

　例えば、日経225先物取引は次のような限月になり、3月、6月、9月、12月のうち19の限月が取引できる。

● 日経225先物の限月取引の種類

四半期限月(最長8年まで設定が可能)
・6・12月限：直近の16限月まで設定される
・3・9月限：直近の3限月まで設定される

　株式や投資信託は期限なく保有ができる。しかし、先物やオプションは、ずっと建玉を持ち続けることはできず、満期までに反対売買をしなければならない。取引の満期となる最終日までに反対売買で決済されなかった建玉は、各限月の満期日（SQ日）に強制的に決済される。このSQ日が当該限月の取引の決済日にあたり、当該限月の取引はその前日までになる。

　日経225先物の場合は、取引最終日が各限月の第2金曜日（休業日に当たる場合は、順次繰り上げる）の前日となる。そして、満期日（SQ日）が取引最終日の翌営業日となる。

　各限月の満期日（SQ日）が終わると、新たな限月の取引が設定される。つまり、新たな限月の取引開始日は、直近限月の取引最終日の翌営業日となる。

　日経225先物取引の各限月の取引期間は6月・12月限が8年、3月・9月限が1年6ヶ月であるので、仮に20×1年7月末時点（SQ日以降）で設定される限月取引は次のとおりとなる。

	20×1年	20×2年	20×3年	20×4年	20×5年	20×6年	20×7年	20×8年	20×9年
		←─────────────── 8年間設定可能 ───────────────→							
20×1年 7月末時点		3月限							
	6月限	6月限	6月限	6月限	6月限	6月限	6月限	6月限	
	9月限★	9月限							
	12月限☆	12月限	12月限	12月限	12月限	12月限	12月限	12月限	

　：20×1年7月末～20×9年7月末までの8年間で16限月まで設定
　：20×1年7月末～20×3年1月末までの1年6ヶ月で3限月まで設定

　そして、「20×1年9月限（ギリ）（★）」は、直近に最終期限を迎えるので「期近物（キヂカモノ）」または「当限（トウギリ）」という。それよりも後に最終期限を迎えるものを（20×1年12月限（☆）以降のもの）「期先物（キサキモノ）」という。

(2) 市場デリバティブ取引とは

ここでは、主にOSEにおける市場デリバティブ取引の主な制度をみていく。

① 個別競争取引

市場デリバティブ取引には、立会市場と立会外市場がある。

● 市場デリバティブ取引における取引方法

立会取引	・多数の投資家から注文を集め、それらの値段、数量などの条件が合う注文を個々に付け合わせる取引 ・価格優先、時間優先の原則に従う(現物市場と同様) ・価格決定方法には、ザラ場方式と板寄せ方式がある
立会外取引	・あらかじめ取引相手を指定し、同一限月取引の売付けと買付けを同時に行う取引 ・大口数量の注文や複数銘柄を同時に取引する場合などに行われる ・値段や呼値の刻みなどは立会取引とは異なる

> **参考**
>
> OSEの立会外取引は、J‐NET取引と呼ばれる。

② 取引時間

取引時間は取引所が商品ごとに定める。代表的な日経225先物取引は、午前〜午後にかかる現物株式市場で取引が行われる時間帯に加えて、夕方から翌朝まで取引を行うことが可能なナイト・セッションがある。

③ 呼値の刻み(ティック)及び取引単位

投資家は、取引所が商品ごとにあらかじめ定めた呼値の刻み(ティック)に従い注文を行う。

取引単位も取引所が商品ごとにあらかじめ定める。

例 題　TOPIX先物の場合

・呼値の刻み　　0.5P

・取引単位　　　10,000円

TOPIX先物価格が2,200.0Pのとき1単位取引をすると、

2,200P × 10,000円 = 2,200万円 → 2,200万円に相当する取引呼値が1ティック動くと

0.5P × 10,000円 = 5,000円 → 5,000円に相当する価格変動

また、原資産が同一であっても1つの取引所で呼値の刻みや取引単位が異なるものが上場されている場合もある(例：TOPIX先物とミニTOPIX先物など)。

④ ストラテジー取引

　ストラテジー取引とは、複数の先物・オプション銘柄を組み合わせて同時に約定させる取引をいう。先物取引で可能なストラテジー取引は、カレンダー・スプレッド取引となる。

⑤ 清算値段

　市場デリバティブ市場で取引される銘柄については、取引所が指定する清算機関により取引日ごとに評価額（清算値段等）が決定されており、取引証拠金や決済代金の計算等に用いられる。また、金利先物取引や指数先物取引等の最終決済は、特別清算数値（SQ値）により行われる。

(3) 取引制度

① 制限値幅・取引の一時中断措置

　先物取引では、1日の価格変動幅に一定の制限（制限値幅）が設けられている。制限値幅に達した場合は、一時的に取引が停止される。これを「サーキット・ブレーカー制度」という。先物価格の急変動時に、投資者の不安心理を鎮め、冷静な投資判断を促すことを目的とした制度である。取引の一時中断措置が発動された場合、一定時間取引が停止された後、制限値幅を拡大し、取引が再開される。

② ギブアップ制度

　ギブアップ制度とは、注文の執行業務とポジション・証拠金の管理といった清算業務を異なる取引参加者に依頼できる制度である。顧客、注文執行参加者及び清算執行参加者の3者間でギブアップ契約を締結する。また、指定清算機関である日本証券クリアリング機構では、建玉を、ある取引参加者から別の取引参加者へ移管する建玉移管制度を導入している。

③ マーケットメイカー制度

　マーケットメイカー制度とは、取引所が指定するマーケットメイカーが、特定の銘柄に対して一定の条件で継続的に売呼値及び買呼値を提示することにより、投資家がいつでも取引ができる環境を整える制度である。

④ 証拠金制度

　市場デリバティブ取引において、取引の安全性確保のため、証拠金制度が採用されている。証拠金とは、取引契約の履行を担保するために差し入れするものである。

　取引所に上場する先物やオプション取引では、取引を行った日の翌営業日に証拠金を差し入れる証拠金制度が導入されている。顧客が差

し入れた証拠金は、清算機関である㈱日本証券クリアリング機構へ差し入れられる。なお、証拠金の計算はVaR方式が採用されている。VaR（Value at Risk）方式とは、過去のマーケットデータなどを用いてポートフォリオの損益額をシミュレーションすることで所要額を計算する方式のことである。ヒストリカル・シミュレーション（HS-VaR）方式と代替的（AS-VaR）方式の2つがある。

また、取引において評価損益が発生した日の翌営業日にその損益（値洗差金）の受払いを行う、値洗い制度が導入されている。

証拠金及び値洗差金は、決済代金等の債務の履行を確保するための担保であり、万一所定の時限までに債務を履行できない場合には、通知、催告なしに、取引所及び証券会社等の判断で、債務の弁済に充当される。

● **市場デリバティブ取引における証拠金制度の概要**

・顧客から差し入れられた証拠金は、清算参加者（証券会社）を通じて清算機関へ差し入れられる。
・取引所上場先物・オプション取引では、取引を行った日の翌営業日に証拠金を差し入れる証拠金制度が導入されている。また、評価損益が発生した日の翌営業日にその損益の受払いを行う値洗い制度が導入されている。
・証拠金及び値洗差金は、決済代金等の債務履行を確保するための担保であり、万一指定の日時までに債務を履行できない場合は、通知、催促を行わず、かつ、法律上の手続きによらずに清算機関及び証券会社等の判断で、債務の弁済に充てられる。

● **証拠金所要額の計算方法**

・証拠金所要額とは、ポートフォリオ全体の建玉について必要とされる証拠金の額をいう。証拠金所要額の計算にVaR方式が採用されている。日本証券クリアリング機構（JCSS）が算出する先物取引・オプションの取引証拠金の計算方法が「VaR方式」である。VaR方式は、「HS-VaR方式」とその代替的方法である「AS-VaR方式」の2つがある。
・HS-VaR方式
対象商品は、日経225、TOPIX、JBG、電力、LNGなど。
売りと買いで証拠金所要額が異なり、過去のマーケットデータ等をもとにシナリオを作成し、これらのシナリオに応じてポートフォリオ単位の損益額を算出し、損益額のうち99%をカバーできる水準を証拠金所要額とする。
HS-VaR方式では証拠金計算パラメータの適用タイミングは公表当日である。

・AS-VaR方式

対象商品は、貴金属、原油、ゴム、農産物など。

証拠金所要額は、売りと買いで同じ金額であり、想定する価格変動等の
パラメータをあらかじめ設定し、パラメータをもとに作成したシナリオに応じて
ポートフォリオ単位の損失額を計算する。想定損失額は、各シナリオで計
算した損益のうち、損失が最大となる額とする。AS-VaR方式では、証
拠金計算パラメータの適用タイミングは公表翌週である。

● 顧客と証券会社等の間の受払い

・顧客は取引を行った際に、証拠金を翌営業日までの証券会社の指定する
日時までに差し入れる。

・受入証拠金の総額が証拠金所要額を下回っている場合は、その不足額
を現金または有価証券等にて証券会社等の請求に基づき差し入れる。

・受入証拠金の総額が証拠金所要額を超過している場合は、超過額を限
度として引き出すことができる。

・証拠金には通貨(円または米ドル)、有価証券等を代用することも可能。ただ
し、差し入れ証拠金額が現金支払予定額を下回った場合は、不足額を
現金(円)にて支払わなければならない。

問1 市場デリバティブ取引に関する次の記述のうち、正しいものには○を、誤っているものには×をつけなさい。

① デリバティブ取引は市場デリバティブ取引のみである。

② 市場デリバティブ取引では、顧客と証券会社が相対で取引を行う。

③ 限月とは、ある先物・オプション取引の期限が満了になる月のことで、通常、同一商品内には1つの限月しか存在しない。

④ 各先物取引の中心限月取引の価格が、取引所の定める制限値幅に達した際に、取引の一時中断措置が実施されることを、サーキット・ブレーカー制度という。

⑤ 証拠金制度において、建玉の評価損による現金不足額が生じた場合は、有価証券で不足分の証拠金を差し入れることはできない。

 解答

①× デリバティブ取引には市場デリバティブ取引と店頭デリバティブ取引がある。

②× 市場デリバティブ取引では、価格優先、時間優先の原則に従い個別競争取引にて取引が行われる。

③× 通常は同一商品内で複数の限月が同時に取引可能となっている。

④○ 取引の一時中断措置が発動された場合、一定時間、取引が停止された後、制限値幅を拡大した上で取引が再開される。

⑤○ 証拠金は有価証券でも代用できるが、差し入れ証拠金額が現金支払予定額を下回った場合は、現金不足額については現金にて差し入れなければならない。

2 先物取引

日本における市場デリバティブ先物取引は、その対象により国債（債券）関係、金利関係、商品関係、株式関係の商品に分かれる。ここでは債券と株式の各商品についてみていく。

(1) 国債先物取引

現在、日本では、中期国債先物取引、長期国債先物取引、超長期国債先物取引、長期国債先物（現金決済型ミニ）が、国債先物取引として取引されている。債券先物取引を行う場合の注文方法には、指値注文及び成行注文がある。

① 標準物

標準物とは、利率と償還期限を常に一定とする架空の債券のことである。現在日本で行われている債券先物取引は、すべてこの標準物を対象商品としている。

標準物を対象商品とするメリットは、以下のものがある。

・対象銘柄を変更する必要がない
・個別銘柄の属性に影響されない
・価格の継続性が維持される

② 決済

国債先物取引における決済の方法には、反対売買を行う差金決済と、現渡し・現引きを行う受渡決済の2通りがある。なお、長期国債先物（現金決済型ミニ）では受渡決済は行われず、差金決済のみとなっている。

● 差金決済

差金決済とは、売買最終日までに反対売買により売り値と買い値の差額で決済する方法である。

● 現渡し・現引きによる受渡決済

現渡し・現引きによる決済とは、先物の売方が手持ちの現物債を渡し（現渡し）て代金の支払いを受け、買方が代金を支払うと同時にその現物債を引き取る（現引き）という決済である。

取引所は、現存する国債のうち一定の条件を満たしたものを受渡適格銘柄として定めている。売方は、受渡適格銘柄の中から債券を選び、買方へ引き渡す。受渡決済においては、売方が銘柄の選択権を持ち、買方は銘柄を指定できない。

国債先物取引の対象商品そのものは架空の債券（標準物）なので、実際に現渡し・現引きを行う銘柄の残存年限やクーポンとは通常異なっている。そこで、標準物と受渡適格銘柄の価値が同一となるように調整を行う比率を交換比率（コンバージョン・ファクター）と呼び、受渡決済における受渡代金を求めるときに使用する。

また、期間満了の際の受渡決済は、受渡しの対象となる国債銘柄を複数定めるバスケット方式によって行われている。

用語

コンバージョン・ファクター
標準物の価値を1とした場合の各受渡適格銘柄の決済日における価値である。

● **国債先物取引の概要**

商品名	中期国債先物	長期国債先物	超長期国債先物（ミニ）
取引対象	年利率3% 償還期限5年	年利率6% 償還期限10年	年利率3% 償還期限20年
限月	3、6、9、12月（3限月取引） 直近の限月取引の取引最終日の終了する日の 翌営業日が、新たな限月取引の取引開始日となる。		
取引最終日	受渡決済期日の5営業日前		
受渡決済期日	各限月の20日		
取引単位	額面1億円		額面1千万円
呼値の単位	額面100円につき1銭		
一時中断措置	サーキット・ブレーカー制度あり		
最終決済	受渡決済		

2024年7月現在

● 長期国債先物（現金決済型ミニ）の概要

商品名	長期国債先物（現金決済型ミニ）
取引対象	長期国債標準物の価格
限月	3、6、9、12月の3限月取引
取引最終日	同一限月の長期国債先物取引における 取引最終日の前日に終了する取引日
取引単位	10万円×長期国債標準物の価格
呼値の単位	0.5銭
一時中断措置	サーキット・ブレーカー制度あり
最終決済	差金決済

2024年7月現在

(2) 金利先物取引

　金利先物取引は、金銭債権の利率に基づいて算出された金融指標などを対象とする先物取引である。

　決済には、取引最終日前の反対売買と最終決済があり、いずれも差金決済による。

　最終決済は、取引最終日に算出される最終清算数値により行う。差金の授受は、取引最終日前に行われる反対売買の場合は日々の値洗差金の授受と同様、過不足が生じた日の翌営業日までに行われるが、最終決済の差金の受渡しは取引最終日から起算して3営業日目の日に行われる。

> 買建てを最終決済の場合…（最終清算数値−買約定数値）×乗数×数量
> 売建てを最終決済の場合…（売約定数値−最終清算数値）×乗数×数量

(3) 指数先物取引

① 商品と特徴

　指数先物取引とは株価指数などを対象とする先物取引である。国内外の様々な指数を対象とする先物取引が可能である。

　指数先物取引には、下記にあげた商品のほか、東証銀行業株価指数先物、日経平均・配当指数先物などの取引もある。

② 決済

　指数先物取引の決済では、取引最終日前の反対売買と最終決済の2通りがあり、いずれも差金決済により行われている。

　最終決済は特別清算数値（SQ値）により行われる。

また、通常の先物取引にある満期日はなく、限月を柔軟に設定できるフレックス先物取引があり、特別清算数値（SQ値）のほかに、取引最終日における対象指数の終値を選択できる。

● **差金の授受**

反対売買	過不足が生じた日の翌営業日までに行われる
最終決済	取引最終日から起算して3営業日目の日（非居住者は4営業日目）

● **最終決済時の決算金の計算**

買建て	（SQ値 − 買建価格）× 乗数（取引単位）× 数量
売建て	（売建価格 − SQ値）× 乗数（取引単位）× 数量

● **主な指数先物取引の概要**

商品名	日経225先物	日経225mini	TOPIX先物	ミニTOPIX先物
原資産	日経平均株価（日経225）	日経平均株価（日経225）	東証株価指数（TOPIX）	東証株価指数（TOPIX）
立会時間	<レギュラー・セッション> 日中：8：45 〜 15：10（クロージング：15：15） 夜間：16：30 〜翌5：55（クロージング：6：00）			
限月	6, 12月限：直近16限月 3, 9月限：直近3限月※	6, 12月限：直近10限月 3, 9月限：直近3限月 その他の限月：直近3限月	3, 6, 9, 12月のうち直近5限月	3, 6, 9, 12月のうち直近3限月
取引単位	日経平均株価×1,000円	日経平均株価×100円	TOPIX×10,000円	TOPIX×1,000円
取引最終日	各限月の第2金曜日の前日に終了する取引日			
呼値の単位	10円	5円	0.5ポイント	0.25ポイント
一時中断措置	サーキット・ブレーカー制度あり			
最終決済	差金決済			

参考

指数先物取引の時間について、日中立会のレギュラー・セッションの終了時刻を午後3時40分（15:40）に変更、クロージング・オークションを午後3時45分（15:45）に行う。夜間立会のレギュラー・セッションの開始時刻が午後5時（17時）に変更される（2024年11月5日予定）。

※日経225先物における新たな限月取引の取引開始日は、直近限月（最初に取引最終日が到来する）の取引最終日の翌営業日である

商品名	JPX日経インデックス400先物	東証グロース市場250指数先物	東証REIT指数先物	NYダウ先物
原資産	JPX日経インデックス400	東証マザーズ指数	東証REIT指数	ダウ・ジョーンズ工業株平均株価（NYダウ）
立会時間	＜レギュラー・セッション＞日中：8：45～15：10 夜間：16：30～翌5：55			
限月	3, 6, 9, 12月のうち直近5限月		3, 6, 9, 12月のうち直近3限月	3, 6, 9, 12月のうち直近4限月
取引単位	JPX日経インデックス400×100円	東証グロース市場250指数×1,000円	東証REIT指数×1,000円	NYダウ×100円
取引最終日	各限月の第2金曜日の前日に終了する取引日			各限月の第3金曜日に終了する取引日
呼値の単位	5ポイント	1ポイント	0.5ポイント	1ポイント
一時中断措置	サーキット・ブレーカー制度あり			
最終決済	差金決済			

2024年7月現在

(4) 商品先物取引

商品先物取引は、金、白金、ゴム、農産物等の商品を対象とする先物取引である。

● 主な商品先物取引の概要

商品名	金標準先物	白金標準先物
原資産	金地金	白金地金
立会時間	＜レギュラー・セッション＞ 日中：8：45 ～ 15：10 （クロージング：15：15） 夜間：16：30 ～翌5：55 （クロージング：6：00）	
限月	2, 4, 6, 8, 10, 12月のうち直近6限月	
取引単位	1kg	500g
取引最終日	受渡日から起算して4営業日前に当たる日	
呼値の単位	1gにつき1円	
一時中断措置	サーキット・ブレーカー制度あり	
最終決済	受渡決済	

2024年7月現在

参考

商品先物取引の時間について、日中立会のレギュラー・セッションの終了時刻を午後3時40分（15:40）に変更、クロージング・オークションを午後3時45分（15:45）に行う。夜間立会のレギュラー・セッションの開始時刻が午後5時（17時）に変更される（2024年11月5日予定）。

本番得点力が高まる! **問題演習**

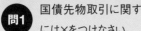 **問1** 国債先物取引に関する次の記述のうち、正しいものには○を、誤っているものには×をつけなさい。

① 標準物というのは、利率と限月を常に一定とする架空の債券である。

② 長期国債先物取引の限月は、3月、6月、9月と12月であり、常時6限月が取引されている。

③ 債券先物取引の受渡決済においては、売方が銘柄の選択権を持ち、買方は銘柄を指定できない。

④ 中期国債先物の取引対象となる標準物は、期間5年、利率6％である。

⑤ 債券先物取引を行う場合、指値注文と成行注文の2つの注文方法がある。

⑥ ヘッジ比率には、コンバージョン・ファクター（交換比率）を用いる方法がある。

⑦ 長期国債先物は、償還期限10年、利率３％、取引単位が額面１億円の架空の国債（標準物）を取引対象とする。

解答

①× 標準物は、利率と償還期限を常に一定とする架空の債券である。

②× 長期国債先物取引の限月は、3月、6月、9月と12月であり、常時３限月が取引されている。

③○ ただし、売方は受渡適格銘柄の中から選ばなければならない。

④× 中期国債先物の取引対象となる標準物は、期間５年、利率３％である。

⑤○ 中期国債先物、長期国債先物、超長期国債先物、長期国債先物（現金決済型ミニ）ともに指値と成行注文が可能である。

⑥○ なお、ヘッジ比率は価格変動性比率を用いる方法もある。

⑦× 長期国債先物は、償還期限10年、利率６％、取引単位が額面１億円の架空の国債（標準物）を取引対象とする。

・・

問2 株価指数先物取引に関する次の記述のうち、正しいものには○を、誤っているものには×をつけなさい。

① 日経225miniの取引単位は、日経平均株価の10倍である。

② 日経225先物の取引単位は日経平均株価の10,000倍である。

③ 最終決済の差金の受渡しは、取引最終日の翌営業日に行わなければならない。

④ 日経225先物の呼値の単位は10円である。

⑤ 日経225先物には値幅制限に達する等による取引の一時中断措置としてサーキット・ブレーカー制度が採用されているが、TOPIX先物では採用されていない。

⑥ TOPIX先物の呼値の単位は0.5ポイントである。

⑦ 日経225先物における新たな限月の取引開始日は、直近限月の取引最終日である。

⑧ 日経225先物の取引最終日は、各限月の第３金曜日の前営業日である。

解答

①× 日経225miniの取引単位は、日経平均株価の100倍である。

②× 日経225先物の取引単位は日経平均株価の1,000倍である。なお、TOPIX先物の取引単位はTOPIXの10,000倍である。

③× 最終決済の差金の受渡しは、取引最終日から起算して３営業日目の日

である。

④○ なお、呼値の単位とは、売り買いをする時の値段の刻みのことである。日経225先物は10円刻みの値段で注文することができる。

⑤× 日経225先物でも、TOPIX先物でも、ともにサーキット・ブレーカー制度が採用されている。

⑥○ TOPIX先物は0.5ポイント刻みの値段で注文をすることができる。

⑦× 日経225先物における新たな限月取引の取引開始日は、直近限月（最初に取引最終日が到来する）の取引最終日の翌営業日である。

⑧× 日経225先物の取引最終日は、各限月の第2金曜日の前営業日である。

3 オプション取引

日本における市場デリバティブオプション取引は、その対象により国債、株式関連の商品に分かれる。

(1) 国債先物オプション取引

① 商品と特徴

債券を対象としたオプション取引として、長期国債先物オプションがある。

● 長期国債先物オプションの特徴

・取引最終日までの間、いつでも権利行使できるアメリカン・タイプのオプション
・権利放棄も可能
・原資産は長期国債先物
・権利行使した(された)場合には、長期国債先物取引が成立する(長期国債そのものではない)

② 決済

長期国債先物オプション取引における決済では、取引最終日前の反対売買による決済と最終決済(権利行使)の2通りがある。また、権利を放棄しオプションを消滅させることもできる。

最終決済(権利行使)では、権利行使日の取引終了時刻に、長期国債先物取引が成立する。

取引最終日までに反対売買により決済されなかったイン・ザ・マネーの未決済建玉については、権利を放棄しない限り自動的に権利行使される(自動権利行使制度)。

● 長期国債先物オプションの概要

商品名	長期国債先物オプション
原資産	長期国債先物
立会時間	<レギュラー・セッション> 午前:8:45 ～ 11:00 午後:12:30 ～ 15:00 夜間:15:30 ～翌5:55
限月	3, 6, 9, 12月限:直近の2限月 その他の限月:最大で直近の2限月
取引単位	長期国債先物取引の額面1億円分

権利行使タイプ	アメリカン・タイプ
呼値の単位	長期国債先物取引の額面100円につき1銭
取引最終日	各限月の前月の末日
最終決済方法	権利行使日の取引終了時刻(15:15)に成立

2024年7月現在

(2) 株式関連オプション

① 商品と特徴

　株式関連オプションには、株価指数オプション（日経225やTOPIXを原資産とする）、有価証券オプション（東証に上場する株式、ETFやREITを原資産とする）などがある。また、近年、様々な株価指数に連動するETF（上場投資信託）やREIT（不動産投資信託）のオプションも登場した。これらのオプションは、有価証券や先物と組み合わせて、ヘッジや投資効率を高めるために利用されている。

　また、各オプション取引にかかる権利行使日及び権利行使価格を柔軟に設定できるフレックス限月取引がある。

② 決済

　指数オプション取引における決済には、取引最終日前の反対売買と最終決済の2通りがある。このほか、権利を放棄してオプションを消滅させることもできる。

　最終決済は取引最終日の翌営業日に算出される特別清算数値（SQ値）と権利行使価格の差額で決済される。

　また、取引最終日までに反対売買によって決済されなかったイン・ザ・マネーの未決済建玉については、権利放棄しない限り自動的に権利行使される。

● 指数オプションの最終決済における計算方法（通常限月取引）

コール	(SQ値 − 権利行使価格)× 乗数(取引単位)× 数量
プット	(権利行使価格 − SQ値)× 乗数(取引単位)× 数量

　有価証券オプションについては、オプションの対象となる株式において株式分割・併合等が行われた場合には、原則として、権利行使価格、建玉及び受渡単位の調整が行われる。

● 主な株式関連オプションの概要

商品名	指数オプション		有価証券オプション（愛称：かぶオプ）
	日経225オプション	TOPIXオプション	
原資産	日経平均株価（日経225）	東証株価指数（TOPIX）	上場有価証券のうちOSEが選定する銘柄
立会時間	\<レギュラー・セッション\> 日中：8：45 ～ 15：10 （クロージング：15：15） 夜間：16：30 ～翌5：55 （クロージング：6：00）		\<レギュラー・セッション\> 午前：9：00 ～ 11：30 午後：12：30 ～ 15：10 クロージング：15：15
限月	6,12月限：直近の16限月 3,9月限：直近3限月 それ以外：直近の8限月	6,12月限：直近の10限月 3,9月限：直近3限月 それ以外：直近の6限月	直近の2限月 それ以外：3,6,9,12月のうち直近の2限月
取引単位	オプション価格×1,000円	オプション価格×10,000円	オプション対象証券の売買単位に係る数量
権利行使タイプ	ヨーロピアン・タイプ		
取引最終日	各限月の第2金曜日の前営業日		
最終決済方法	差金決済		受渡決済
一時中断措置	サーキット・ブレーカー制度あり		

2024年7月現在

参考

指数オプション取引の時間について、日中立会のレギュラー・セッションの終了時刻を午後3時40分（15：40）に変更、クロージング・オークションを午後3時45分（15：45）に行う。夜間立会のレギュラー・セッションの開始時刻は午後5時（17時）に変更される。有価証券オプション取引の時間について、午後立会のレギュラー・セッションの終了時刻は午後3時40分（15時40分）に変更、クロージング・オークションを午後3時45分（15：45）に行う（2024年11月5日予定）。

(3) 商品先物オプション

商品先物オプションには、金先物オプションがある。

● 商品先物オプションの概要

商品名	金先物オプション

原資産	金標準先物
立会時間	＜レギュラー・セッション＞ 日中：8：45 ～ 15：10 （クロージング：15：15） 夜間：16：30 ～翌5：55 （クロージング：6：00）
限月	2, 4, 6, 8, 10, 12月のうち直近6限月
取引単位	100g
権利行使タイプ	ヨーロピアン・タイプ
取引最終日	原資産の当月限取引最終日の前営業日
呼値の単位	1円(1取引単位につき100円)
一時中断措置	サーキット・ブレーカー制度あり
最終決済	差金決済

2024年7月現在

> **参考**
>
> 商品先物オプションの時間について、日中立会のレギュラー・セッションの終了時刻を午後3時40分（15：40）に変更、クロージング・オークションを午後3時45分（15：45）に行う。夜間立会のレギュラー・セッションの開始時刻が午後5時（17時）に変更される（2024年11月5日 予定）。

本番得点力が高まる！ 問題演習

問1 国債先物オプションに関する次の記述のうち、正しいものには〇を、誤っているものには×をつけなさい。

① 国債先物オプションの決済には、取引最終日前の反対売買による決済と最終決済（権利行使）の2通りがある。

② 長期国債先物オプションの取引は、取引開始日から取引最終日までいつでも行使可能なアメリカン・タイプである。

③ 長期国債先物オプションの証拠金は、取引を行った日の4営業日目までに差し入れなければならない。

④ 長期国債先物オプションの呼値の単位は、額面100円につき1銭である。

⑤ 国債先物オプションは、取引最終日までに反対売買により決済されなかったイン・ザ・マネーの未決済建玉については、権利を放棄しない限り自動的に権利行使される。

⑥ 長期国債先物オプション取引において権利行使した場合は、長期国債の取引が成立する。

解答

① ○ また、権利を放棄しオプションを消滅させることもできる。

② ○ 権利を行使すると先物の建玉が発生する。また、イン・ザ・マネー銘柄については指示がなければ自動的に権利行使され先物の建玉が発生する。

③ × 長期国債先物オプションの証拠金は、取引を行った翌営業日に差し入れなければならない。

④ ○ なお、取引単位は、原資産である国債先物の額面1億円である。

⑤ ○ これを自動権利行使制度という。

⑥ × 長期国債先物オプション取引において権利行使した場合は、長期国債そのものの取引ではなく、長期国債先物の取引が成立する。

問2 株式関連オプションに関する次の記述のうち、正しいものには○を、誤っているものには×をつけなさい。

① 有価証券オプション取引に関して、オプションの対象となる株式において株式分割が行われた場合でも、オプションの権利行使価格は影響を受けない。

② 日経225オプションの取引は、取引最終日の翌営業日のみ権利行使可能なヨーロピアン・タイプである。

③ 指数オプション取引における決済には、取引最終日前の反対売買と最終決済の2通りがある。

④ TOPIXオプションは、6、12月の直近10限月、3、9月の直近3限月、それ以外は直近6限月の19限月制である。

⑤ TOPIXオプションの取引単位は、指数値の10,000倍である。

解答

① × オプションの権利行使価格は影響を受ける。有価証券オプション取引に関して、オプションの対象となる株式において株式分割・併合等が行われた場合には、原則、権利行使価格、建玉及び受渡し単位の調整がされる。

② ○ 日経225オプションやTOPIXオプションなどの指数オプションや有価証券オプションの取引は、ヨーロピアン・タイプである。

③ ○ なお、このほか権利を放棄してオプションを消滅させることもできる。

④ ○ なお、日経225オプションの6、12月は、直近16限月である。

⑤ ○ なお、日経225オプションは指数値の1,000倍となっている。

4 デリバティブ取引の計算演習

例題 1 先物取引の損益計算

AさんがTOPIX先物を1,650pt（ポイント：以下ptとする）で30単位買い建て、その後1,680ptで転売した場合の全体の損益の金額として、正しいものはどれか、1つ選びなさい。

なお、委託手数料は、買建時、転売時とも100,000円であったとする。

（注）委託手数料に係る消費税（10%）以外の税金は考慮しないものとする。

1 69万円

2 889.5万円

3 878万円

4 79.5万円

5 9万円

―――――――――――――――――― 解 答 ――――――――――――――――――

正しいものは、3

【考え方】

もっとも基本的な損益計算問題である。

① まずは、値動きにおける売買損益を計算する。

（1,680pt－1,650pt）×10,000円×30単位＝900万円

※10,000円はTOPIX先物の取引単位

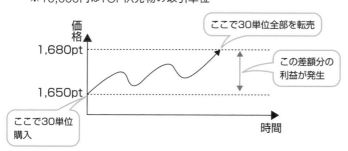

以上から、TOPIX先物の値上がりによって900万円の利益が出たことがわかる。

② 次に、売買にかかる委託手数料＋消費税を計算する。買いと売りの2回分の手数料がかかるため、委託手数料（100,000円）に2をかける。

（100,000円×2回）×1.1（消費税）＝22万円

③ 最後に値動きにおける売買利益から委託手数料と消費税を差し引く。

　　900万円－22万円＝878万円…全体の利益

　したがって、取引全体では、878万円の利益が出たことがわかる。

....
例題2　先物取引の証拠金の計算
....

　Bさんが、TOPIX先物を1,550ptで30単位買い建てた。必要な証拠金の額は2,000万円で、その全額を代用有価証券で差し入れた。

　その後、買い建てたTOPIX先物は1,570ptに上昇したが、一方で、代用有価証券に300万円の評価損が発生した。

　この場合の証拠金について、正しいものはどれか、1つを選びなさい。

　なお、Bさんは、他に取引を行っていないものとし、証拠金所要額は2,000万円で変わらないものとする。

　　1　300万円を現金で差し入れる必要がある。

　　2　600万円を現金で差し入れる必要がある。

　　3　300万円を代用有価証券で差し入れる必要がある。

　　4　現金300万円を引き出すことが可能である。

　　5　現金600万円を引き出すことが可能である。

....
解　答
....

　正しいものは、4

【考え方】

① まず、値上がりによるTOPIX先物の評価益を計算する。

　　（1,570pt－1,550pt）×10,000円×30単位＝600万円

　　※10,000円はTOPIX先物の取引単位

　以上から、TOPIX先物の値上がりによって、当初2,000万円の委託証拠金が、現在は2,600万円に値上がりしたことになる。

　　2,000万円＋600万円＝2,600万円

② 次に、代用有価証券そのものの値動きによって、それに300万円の評価損が発生したため、その分を現在の委託証拠金から差し引く。

　　2,600万円－300万円＝2,300万円

　この2,300万円が現在の差し入れている委託証拠金の額となる。

③　預託しておかなければならない証拠金所要額は2,000万円であるため、現在の委託証拠金額との差額である300万円が引出し可能となる。

　　2,300万円−2,000万円＝300万円

したがって、現在であれば、この300万円を引き出すことが可能となる。

● 証拠金の引出し可能額

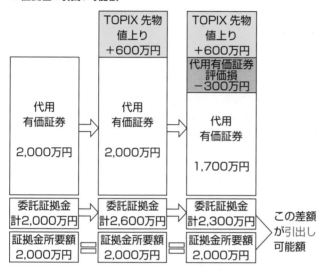

<hr />

例 題 3　先物取引のスプレッド取引の計算

<hr />

　現在、日経平均株価先物の期近物は20,130円、期先物は20,310円であった。そして、今後は金利が上昇し、スプレッドが広がると予想したので、スプレッドの買いを行った。

　その後、期近物が20,530円、期先物が20,660円になった時点で反対売買を行った。

　この取引を表にしたものが下記の表になるが、空欄のイ〜ニに当てはまる組み合わせとして正しいものはどれか、1つを選びなさい。

（注）委託手数料、税金は考慮しないものとする。

	期近物	期先物	スプレッド
開始時 終了時	売建て　20,130円 買戻し　20,530円	買建て　20,310円 転　売　20,660円	ハ ニ
損益	イ	ロ	

1	イ：	400円	ロ：	350円	ハ：	180円	ニ：▲130円
2	イ：▲400円		ロ：	350円	ハ：	180円	ニ： 130円
3	イ：	400円	ロ：▲350円		ハ：▲180円		ニ： 130円
4	イ：▲400円		ロ：	350円	ハ：	180円	ニ：▲130円
5	イ：▲400円		ロ：▲350円		ハ：	180円	ニ： 130円

....
解 答
....

正しいものは、2

【考え方】

① まず、イは期近物の売買による損益を問われている。

　　そして、期近物は売り建てているため、値上がりすると、その分、買戻しをすることによって、損失が発生する。

　・期近物の損失

　　20,130円−20,530円＝−400円

　　よって、イは▲400円となる。

② 次に、ロは期先物の売買による損益を問われている。

　　そして、期先物は買い建てているため、値上がりすると、その分、転売をすることによって、利益が発生する。

　・期先物の利益

　　20,660円−20,310円＝350円

　　よって、ロは350円となる。

③ 最後に、ハとニはそれぞれ開始時と終了時のスプレッドを問われている。

　　スプレッドとは、2つの先物の価格差のことであるため、開始時と終了時で期近物と期先物の価格差を計算すればよい。

　　また、ここでのスプレッドとは、あくまでも期近物と期先物の価格差のことであるため、小さくなることはあるが、マイナスになることはない。

　・開始時のスプレッド

　　20,310円−20,130円＝180円

　・終了時のスプレッド

　　20,660円−20,530円＝130円

　　よって、ハは180円、ニは130円となる。

例 題 4　先物理論価格の計算

　ある現物資産の価格が1,800円であった場合の、当該現物資産を対象とする株式先物の理論価格として正しいものはどれか、1つを選びなさい。なお、そのときの短期金利は5％、配当利回りは2.5%で、先物の期限日までの日数は219日であるとする。

（注）委託手数料、税金は考慮しない。

1　1,732円
2　1,749円
3　1,853円
4　1,835円
5　1,827円

解 答

　正しいものは、5

【考え方】

　先物理論価格の算出式が問われている。

　先物理論価格の算出式は次のとおりである。

> **先物理論価格**
>
> $$= 現物価格 \times \left\{ 1 + (短期金利 - 配当利回り) \times \frac{満期までの日数}{365} \right\}$$

先物理論価格の算出式は重要なので、しっかりと覚えておこう！

※短期金利、配当利回りは年率

　これに問題文の数字を当てはめていくだけである。

$$
\begin{aligned}
先物理論価格 &= 1,800 \times \left\{ 1 + (0.05 - 0.025) \times \frac{219}{365} \right\} \\
&= 1,800 \times \left\{ 1 + \left(0.025 \times \frac{219}{365} \right) \right\} \\
&= 1,800 \times (1 + 0.015) \\
&= 1,800 \times 1.015 \\
&= 1,827
\end{aligned}
$$

　したがって、この場合の先物理論価格は、<u>1,827円</u>となる。

　長期国債先物を102円で額面金額10億円を買い建てた。対応する証拠金所要額1,000万円を、全額代用有価証券で差し入れた。ここで、長期国債先物の清算値段が100円に下落し、かつ、代用有価証券にも100万円の評価損が発生した。この場合、必要とされる対応として正しいものはどれか。ただし、証拠金所要額は1,000万円で変わらないものとする。

1　建玉の評価損、及び代用有価証券の評価損について、すべて現金で差し入れる必要がある。

2　建玉の評価損については現金で差し入れる必要があるが、代用有価証券の評価損については有価証券で差し入れてもよい。

3　建玉の評価損、及び代用有価証券の評価損について、すべてを有価証券で差し入れることができる。

4　建玉の評価損については有価証券で差し入れることができるが、代用有価証券の評価損については現金で差し入れる必要がある。

5　証拠金を追加的に差し入れる必要はない。

解　答

正しいものは、2

【考え方】

　建玉の評価損については、現金不足分として、必ず現金で差し入れなければならない。

例 題 6 指数先物取引の受渡代金の計算

　Aさんが日経225先物を12,000円で10単位売建て、その後SQ値（特別清算数値）11,000円で決済したときのAさんの受渡代金として正しいものはどれか。なお、Aさんとの契約により売買時の委託手数料は80,000円、決済時の委託手数料は70,000円とする。

（注）委託手数料に関しては消費税10%が加算されることとする。その他の税金については考慮しない。

1　　9,835,000円

2　10,000,000円

3　10,075,600円

4 10,086,400円

5 10,162,000円

────────────────────

解 答

────────────────────

正しいものは、1

【考え方】

売買益：（12,000円 − 11,000円）× 1,000 × 10単位 = 10,000,000円

　　※1,000は日経225先物の取引単位

委託手数料（売建て時）：80,000円 × 1.1（消費税）= 88,000円

委託手数料（決済時）　：70,000円 × 1.1（消費税）= 77,000円

受渡代金：10,000,000円 − 88,000円 − 77,000円 = <u>9,835,000円</u>

────────────────────

例題 7　オプション取引の利用方法と計算

────────────────────

　ある顧客が、権利行使価格9,000円の日経平均株価コール・オプションをプレミアム200円で1単位買い建てるとともに、権利行使価格8,500円の同プット・オプションをプレミアム200円で1単位買い建てた。

　この場合に関する文章として正しいものはどれか、2つを選びなさい。

（注）委託手数料、税金は考慮しない。

1　このポジションは、ストラドルの買いと呼ばれる。

2　最大利益は、プレミアム分に限定される。

3　満期時の日経平均株価が8,500円から9,000円の間に入るときに最大利益が生じる。

4　最大損失は、40万円である。

5　損益分岐点は、8,100円と9,400円である。

解 答

正しいものは、4と5

【考え方】

● イメージ図

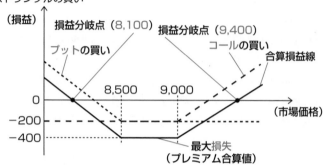

ストラングルの買い

1　×　権利行使価格の異なるコールとプットを同じ量だけ買うポジション
は、ストラングルの買いと呼ばれる。

2　×　この場合の最大利益は、限界がない。

3　×　日経平均株価が8,500円から9,000円の間に入るとき、最大損
失となる。なお、2つのプレミアム分の合計値の損失が発生する。

4　○　この場合の最大損失は、2つのプレミアム分の合計値である。な
お、日経平均株価指数オプションの売買単位は1,000倍である。
200円 × 1,000倍 × 1 単位 = 20万円…コール・プレミアム
200円 × 1,000倍 × 1 単位 = 20万円…プット・プレミアム
20万円 + 20万円 = 40万円
40万円が最大損失である。

5　○　損益分岐点は、2つの権利行使価格から2つのプレミアム分の
合計値をプラスマイナスした値段になる。なお、高い方にはプラ
スし、低い方にはマイナスをする。
9,000円 + (200円 + 200円) = 9,400円
8,500円 - (200円 + 200円) = 8,100円

例 題 8　オプション取引の損益計算①

Aさんが、権利行使価格900pt (ポイント：以下ptとする) のTOPIXコー
ル・オプションをプレミアム50ptで10単位買い建て、同時に、権利行使価
格900ptの同プット・オプションをプレミアム60ptで10単位買い建てた。

その後、転売を行わず最終決済期日を迎え、SQ値（特別清算数値）が850ptとなった場合及び1,000ptとなった場合におけるAさんの取引全体の損益として正しいものはどれか、1つを選びなさい。

（注）委託手数料、税金は考慮しないものとする。

1　850ptの場合：400万円の損失、
　　1,000ptの場合：100万円の利益
2　850ptの場合：600万円の損失、
　　1,000ptの場合：100万円の損失
3　850ptの場合：400万円の利益、
　　1,000ptの場合：500万円の損失
4　850ptの場合：600万円の利益、
　　1,000ptの場合：500万円の利益
5　850ptの場合：400万円の損失、
　　1,000ptの場合：100万円の損失

....　解　答　...

正しいものは、2

【考え方】

考え方は、買い建てた各オプションについて、それぞれ850pt、1,000ptに値が動いたときの損益計算をしてから、各値動き後の損益を合算する。

以下、それぞれのコールとプットについて、SQ値別に計算していく。

なお、TOPIXオプションの乗数（取引単位）は10,000倍である。

ステップ1

まずは、SQ値が850ptとなった場合を計算する。

コールの買いは、権利行使価格よりも値下がりしたので権利行使をしない。プレミアム分の損失が発生する。

　　−50pt×10,000倍×10単位＝−500万円

プットの買いは、権利行使価格よりも値下がりし利益が出るため権利行使はするものの、その利益額はプレミアムよりも小さいため、取引全体としては損失となる。

　　（900pt−850pt−60pt）×10,000倍×10単位＝−100万円

　　−（500万円＋100万円）＝−600万円

以上から、SQ値が850ptの場合の全体では、600万円の損失となる。

あせらず順番に計算していこう！

ステップ 2

次に、SQ値が1,000ptとなった場合を計算する。

コールの買いは、権利行使価格よりも値上がりしたので権利行使をする。プレミアム分を差し引いた値上がり分の利益が発生する。

（1,000pt－900pt－50pt）×10,000倍×10単位＝500万円

プットの買いは、権利行使価格よりも値上がりしたので権利行使をしない。プレミアム分の損失が発生する。

－60pt×10,000倍×10単位＝－600万円

500万円－600万円＝－100万円

以上から、SQ値が1,000ptの場合の全体では、100万円の損失となる。

【結　論】

したがって、SQ値が850ptの場合は600万円の損失、SQ値が1,000ptの場合は100万円の損失となるため、2 が正しい選択となる。

例 題 9　オプション取引の損益計算②

ある顧客が権利行使価格20,000円の日経225プット・オプションをプレミアム500円で10単位売り建てるとともに、権利行使価格20,500円の日経225プット・オプションをプレミアム700円で10単位買い建てた。

その後、転売は行わず最終決済期日を迎え、SQ値（特別清算数値）が19,000円になった場合及び21,000円になった場合のそれぞれの場合における取引全体での損益として正しいものはどれか、1 つ選びなさい。

（注）委託手数料、税金等は考慮しないものとする。

	（SQ値が19,000円になった場合）	（SQ値が21,000円になった場合）
1	2,000,000円の損失	3,000,000円の利益
2	3,000,000円の損失	2,000,000円の損失
3	3,000,000円の利益	2,000,000円の損失
4	3,000,000円の利益	5,000,000円の損失
5	5,000,000円の利益	3,000,000円の利益

解 答

正しいものは、3

【考え方】

バーティカル・ベア・スプレッドという市場価格がやや下落すると予想するときにとる戦略である。本問は、バーティカル・ベア・プット・スプレッドである

が、バーティカル・ベア・コール・スプレッドも同様で、権利行使価格が低い方のプットまたはコールを売り、高い方のプットまたはコールを買う方法による。なお、日経225の乗数（取引単位）は1,000倍である。

ステップ1

　SQ値が19,000円になった場合を計算する。

　権利行使価格20,000円の日経225プットの売りによる損益

　{500－(20,000－19,000)}円×1,000倍×10単位＝▲500万円…損失

　権利行使価格20,500円の日経225プットの買いによる損益

　{(20,500－19,000)－700}円×1,000倍×10単位＝800万円…利益

　取引全体での損益＝▲500万円＋800万円＝300万円…利益

ステップ2

　SQ値が21,000円になった場合を計算する。

　権利行使価格20,000円の日経225プットの売りによる損益

　500円×1,000倍×10単位＝500万円…利益

　権利行使価格20,500円の日経225プットの買いによる損益

　▲700円×1,000倍×10単位＝▲700万円…損失

　取引全体での損益＝500万円－700万円＝▲200万円…損失

【結　論】

　したがって、ＳＱ値が19,000円の場合は300万円の利益、ＳＱ値が21,000円の場合は200万円の損失となるため、3が正しい選択となる。

例題 10　先物のヘッジ取引

　Aさんは、長期国債現物を額面10億円保有している。現在、長期国債現物の価格は103.00円だが、先行き金利が上昇し債券価格が値下がりする懸念があるため、長期国債先物の価格は99.30円である。

　1ヶ月後、懸念したとおり長期国債現物は値下がりして102.00円、長期国債先物は95.10円になった。しかし、2ヶ月後は、長期国債現物は103.20円、長期国債先物は99.50円となった。

　この場合、Aさんが行った下記の投資のうち、もっとも妥当な投資を記述しているものはどれか。

（注）なお、手数料、税金等は考慮しないものとする。

1　そのまま長期国債10億円を保有し、2ヶ月後に売却した。

2　直ちに保有する長期国債現物と同額の長期国債先物を売り、2ヶ

後に長期国債先物を全額買戻し、長期国債現物も全額売却した。

3　直ちに保有する長期国債現物と同額の長期国債先物を売り、1ヶ月
　　後に長期国債先物を全額買戻し、長期国債現物も全額売却した。

4　1ヶ月後に長期国債現物と同額の長期国債先物を売り、2ヶ月後に
　　長期国債先物を全額買戻し、長期国債現物も全額売却した。

5　1ヶ月後に長期国債現物と同額の長期国債先物を買い、2ヶ月後に
　　長期国債先物を全額売却し、長期国債現物も全額売却した。

....

解　答

正しいものは、5

【考え方】

	現在	1ヶ月後	2ヶ月後
長期国債現物	103.00円	102.00円	103.20円
長期国債先物	99.30円	95.10円	99.50円

	先物	現物
1		（103.20 − 103.00）/100円 ×10億円=200万円
2	（99.30 − 99.50）/100円 ×10億円=▲200万円	（103.20 − 103.00）/100円 ×10億円=200万円
3	（99.30 − 95.10）/100円 ×10億円=4,200万円	（102.00 − 103.00）/100円 ×10億円=▲1,000万円
4	（95.10 − 99.50）/100円 ×10億円=▲4,400万円	（103.20 − 103.00）/100円 ×10億円=200万円
5	（99.50 − 95.10）/100円 ×10億円=4,400万円	（103.20 − 103.00）/100円 ×10億円=200万円

	先物＋現物
1	200万円
2	0
3	3,200万円
4	▲4,200万円
5	4,600万円

【結　論】

したがって、4,600万円の利益を得る5が、妥当な投資となる。

5 店頭デリバティブ取引

(1) 店頭デリバティブ取引とは

店頭デリバティブを原資産の面から整理すると以下の6つに区分される。

①エクイティ・デリバティブ、②金利デリバティブ、③為替デリバティブ、④クレジット・デリバティブ、⑤コモディティ・デリバティブ、⑥天候・災害デリバティブ

日本証券業協会では、①エクイティ・デリバティブを「有価証券関連店頭デリバティブ」、②金利デリバティブ、③為替デリバティブ、④クレジット・デリバティブ、⑥天候・災害デリバティブを「特定店頭デリバティブ等」と定義し、自主規制の対象としている。ただし、②金利デリバティブ、③為替デリバティブにおいては、店頭金融先物取引等及び通貨指標オプション取引にあたるものは除く。

なお、有価証券店頭デリバティブ以外のプロ同士の取引は自主規制の対象外となる。

(2) 有価証券関連店頭デリバティブ

個別株式の株価や株価指数の変動リスクを内包したデリバティブを総称して、エクイティ・デリバティブという。

決済方法は、原資産が株価指数である場合には現金決済（キャッシュ・セトル）となる。

一方、個別株式の場合は、一部あるいはすべてが現物決済（フィジカル・セトル）、すなわちその株式の現物受渡しで決済される。

用語

コモディティ
原油、鉱物、農作物などの商品のことである。

用語

エクイティ
株式のことである。

● **エクイティ・デリバティブの種類**

トータル・リターン・スワップ (TRS)	・投資家(金融機関)と証券会社が変動金利と資産のパフォーマンスを交換するスワップ取引。 ・参照指標が株価指数や個別株価(エクイティ)であるTRSをエクイティ・スワップという。 ・投資家(売手)は、証券会社に変動金利を支払い、株価指数等の上昇率を証券会社(買手)から受け取る。一方、株価指数が下落した場合は、投資家がその下落率を証券会社へ支払う。 ・受払いはネット(差金)で行われる。
個別証券オプション、指数オプション	スキームは取引所に上場しているオプションと基本的に同じだが、非上場の銘柄のオプション等より個別性の強い取引である。
バリアンス・スワップ	投資家(金融機関)と証券会社等が、株価指数や個別株価の価格変動性の実現値と固定価格を交換するスワップ取引。

本番得点力が高まる! 問題演習

問1 有価証券関連店頭デリバティブ取引に関する次の記述のうち、正しいものには○を、誤っているものには×をつけなさい。

① 個別株式の株価や株価指数の変動リスクを内包したデリバティブを総称して、クレジット・デリバティブという。

② エクイティ・スワップとは、投資家が証券会社に変動金利を支払い、株価指数等の上昇率を証券会社から受け取る取引である。

③ エクイティ・デリバティブの決済方法は、原資産が株価指数である場合には、現金決済 (キャッシュ・セトル) となる。

解答

①× 個別株式の株価や株価指数の変動リスクを内包したデリバティブを総称して、エクイティ・デリバティブという。

②○ エクイティ・スワップは、トータル・リターン・スワップのひとつで、参照指標が株価指数や個別株価のものをいう。

③○ なお、原資産が個別株式の場合は、一部あるいはすべてが現物決済 (フィジカル・セトル) となる。

(3) 特定店頭デリバティブ

① 金利デリバティブ

　金利デリバティブは、店頭デリバティブの残高合計のうち最大（7割程度）を占めている。そのなかでも最も基本的といえるものが金利スワップである。

(イ) 金利スワップ

　金利スワップとは、取引者Aと取引者Bが、同一通貨間で変動金利と固定金利、変動金利と異種の変動金利、固定金利もしくは変動金利と一定のインデックス（参照指標）を交換する取引である。元本の交換は行われないため、同一通貨で固定金利同士を交換する金利スワップは存在しない。また、固定金利と変動金利を交換するスワップは基本的な金利スワップであり、プレーン・バニラ・スワップという。また、固定側のキャッシュ・フローを固定レグ、変動側のキャッシュ・フローを変動レグという。

(ロ) キャップ（Cap）

　キャップとは、変動金利を対象としたコール・オプション取引である。

　買い手は、キャップのプレミアム（オプション料）を支払うことで、対象の変動金利が一定水準（ストライクレート）を上回った場合、その差額を売り手から受け取ることができ、これにより金利上昇リスクのヘッジが可能となる。

　キャップの買い手は金利が上昇しても、一定水準に達するまではプレミアムを支払うだけで、メリット（ヘッジ効果）は得られない。一方、金利が低下した場合には権利放棄ができるので、金利低下のメリットを受けることができる。

> **参考**
>
> 固定金利と変動金利を交換するスワップは、最も基本的な金利スワップのため、プレーン・バニラ・スワップと呼ばれている。

> 変動金利でお金を借りている私は、金利が2%までは我慢できるけど、それ以上になると損失が出る。手数料払ってBさんからキャップを買えば、2%を超えた分はBさんが差額を払ってくれるから、損失の穴埋めができる。金利上がりそうだし、まあ保険と思って買おう。

> 私は金利が上がらないと思うね。金利が2%以上にならなければ、キャップ料の分だけ私の儲けさ！

キャップ料支払い

金利が上限金利以上なら差額支払い

Bさん

(ハ) フロア (Floor)

フロアは、将来の市場金利低下による保有金利資産の受取金利収入の減少に備えるヘッジ取引である。

買い手は、オプション料を支払う代わりに、対象の変動金利が一定水準 (ストライクレート) を下回った場合は、当該差額を売り手から受け取ることができ、これにより金利下落リスクのヘッジが可能となる。

(ニ) スワップション (Swaption)

スワップションとは、金利スワップのオプション、つまり、将来のスワップを行う権利を売買するオプション取引である。なお、金利スワップにスワップションを組み合わせれば、中途 (スワップ満期時点) でキャンセル可能な金利スワップになる。

スワップションには以下の 2 種類がある。

レシーバーズ・スワップション	固定金利受け・変動金利払い
ペイヤーズ・スワップション	固定金利払い・変動金利受け

② 為替デリバティブ

為替デリバティブの主なものが、通貨スワップ (クロス・カレンシー・スワップ) である。

● 通貨スワップの種類

通貨スワップ (クロス・カレンシー・スワップ)	取引者Aと取引者Bが異なる通貨のキャッシュ・フロー(元本及び金利)を、あらかじめ合意した為替レートで交換する取引である。元本交換は契約期間の期初・期末に行われる。
クーポン・スワップ	元本交換のない、金利の交換のみを行う通貨スワップ。
ベーシス・スワップ	変動金利同士の受け払いのスワップ取引。異なる通貨間の期間が同じ変動金利の受け払いの通貨スワップなどがある。

③ クレジット・デリバティブ

　クレジット・デリバティブとは、信用リスクをヘッジするための取引である。

● **クレジット・デリバティブの種類**

トータル・リターン・スワップ (TRS)	・保証の買手(プロテクション・バイヤー：保証を受ける側)が保証の売手(プロテクション・セラー：保証をする側)に社債等の参照資産から生じる利子収入及び値上がり益を支払い、値下がり分及び短期金利を受け取るスワップ取引
クレジット・デフォルト・スワップ (CDS)	・クレジット・イベント(信用事由)が発生したとき、ペイオフが発生するデリバティブである。 ・プロテクション・バイヤー (買い手：信用リスクをヘッジする側)がプロテクション・セラー (売り手：信用リスクを取る側)に固定金利(プレミアム)を支払い、その見返りとして、契約期間中に参照企業に信用事由(クレジット・イベント)が発生したときに損失相当額を受け取る取引 ・個別の債券がデフォルトしたとき、その債券が売手に引き渡されるか(現物決済)、あるいは差金決済が行われる。 ・信用事由(CE)の要件は、①倒産・破産、②債務不履行、③債務リストラクチャリング(金利減免、元本返済繰延等)が定義されている。

● **クレジット・デフォルト・スワップ (CDS) のしくみ**

・**参照組織にクレジット・イベントが発生しなかったとき**

プロテクション・バイヤー	CDSプレミアム(固定金利)を満期まで 支払い続ける(プレミアム・レグ) →	プロテクション・セラー

・**参照組織にクレジット・イベントが発生したとき**

プロテクション・バイヤー	固定金利を発生時点まで支払う ← クレジット・イベントが発生したら、 損失を補償する(プロテクション・レグ)	プロテクション・セラー

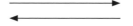

④ 天候デリバティブ・災害デリバティブ (保険デリバティブ)

　保険デリバティブは、プレミアムを支払うことで、保険と近い経済効果を得られる。ただし、実損填補を目的としていないため、一定の条件が満たされれば、実際に損害が発生しなくても、保険会社から決済金 (支払限度額が設定されている場合が多い) が支払われる点が、通常の保険とは異なる。

● 保険デリバティブの種類

天候デリバティブ	・オプションの買い手から見て、異常気象や天候不順などを原因とする営業利益の減少リスクを削減するための保険取引。 ・日本では降雪日数、降雨日数を参照指標(金融指標)としたものが多い。
災害デリバティブ	・大規模災害(カタストロフィ)についての災害デリバティブは、数十年、数百年に一度発生する大震災など、非常に稀な事象を対象としたもの。 ・与信枠を超える過剰な保険リスクを移転するためには、資本市場にアクセスすることによって保険リスクを移転する代替的リスク移転(ART)がある。 ・地震オプションとは、地震による売上の減少や損害の発生に対するリスクヘッジ商品である。実損填補を目的としておらず、損害がなくとも決済金が支払われる。 ・CATボンドは、高めのクーポンを投資家に支払う代わりに、元本毀損リスクを背負ってもらう仕組債である。同質的で独立性の高い多数の資産からなるキャッシュ・フローをプールしたポートフォリオをバックアセット(裏付資産)としておらず、極めて集中度が高く、分散化は困難である。

本番得点力が高まる! 問題演習

 問1 店頭デリバティブに関する次の記述のうち、正しいものには〇を、誤っているものには×をつけなさい。

① 金利スワップとは、取引者Aと取引者Bが同一通貨間で変動金利と固定金利、または変動金利と異種の変動金利等を交換する取引である。

② キャップとは、変動金利を対象としたプット・オプション取引である。

③ スワップションとは、将来のスワップを行う権利を売買するオプション取引であり、レシーバーズ・スワップションとペイヤーズ・スワップションの2種類がある。

④ 通貨スワップのうち、金利の交換のみを行うものを、クーポンスワップという。

⑤ 地震オプションとは、地震による売上の減少や損害の発生に対するリスクヘッジ商品である。

 解答
①〇 ただし、同一通貨で固定金利同士を交換する金利スワップは存在しない。

②× キャップとは、変動金利を対象としたコール・オプション取引であり、将来の市場金利上昇に備えるヘッジ取引として利用される。その反対に将来の市場金利低下に備えるヘッジ取引にはフロアがある。

③〇 なお、金利スワップにスワップションを組み合わせると、中途（スワップ満期時点）でキャンセル可能な金利スワップになる。

④〇 通常、通貨スワップとは異なる通貨の元本と金利をあらかじめ合意した為替レートで交換する取引だが、クーポンスワップは元本の交換は行わない。

⑤〇 なお、地震オプションは災害デリバティブの一つで、実損填補を目的としていないため、損害が発生しなくても決済金が支払われる。

- - - - - - - - - -

問2 次の文章はクレジット・デフォルト・スワップ（CDS）についての説明である。それぞれの（　　）に当てはまる語句の組み合わせのうち、正しいものはどれか、1つを選びなさい。

クレジット・デフォルト・スワップとは、（　ア　）が発生したとき、ペイオフが発生するデリバティブである。つまり、プロテクションの買手（リスクを（　イ　））が売手にプレミアムを支払い、その見返りとして、契約期間中、参照企業に（　ア　）が発生した場合に、損失に相当する金額を売手から受け取る取引である。

個別の債券がデフォルトしたとき、その債券が売手に引き渡されるか、あるいは、（　ウ　）が行われる。

① ア：クレジット・イベント　イ：ヘッジする側　ウ：差金決済
② ア：クレジット・イベント　イ：取る側　ウ：現物決済
③ ア：クレジット・イベント　イ：取る側　ウ：差金決済
④ ア：プロテクション　イ：ヘッジする側　ウ：現物決済
⑤ ア：プロテクション　イ：ヘッジする側　ウ：差金決済

解答

正しいものは、①

クレジット・デフォルト・スワップとは、（　クレジット・イベント　）が発生したとき、ペイオフが発生するデリバティブである。つまり、プロテクションの買手（リスクを（　ヘッジする側　））が売手にプレミアムを支払い、その見返りとして、契約期間中、参照企業に（　クレジット・イベント　）が発生した場合に、損失に相当する金額を売手から受け取る取引である。

個別の債券がデフォルトしたとき、その債券が売手に引き渡されるか、あるいは、（　差金決済　）が行われる。

問3

次の文章について、イ：降雪日数が5日の場合、ロ：降雪日数が10日の場合の、それぞれの補償金受取総額の組み合わせとして正しいものはどれか、1つを選びなさい。

降雪によって来客数が減少する恐れのある百貨店が、以下のような条件の契約を結んだ。

〔契約内容〕
契約期間：12月1日〜2月28日（3ヶ月）
観測対象日：観測期間中の土曜日、日曜日、祝日（合計33日）
観測指標：降雪量（対象日のうち、5cm以上の降雪があった日数）
ストライク値：5日
補償金額：1日当たり100万円
補償金受取総額上限：1,000万円
ペイオフ：降雪日数がストライク値（5日）を上回る場合に、「降雪日数－ストライク値」×補償金額」が補償金受取総額上限を限度に支払われる。降雪日数がストライク値に等しいか、それを下回る場合には、支払金額はゼロである。

① イ：ゼロ　　ロ：500万円
② イ：ゼロ　　ロ：1,000万円
③ イ：100万円　ロ：1,000万円
④ イ：500万円　ロ：1,000万円

⑤ イ：500万円　ロ：500万円

 解答
正しいものは、①
イ：降雪日数5日はストライク値と等しいため、支払金額はゼロ。
ロ：(10日－5日)×100万円＝500万円

 問4
Aさんは、保有するX社債券の信用リスクをヘッジするために、Y銀行とクレジット・デフォルト・スワップを契約した。この契約に関する次の記述のうち、誤っているものはどれか。

① この契約におけるプロテクション・セラーはY銀行であり、プロテクション・バイヤーはAさんである。
② Aさんは、X社債券を参照資産としたデフォルト・スワップを、Y銀行と契約したことになる。
③ Aさんは、この契約により、X社債券の信用リスクをヘッジすることができる上、Y銀行の信用リスクを負うこともない。
④ Aさんは、Y銀行にプレミアムを支払うが、クレジット・イベントが発生しなかった場合には、そのまま取引が終了し、支払ったプレミアムは掛捨てとなる。
⑤ X社債券にクレジット・イベントが発生した場合には、AさんはY銀行に対してX社債券を引き渡すか、あるいは差金決済となる。

 解答
誤っているものは、③
Aさんは、X社債券の信用リスクをヘッジすることはできるが、Y銀行のカウンターパーティ・リスクをヘッジすることはできない。

3. デリバティブ取引 と協会定款・諸規則

CFD取引においても、投資者の保護を目的にした規則があります。

重要度 ★★★

1 CFD取引に関する規則

(1) CFD取引に関する規則の概要

この規則は、協会員が顧客との間で行うCFD取引または媒介、取次ぎ、代理について遵守すべき事項を定めている。

① 定義

CFD取引とは、一般的に、証拠金を預託し、有価証券の価格や有価証券指数を参照する取引開始時の取引価格と取引終了時の取引価格の差額により決済を行う差金決済取引のことである。

② 勧誘についての禁止行為

協会員は、特定投資家以外の顧客に対して行う上場CFD取引の勧誘に関して、「勧誘を受ける意思の有無を確認することなく勧誘すること」「顧客が契約の締結をしない旨の意思を表示したにもかかわらずその勧誘をすること」等は禁止されている。

③ ロスカット取引

協会員は、顧客との間で店頭CFDを行おうとするときは、顧客の損失が証拠金を上回ることがないように、ロスカット取引を行うための十分な管理態勢を整備し、実行しなければならない。

④ 社内規程の制定

協会員は、CFD取引または媒介、取次ぎ、代理を行うにあたっては、具体的な取扱いについて社内規定を制定し、遵守するとともに、社内規程が適切に履行されているかどうか、内部管理統括責任者の責任において、定期的に検査を行わなければならない。

⑤ 金商法令における証拠金率規制

協会員は、当規則及び金商法令により、店頭CFD取引を含む有価証券関連店頭デリバティブ取引について、一定の比率以上の証拠金を

顧客に預託させ、営業日毎に値洗いを行い、不足がある場合は速やか
にその不足分を預託させなければ、取引を継続させてはならない。

索　引

か行

た行

ま行

や行

ら行

わ行

【監修】

SAKU株式会社

金融に強い！クリエイターチームが運営する編集プロダクション。「未来を生きる力〜
FP技能士〜」（一般社団法人金融財政事情研究会）原作・FP監修を担当。各種テキス
トの制作・編集をはじめ、企画から取材・執筆・編集まで一貫して行う。小・中・高等・
大学校、地方自治体、金融広報委員会（日銀）などで講演や企業研修なども行う。

【執筆協力】

今津多佳子（いまづ　たかこ）

大和証券退職後、日本証券業協会と、全国銀行協会の金融・証券インストラクターとし
て、全国各地の企業、小・中・高校、大学、資産運用EXPO等で講師を行う。のんびり
HAPPYライフプラン設計をモットーとする。J-FLEC認定アドバイザー（金融経済教育
推進機構）。

スッキリわかるシリーズ

2024-2025年版　スッキリわかる　証券外務員一種

2024年9月15日　初版　第1刷発行

監　　修	S A K U 株 式 会 社	
編　　者	T A C 株 式 会 社	
	（出版事業部編集部）	
発 行 者	多　田　敏　男	
発 行 所	TAC株式会社　出版事業部	
	（TAC出版）	

〒101-8383
東京都千代田区神田三崎町3-2-18
電話　03(5276)9492（営業）
FAX　03(5276)9674
https://shuppan.tac-school.co.jp

イラスト	佐　藤　雅　則	
印　　刷	株式会社　光　　邦	
製　　本	株式会社　常　川　製　本	

© TAC 2024　　Printed in Japan　　　　　　ISBN 978-4-300-11352-3
N.D.C. 338

TAC出版 書籍のご案内

TAC出版では、資格の学校TAC各講座の定評ある執筆陣による資格試験の参考書をはじめ、資格取得者の開業法や仕事術、実務書、ビジネス書、一般書などを発行しています！

TAC出版の書籍

*一部書籍は、早稲田経営出版のブランドにて刊行しております。

資格・検定試験の受験対策書籍

- ◎日商簿記検定
- ◎建設業経理士
- ◎全経簿記上級
- ◎税 理 士
- ◎公認会計士
- ◎社会保険労務士
- ◎中小企業診断士
- ◎証券アナリスト

- ◎ファイナンシャルプランナー(FP)
- ◎証券外務員
- ◎貸金業務取扱主任者
- ◎不動産鑑定士
- ◎宅地建物取引士
- ◎賃貸不動産経営管理士
- ◎マンション管理士
- ◎管理業務主任者

- ◎司法書士
- ◎行政書士
- ◎司法試験
- ◎弁理士
- ◎公務員試験(大卒程度・高卒者)
- ◎情報処理試験
- ◎介護福祉士
- ◎ケアマネジャー
- ◎電験三種　ほか

実務書・ビジネス書

- ◎会計実務、税法、税務、経理
- ◎総務、労務、人事
- ◎ビジネススキル、マナー、就職、自己啓発
- ◎資格取得者の開業法、仕事術、営業術

一般書・エンタメ書

- ◎ファッション
- ◎エッセイ、レシピ
- ◎スポーツ
- ◎旅行ガイド (おとな旅プレミアム/旅コン)

書籍の正誤に関するご確認とお問合せについて

書籍の記載内容に誤りではないかと思われる箇所がございましたら、以下の手順にてご確認とお問合せをしてくださいますよう、お願い申し上げます。

なお、正誤のお問合せ以外の**書籍内容に関する解説および受験指導などは、一切行っておりません。**
そのようなお問合せにつきましては、お答えいたしかねますので、あらかじめご了承ください。

1 「Cyber Book Store」にて正誤表を確認する

TAC出版書籍販売サイト「Cyber Book Store」の
トップページ内「正誤表」コーナーにて、正誤表をご確認ください。

CYBER TAC出版書籍販売サイト
BOOK STORE

URL：https://bookstore.tac-school.co.jp/

2 1 の正誤表がない、あるいは正誤表に該当箇所の記載がない ⇒ 下記①、②のどちらかの方法で文書にて問合せをする

★ご注意ください★

お電話でのお問合せは、お受けいたしません。
①、②のどちらの方法でも、お問合せの際には、「お名前」とともに、
「対象の書籍名（○級・第○回対策も含む）およびその版数（第○版・○○年度版など）」
「お問合せ該当箇所の頁数と行数」
「誤りと思われる記載」
「正しいとお考えになる記載とその根拠」
を明記してください。
なお、回答までに１週間前後を要する場合もございます。あらかじめご了承ください。

① ウェブページ「Cyber Book Store」内の「お問合せフォーム」より問合せをする

【お問合せフォームアドレス】

https://bookstore.tac-school.co.jp/inquiry/

② メールにより問合せをする

【メール宛先　TAC出版】

syuppan-h@tac-school.co.jp

※土日祝日はお問合せ対応をおこなっておりません。
※正誤のお問合せ対応は、該当書籍の改訂版刊行月末日までといたします。

乱丁・落丁による交換は、該当書籍の改訂版刊行月末日までといたします。なお、書籍の在庫状況等により、お受けできない場合もございます。
また、各種本試験の実施の延期、中止を理由とした本書の返品はお受けいたしません。返金もいたしかねますので、あらかじめご了承くださいますようお願い申し上げます。

（2022年7月現在）